Manual de Programação Neurolingüística

PNL

Um Guia Prático para Alcançar os Resultados que Você Quer

JOSEPH O'CONNOR

Manual de Programação Neurolingüística

PNL

Um Guia Prático para Alcançar os Resultados que Você Quer

Versão original em inglês por Thorsons, uma divisão
da HarperCollinsPublishers Ltd., sob o título
NPL Workbook.
© Joseph O'Connor 2019.

Joseph O'Connor tem o direito moral de ser identificado como autor desta obra.

Copyright© 2019 by Qualitymark Editora Ltda.
Todos os direitos desta edição reservados à Qualitymark Editora Ltda.
É proibida a duplicação ou reprodução deste volume, ou parte do mesmo,
sob qualquer meio, sem autorização expressa da Editora.

Direção Editorial	Produção Editorial
SAIDUL RAHMAN MAHOMED editor@qualitymark.com.br	EQUIPE QUALITYMARK
Capa	**Editoração Eletrônica**
WILSON COTRIM	PRELO EXPRESS

1ª Edição: 2003

1ª Reimpressão: 2003	10ª Reimpressão: 2014
2ª Reimpressão: 2005	11ª Reimpressão: 2015
3ª Reimpressão: 2006	12ª Reimpressão: 2016
4ª Reimpressão: 2007	13ª Reimpressão: 2017
5ª Reimpressão: 2008	14ª Reimpressão: 2017
6ª Reimpressão: 2010	15ª Reimpressão: 2017
7ª Reimpressão: 2011	16ª Reimpressão: 2018
8ª Reimpressão: 2012	17ª Reimpressão: 2019
9ª Reimpressão: 2013	

CIP-Brasil. Catalogação-na-fonte
Sindicato Nacional dos Editores de Livros, RJ

O18m

O'Connor, Joseph, 1944–

Manual de programação neurolinguística: PNL: um guia prático para alcançar os resultados que você quer / Joseph O'Connor ; tradução de Carlos Henrique Trieschmann ; revisão técnica Jairo Mancilha. – Rio de Janeiro : Qualitymark Editora, 2019.
344p. :

Tradução de: NPL workbook : a pratical guide to achieving the results you want
Inclui Bibliografia
ISBN 978-85-7303-836-1

1. Programação neurolinguística. I. Título

03-0440   CDD 158.1
     CDD 159.96

**2019
IMPRESSO NO BRASIL**

Qualitymark Editora Ltda.
Rua José Augusto Rodrigues, 64 – sl. 101
Polo Cine e Vídeo – Jacarepaguá
CEP: 22275-047 – Rio de Janeiro – RJ

www.qualitymark.com.br
E-mail: quality@qualitymark.com.br
Tels.: (21) 3597-9055 / 3597-9056
Vendas: (21) 3296-7649

Agradecimentos

Em primeiro lugar, meus agradecimentos a John Grinder e Richard Bandler que, trabalhando em conjunto, criaram a PNL em meados da década de 70. Baseados nos principais terapeutas e pensadores da época, deram origem a um novo campo. Deles é a maior contribuição. Muitos outros desenvolveram e ampliaram a PNL desde então – David Gordon, Judith DeLozier, Leslie Cameron Bandler, Steve e Connirae Andreas, Robert Dilts, Tad James etc. Concedi reconhecimento neste livro sempre que as idéias ou exercícios tenham sido primariamente desenvolvidos por qualquer pessoa ou grupo de meu conhecimento. Alguns podem ter passado sem reconhecimento. Se for o caso, minhas desculpas e espero feedback para correção dos registros.

Mais uma vez quero agradecer a Carole Tonkinson, minha editora na Thorsons pela sua grande ajuda e apoio. Agradeço também a Elizabeth Hutchins, por ter formatado minhas palavras em uma representação ainda melhor daquilo que tentei expressar. Todos os meus alunos do *Practitioner* têm aberto meus olhos a novos aspectos da PNL que ajudaram a enriquecer este livro. Os melhores alunos são os melhores professores. Por fim, como músico em recuperação, meus agradecimentos a Everclear (maravilhoso), The Red Hot Chilli Peppers e ao REM por oferecerem música maravilhosa ao som da qual escrever.

Joseph O´Connor
Outubro de 2000

Prefácio da Edição Brasileira

Clareza, didática, inteligência, abrangência, simplicidade com profundidade, praticidade e facilidade de leitura são algumas das qualidades que podemos perceber no Manual de Programação Neurolingüística de Joseph O'Connor.

Em estilo direto e escorreito, ele apresenta a PNL de uma forma compreensível e aplicável à vida pessoal e profissional.

É um excelente livro para se ter o primeiro contato com a PNL e é também indicado para quem já trabalha com PNL por ser prático, dinâmico e abrangente.

Para quem ensina ou quer ensinar PNL é uma "jóia preciosa", pois apresenta uma série de exercícios e práticas para serem usados no dia-a-dia, que podem ser utilizados diretamente na sala de aula ou de treinamento.

Além disso, ele pode ser adotado como um completo e excelente manual para o curso *Practitioner* em PNL.

Li e gostei de todos os livros publicados por Joseph O'Connor. Na minha percepção, o Manual de PNL é o melhor. Logo que o li no original em inglês, contatei a Qualitymark Editora sugerindo sua tradução para nosso idioma.

Parabenizo a Qualitymark por mais esta obra que, com certeza, tem potencial para se tornar um *best-seller* e que vai ser uma ferramenta valiosa para quem lida com PNL e para quem quer alcançar seus objetivos e resultados na vida.

Temos agora em língua portuguesa o manual de PNL que estava faltando.

Jairo Mancilha,
Ph.D., Médico e Master Trainer em PNL
Diretor do INAp – Instituto de Neurolingüística Aplicada
www.pnl.med.br

Sumário

	Introdução	xi
Capítulo 1	O que é PNL?	1
Capítulo 2	Resultados	13
Capítulo 3	Aprendizagem	27
Capítulo 4	Relacionamento	45
Capítulo 5	Os Sentidos	53
Capítulo 6	Estado Emocional	83
Capítulo 7	Por Dentro da Mente	107
Capítulo 8	Estratégias	133
Capítulo 9	Linguagem	151
Capítulo 10	O Metamodelo	163
Capítulo 11	O Modelo Milton	195
Capítulo 12	Metáfora	215
Capítulo 13	Redação	225
Capítulo 14	Compreensão	233
Capítulo 15	Enquadramento	259
Capítulo 16	Juntando a Coisa Toda	279

Apêndices:
Padrões da PNL 303
As Principais Influências no Desenvolvimento da PNL 307
Bibliografia 315
Glossário 319

Introdução

Bem-vindos ao Manual de PNL. Este é o guia mais abrangente à Programação Neurolingüística atualmente disponível. Não só disponibiliza todo o material principal para o nível de *Practitioner* como oferece muitos exercícios, sugestões e recursos que vão mais além. É chamado de "Manual" porque é prático – funciona, você pode mudar a si próprio e seu mundo com as idéias e técnicas aqui apresentadas. Não é um manual no sentido de exercício ou trabalho extenuante – a PNL é espantosamente fácil, intuitiva e divertida.

PNL diz respeito à sua experiência – como você conhece o mundo e todos que nele estão, como você faz o que faz, como cria sua própria realidade, com seus altos e baixos. Espero que este livro lhe diga como ver, ouvir e sentir mais do mundo, conhecer-se melhor e compreender os outros de forma mais clara. Se você já tem algum conhecimento da PNL, então a obra será um recurso inestimável para integrar aquilo que sabe e apresentar-lhe algumas idéias e exercícios novos.

Este livro começou como o manual do meu curso *Practitioner* em PNL. Rearranjei, mudei, adicionei, subtraí e transformei aquele manual para produzir esta obra. Ao fazê-lo, espero ter mantido a maior parte da clareza e concisão do original.

O livro é disposto em várias seções, cada uma abrangendo um tópico em profundidade e com uma seção final explicando como tudo se encaixa e quais técnicas e idéias utilizar em cada situação. A PNL pode ser parecida com uma caixa mágica de ferramentas. Ao se maravilhar com as coisas fantásticas dentro dela, você se pergunta: "Onde posso usar isso?" Este livro responderá essa pergunta. Há também uma seção final sobre como criar suas próprias ferramentas, para que você mesmo possa adicionar coisas à caixa.

Como Utilizar Este Livro

A PNL é como um holograma; você pode começar em qualquer lugar e desenvolver o quadro todo. Assim você pode abrir este livro aleatoriamente e ler aquilo que lhe interessa. Se o ler em ordem, no entanto, acredito que obterá um holograma melhor e de mais fácil compreensão.

Se você for um *trainer*, encontrará muitas idéias para treinamento em PNL neste livro. Também encontrará muitas idéias que poderá adaptar para qualquer tipo de treinamento de comunicação ou de habilidades de autodesenvolvimento.

Ao final de cada seção, há um "Plano de Ação" com exercícios práticos para construir suas habilidades e tornar as idéias realidade. O conhecimento, como dizem, é apenas um boato até que você o incorpora e faz alguma coisa com ele. Esses são exercícios para a vida diária. Não são uma fórmula regimentada – não precisam ser concluídos antes que você possa ler a página seguinte – e eu estaria me iludindo se esperasse que todos os realizassem. São sugestões. Aproveite as que gostar e que funcionam para você.

Você poderá querer usar esta obra de forma mais criativa, como, por exemplo, o livro de adivinhações chinês, o *I Ching*. Quando você tiver um problema e quiser alguns conselhos, abra o livro aleatoriamente e leia uma página. Como poderia ser aplicada? Haverá, com certeza, alguma aplicação, já que tanto o problema quanto o significado que você tira daquilo que lê vêm do mesmo lugar – sua mente.

Acima de tudo, seja curioso. Este livro é sobre as infinitamente fascinantes teias de nossa experiência. Alguns dias são maravilhosos. Não podemos errar e ninguém mais pode, também. Outros dias são horríveis. Parece que todos conspiram para nos prejudicar, e nada dá certo. Se tentássemos cair, as chances são de que erraríamos o chão. Como isso tudo acontece? A PNL pode começar a lhe dizer como e até um pouco do por quê. Você então talvez possa atravessar cada dia com um pouco mais de escolha, um pouco menos sobrecarregado pelo excesso de bagagem de antigas limitações.

Capítulo 1

O Que É PNL?

Vamos começar pelo começo. O que é PNL? Mas essa é uma pergunta capciosa. Não se pode reduzir a PNL a uma única definição. Há muitas explicações do que seja PNL, cada uma como um feixe de luz brilhando de um ângulo diferente, iluminando inteiramente a forma e a sombra do objeto.

A PNL estuda talento e qualidade – como organizações e indivíduos excelentes obtêm seus resultados excelentes. Os métodos podem ser ensinados a outros para que eles também possam obter a mesma classe de resultados. Esse processo denomina-se "modelagem".

Para modelar, a PNL estuda como estruturamos nossa experiência subjetiva – como pensamos sobre nossos valores e crenças e como criamos nossos estados emocionais – e como construímos nosso mundo interno a partir de nossa experiência e lhe damos significado. Nenhum evento tem significado em si mesmo, nós lhe atribuímos significado, e pessoas diferentes podem lhe atribuir significados iguais ou diferentes. Assim a PNL estuda experiências pelo lado de dentro.

A PNL começou estudando os melhores comunicadores e evoluiu para o estudo sistêmico da comunicação humana. Cresceu adicionando ferramentas e métodos práticos gerados pela modelagem de pessoas excelentes ou brilhantes. Essas ferramentas são utilizadas internacionalmente nos esportes, nos negócios, em treinamento, em vendas, no direito e em educação. No entanto, a PNL é mais do que apenas uma coletânea de técnicas. É também uma forma de pensar, uma mentalidade baseada em curiosidade, exploração e divertimento.

O nome "Programação Neurolingüística" advém das três áreas que reúne:

P *Programação*   Como seqüenciamos nossas ações para alcançarmos metas.

N *Neurologia*   A mente e como pensamos.

L *Lingüística*   Como usamos a linguagem e como ela nos afeta.

A seguir, algumas definições de PNL. Reúna-as todas e terá uma boa idéia do campo.

- "PNL é o estudo da estrutura da experiência subjetiva."
- "PNL é uma estratégia de aprendizagem acelerada para a detecção e utilização de padrões no mundo". (John Grinder)
- "PNL é a epistemologia de retornarmos àquilo que perdemos – um estado de graça." (John Grinder)
- "PNL é qualquer coisa que funcione." (Robert Dilts)
- "PNL é uma atitude e uma metodologia, que deixam um rastro de técnicas." (Richard Bandler)
- "PNL é a influência da linguagem sobre nossas mentes e nossos comportamentos subseqüentes."
- "PNL é o estudo sistêmico da comunicação humana." (Alix Von Uhde)
- "PNL é o método para a modelagem da excelência de forma que possa ser duplicada."

E agora, duas histórias – sempre uma fonte mais rica de idéias do que uma definição direta...

Um menino perguntou a sua mãe: "O que é PNL?"

Sua mãe disse: "Já vou lhe dizer, mas primeiro você terá que fazer algo, para que possa compreender. Vê seu avô ali na poltrona dele?"

"Sim", disse o menino.

"Vá até lá e pergunte-lhe como vai sua artrite hoje."

O menino foi até o avô. "Vovô", disse ele, "como está sua artrite hoje?"

"Bem, está um tanto ruim, filho", respondeu o velho. "Sempre fica pior quando o tempo está úmido. Quase não consigo mexer os dedos hoje." Uma expressão de dor atravessou-lhe a face.

O menino voltou para a mãe. "Ele disse que estava ruim. Acho que ele sente dor. Você vai me dizer o que é PNL agora?"

"Em um minuto, prometo", respondeu a mãe. "Agora vá lá e pergunte ao vovô qual foi a coisa mais engraçada que você fez quando era bem pequeno."

O menino foi até o avô. "Vovô", começou, "qual foi a coisa mais engraçada que já fiz quando era bem pequenininho?"

O semblante do velho se iluminou. "Bem", sorriu, "houve muitas coisas. Teve a vez que você e seu amigo brincaram de Papai Noel e espalharam talco pelo banheiro todo dizendo que era neve. Eu ri muito – mas eu não precisava limpar tudo". Fitou a distância com um sorriso.

"E depois teve aquela vez quando eu o levei para passear. Era um dia lindo e você cantava uma música infantil que acabara de aprender. Cantava alto. Um homem passou e olhou para você com a cara feia. Achou que você fazia barulho demais. Pediu-me que lhe dissesse para ficar quieto. Então você virou-se para ele e disse: "Se você não gosta quando eu canto, você pode ir ferver a sua cabeça". E continuou mais alto ainda... O velho riu.

O menino voltou para sua mãe. "Você ouviu o que o vovô disse?" perguntou.

"Sim", respondeu a mãe. "Você mudou o que ele sentia com algumas palavras. Isso é PNL."

Um sábio chegou a um vilarejo no deserto uma tarde ao pôr-do-sol. Descendo de seu camelo, pediu a um dos aldeões um gole d'água.

"Certamente", disse o aldeão, dando-lhe uma caneca com água.

O viajante esvaziou a caneca. "Obrigado", disse ele. "Posso ajudá-lo de alguma forma antes de prosseguir viagem?"

"Sim", disse o jovem. "Temos uma disputa em nossa família. Sou o mais novo de três irmãos. Meu pai faleceu há pouco tempo, Deus o abençoe, e tudo que possuía era uma pequena tropa de camelos. Dezessete, para ser exato. Em seu testamento, determinou que a metade da tropa iria para meu irmão mais velho, um terço, para meu irmão do meio, e um nono, para mim. Mas como podemos dividir 17 camelos? Não desejamos esquartejar camelo algum, já que valem muito mais vivos."

"Leve-me até sua casa", disse o sábio.

Ao entrar na casa viu os outros dois irmãos e a viúva sentados em torno do fogo discutindo. O irmão mais novo os interrompeu e apresentou o viajante.

"Esperem", disse o sábio, "acho que posso ajudá-los. Tome, lhe dou o meu camelo como presente. Agora vocês têm 18 camelos. A metade vai para o mais velho, são nove camelos. Um terço vai para o do meio, são seis camelos. E um nono vai para meu amigo aqui, o caçula. São dois."

"Mas são só 17 ao todo", disse o filho mais novo.

"Sim, por feliz coincidência, o camelo que sobrou é o que lhe dei. Se você puder me devolvê-lo, prosseguirei viagem."

E assim o fez.

Como a PNL se parece com o décimo oitavo camelo? Pode ser que ela seja apresentada em uma situação por um homem sábio, solucione o problema rapidamente e depois desapareça como se jamais tivesse existido.

Os Pilares da PNL

A PNL possui seis princípios básicos. São conhecidos como os "pilares da PNL".

1. *Você – seu estado emocional e nível de habilidade.*

    Você é a parte mais importante de qualquer intervenção de PNL. Você torna a PNL real através daquilo que faz. Assim como uma ferramenta pode ser usada para criar arte maravilhosa ou lixo, assim a PNL pode ser bem ou mal utilizada. Seu sucesso depende do quão habilidoso e capaz você é. Quanto mais congruente você for, mais sucesso terá. Congruência é quando suas metas, crenças e valores se alinham com suas ações e palavras, quando você "faz o que diz e diz o que faz".

2. *As pressuposições – os princípios da PNL.*

    As pressuposições da PNL são seus princípios guia, as idéias ou crenças que são pressupostas, ou seja, consideradas como dadas e sobre as quais se age.

3. Rapport – *a qualidade do relacionamento.*

    Rapport é a qualidade de relacionamento que resulta em confiança e responsividade. Você consegue rapport compreendendo e respeitando a maneira pela qual a outra pessoa vê o mundo. É como falar sua língua. O rapport é essencial para a boa comunicação. Se existir rapport, os outros se sentirão reconhecidos e serão imediatamente mais responsivos. É possível construir rapport em muitos níveis, mas todos envolvem dar atenção e respeitar a outra pessoa. O rapport pode ser construído instantaneamente e, ao longo do tempo, evolui para confiança.

4. *Resultado – saber o que quer.*

    Uma habilidade básica da PNL é ser claro sobre aquilo que se quer e ser capaz de saber dos outros aquilo que desejam. A PNL se baseia em pensar sempre em resultados em qualquer situação, de forma a agir sempre de maneira propositada. Um resultado é aquilo que você quer; uma tarefa é o que você faz para consegui-lo.

A mentalidade de resultado tem três elementos básicos:

> Conhecer sua situação atual – onde você está agora.
>
> Conhecer sua situação desejada – onde quer estar.
>
> Planejar sua estratégia – como chegar de um ponto até o outro, utilizando os recursos que possui ou criando novos.

5. *Feedback – como saber que está conseguindo o que quer?*

    Uma vez sabedor daquilo que deseja, terá que prestar atenção no que está conseguindo, para que determine o que fazer a seguir. No que está prestando atenção? Seu feedback é ao mesmo tempo preciso e exato? Na maior parte das vezes, isso significa prestar atenção rigorosa em seus sentidos – vendo, ouvindo e sentindo aquilo que na verdade está ocorrendo. Seus sentidos são a única maneira que você tem de obter feedback direto. Você tem apenas os seus sentidos para "fazer sentido" do mundo. As informações que obtém de seus sentidos permitem que saiba se está na direção de sua meta.

6. *Flexibilidade – se o que está fazendo não estiver funcionando, faça algo diferente.*

    Quando souber o que deseja e o que está recebendo, mais estratégias terá para alcançar seu resultado, e maior sua chance de sucesso. Quanto mais opções tiver – de estado emocional, estilo de comunicação e de perspectiva – melhores serão seus resultados. A PNL encoraja a escolha governada pelo propósito em um relacionamento de rapport e consciência.

As Pressuposições da PNL

As 13 pressuposições são os princípios centrais da PNL, sua filosofia orientadora, suas "crenças". Esses princípios não são com certeza verdadeiros ou universais. Não é necessário acreditar que sejam verdadeiros. São denominadas "pressuposições" porque você as *pré-supõe* como sendo verdadeiras e depois age como se o fossem. Basicamente, formam um conjunto de princípios éticos para a vida.

1. *As pessoas respondem a sua experiência, não à realidade em si.*

    Não sabemos o que é realidade. Nossos sentidos, nossas crenças e nossa experiência passada nos dão um mapa do mundo a partir do qual podemos operar, mas um mapa jamais pode ser inteiramente preciso, caso contrário, seria igual ao terreno que abrange. Não conhecemos o território, portanto para nós o mapa *é* o território. Alguns mapas são melhores do que outros para nos orientar pelo caminho. Navegamos pela vida como um navio em mar revolto; desde que o mapa nos aponte os principais perigos, estaremos bem. Quando os mapas são falhos, correremos perigo de encalhar. A PNL é a arte de mudar esses mapas para que tenhamos maior liberdade de ação.

2. *Ter uma escolha ou opção é melhor do que não ter uma escolha ou opção.*

   Procure ter um mapa que lhe dê o maior número de escolhas. Aja sempre de forma a aumentar a escolha. Quanto mais escolhas tiver, mais livre estará e mais influência terá.

3. *As pessoas fazem a melhor escolha que podem no momento.*

   Uma pessoa sempre faz a melhor escolha que pode, dados seus mapas do mundo. A escolha pode ser autoderrotadora, bizarra ou má, mas, para ela, parece ser o melhor caminho a seguir. Ofereça-lhe uma escolha melhor e a adotará. Melhor ainda, dê a ela um mapa melhor com mais opções.

4. *As pessoas funcionam perfeitamente.*

   Ninguém é errado ou quebrado. Estamos todos executando nossas estratégias com perfeição, mas as estratégias podem ser malprojetadas e ineficazes. Descubra como você e os outros funcionam, para que uma estratégia possa ser modificada para algo mais útil e desejável.

5. *Todas as ações têm um propósito.*

   Nossas ações não são aleatórias; estamos sempre tentando realizar algo, embora possamos não ter consciência do que estamos tentando fazer.

6. *Todo comportamento possui intenção positiva.*

   Todas as nossas ações têm pelo menos um propósito – realizar algo que valorizamos e que nos beneficie. A PNL separa a intenção por trás de uma ação da ação em si. Uma pessoa não é seu comportamento. Quando uma pessoa tem uma melhor escolha de comportamento que também realize sua intenção positiva, a seguirá.

7. *A mente inconsciente contrabalança a consciente; ela não é maliciosa.*

   O inconsciente é tudo aquilo que não está no consciente no momento presente. Contém todos os recursos de que necessitamos para viver em equilíbrio.

8. *O significado da comunicação não é simplesmente aquilo que você pretende, mas também a resposta que obtém.*

   Essa resposta pode ser diferente da resposta que você queria, mas não há falhas de comunicação, apenas respostas e feedback. Se não estiver obtendo o resultado que deseja, mude o que está fazendo. Assuma a responsabilidade pela comunicação.

9. *Já temos todos os recursos de que necessitamos ou então podemos criá-los.*

    Não existem pessoas desprovidas de recursos, apenas estados mentais desprovidos de recursos.

10. *Mente e corpo formam um sistema. São expressões diferentes da mesma pessoa.*

    Mente e corpo interagem e se influenciam mutuamente. Não é possível realizar uma mudança em um sem que o outro seja afetado. Quando pensamos de forma diferente, nossos corpos mudam. Quando agimos de forma diferente, modificamos nossos pensamentos e sentimentos.

11. *Processamos todas as informações através de nossos sentidos.*

    O desenvolvimento de seus sentidos para que se tornem mais aguçados lhe dá melhores informações e o ajuda a pensar de forma mais clara.

12. *Modelar desempenho bem-sucedido leva à excelência.*

    Se uma pessoa pode fazer alguma coisa, é possível modelá-la e ensiná-la a outros. Assim, todos podem aprender a obter resultados melhores de sua própria maneira. Você não se torna um clone da pessoa que está modelando – você aprende com ela.

13. *Se quiser compreender, aja.*

    O aprender está no fazer.

O Que a PNL Faz?

A PNL traz autodesenvolvimento e mudança. Primeiro, você a usa para trabalhar a si mesmo para se tornar a pessoa que realmente quer ser e pode ser. Da mesma forma, você trabalha a si mesmo para que possa ajudar outras pessoas de forma eficaz.

Viajo muito de avião, e percebo que, no início de cada vôo, depois de nos sentarmos e afivelarmos o cinto, o pessoal de cabine nos tem a sua mercê, e realizam os procedimentos de segurança de vôo. A esta altura, os viajantes habituais mergulham em suas revistas de bordo, porque já ouviram aquilo tudo antes, e alguns deles poderiam recitar tais palavras de cor. Mas eu sempre me lembro de uma coisa a respeito desses procedimentos de segurança – se a cabine perder pressão, caem máscaras de oxigênio que devemos colocar antes de ajudar outra pessoa. Por quê? Porque se você não colocar sua máscara de oxigênio, pode desmaiar e aí não será de utilidade alguma para quem quer que seja – você ou outra pessoa.

Autodesenvolvimento é o equivalente a colocar sua máscara primeiro. Quanto mais souber a respeito de você mesmo, mais poderá ajudar outras pessoas.

A PNL não diz respeito a consertar outras pessoas e esquecer-se de si mesmo. Coloque a sua máscara primeiro!

Quando você aborda mudança e autodesenvolvimento, você precisa ser congruente. Em outras palavras, tem que estar determinado a ter sucesso e acreditar naquilo que está fazendo. Congruência significa que você está comprometido a fazer a mudança para não sabotar a si mesmo.

Segundo, você precisa estabelecer rapport, ou seja, trabalhar em um relacionamento de confiança e influência mútuas.

Terceiro, você tem de definir aquilo que deseja alcançar nessa mudança.

Então você pode aplicar um dos muitos padrões, técnicas ou combinações de padrões que a PNL desenvolveu para mudança e aprendizagem.

Seu resultado deve ser ecológico, para que se encaixe no quadro maior sem conseqüências desastrosas para você e para outros.

Por fim, você "faz uma ponte ao futuro", ou seja, ensaia mentalmente a nova mudança e a nova aprendizagem. Isso a reforça e significa que você se lembrará de agir de forma diferente quando chegar a hora de testar o que aprendeu.

Ecologia

Ecologia se refere a preocupar-se com o sistema geral. Você a verifica quando considera como a mudança que está fazendo se encaixa no sistema mais amplo. Você checa se o que parece ser uma boa mudança em uma parte do sistema não vai causar problemas em outras áreas. Muitas mudanças pessoais e organizacionais fracassam porque o limite do sistema é estabelecido de forma demasiadamente estreita, e os "efeitos colaterais" acabam sendo grandes dores de cabeça. Uma verificação de ecologia é como notar se um medicamento causa efeitos colaterais nocivos mesmo que cure a doença.

Como parte de uma técnica de PNL, verificar a ecologia assegura que a PNL não se tornará manipulativa, que as suas ações não levarão a ganho para você e perdas para outrem. Você também checa se a mudança feita por outra pessoa se harmoniza com o restante de sua vida e de seus relacionamentos. Ao verificar a ecologia, você se assegura de não manipular *a si mesmo*, se forçando a adotar algum curso de ação do qual se arrependerá mais tarde ou que prejudique seriamente outra pessoa.

Todas as ações têm conseqüências além de seu contexto específico. Nossas vidas são complexas, e uma mudança causará marolas como uma pedra lançada em um lago sereno. Algumas mudanças causam marolas mais fortes que outras. Algumas marolas acalmarão; outras poderão agitar a superfície muito mais além do que você esperava. Umas poucas poderão se transformar em ressacas.

Ecologia Interna

Verificar a ecologia interna é checar junto a seus próprios sentimentos se seguir um curso de ação seria sábio. A ecologia de seu corpo físico é refletida em sua saúde física. Sua ecologia mental é refletida pelos seus sentimentos de congruência ou incongruência.

Incongruência é a sensação de que a mudança tem conseqüências incertas (você precisa, então, de mais informações), ou negativas (você então precisa pensar novamente). A incongruência não é ruim, mas você precisa estar consciente dela e explorar por que a sente.

Para verificar a ecologia interna, as perguntas que precisa fazer são:

"Quais as conseqüências de minha ação?"

"O que perderei se fizer essa mudança?"

"O que terei que fazer a mais?"

"Vale a pena?"

"O que ganharei se fizer essa mudança?"

"Qual o preço de fazer essa mudança; será que estou disposto a pagá-lo?"

"Quais os aspectos bons do estado atual?"

"Como posso manter esses aspectos bons ao fazer a mudança que desejo?"

Ouça, sinta e dê atenção cuidadosa a suas respostas.

Uma reação incongruente típica será uma sensação desagradável, geralmente no estômago. Uma incongruência visual é freqüentemente uma sensação de que as peças do quebra-cabeças não fazem sentido. A frase incongruente clássica é "Sim, *mas...*".

Por vezes, ao verificar a ecologia, as conseqüências desagradáveis podem ser muito claras, e você poderá ter que repensar seu objetivo ou resultado. Outras vezes, você poderá ter uma intuição de que nem tudo vai bem sem saber dizer exatamente por quê. Essa intuição é uma indicação inconsciente de que a mudança não é inteiramente ecológica. Sempre preste atenção em suas intuições e em seus sentimentos de incongruência.

Ecologia Externa

A ecologia interna se confunde com a externa porque somos todos parte de um sistema maior de relacionamentos. Ecologia interna e externa são duas perspectivas diferentes referentes ao mesmo sistema. Verificar a ecologia externa quer dizer examinar como seu resultado afetará outras pessoas significativas em sua vida.

Dê um salto de imaginação e seja uma delas.

Como sua mudança as afetará?

Vai contra algum de seus valores?

Isso importa?

Como reagirão?

Verificações de ecologia são parte do pensamento sistêmico. A otimização de uma parte do sistema invariavelmente leva ao sistema *inteiro* funcionar *de forma menos* producente do que anteriormente. Por exemplo, suponha que um homem decida perder peso e melhorar a forma física em um momento de loucura na noite de Ano Novo em Nova York. Resolve jogar *squash* e vai à academia três vezes por semana, pensando que quanto mais fizer, melhor será. Como seu corpo não está acostumado ao esforço, distende um músculo e fica cansado e letárgico. Assim, não pode se exercitar, fica deprimido, faz ainda menos e pode acabar com uma vida menos ativa e ainda mais pesado do que no fim do ano, e com uma fatura de fisioterapia e, além disso, a mensalidade da academia que quase não usou.

A ecologia é importante em organizações também. Um grande esforço de vendas pode resultar em um salto de vendas que exerça pressão sobre os fabricantes para atenderem a demanda. Se forem incapazes de entregar, isso levará a mais clientes insatisfeitos, uma elevação de queixas de clientes e uma subseqüente perda de negócios.

Mente Consciente e Inconsciente

Toda mudança ocorre primeiro no nível inconsciente.
Só depois nos conscientizamos dela.

A PNL tem uma abordagem característica ao consciente e ao inconsciente bastante diferente daquela adotada pela maioria dos demais sistemas de psicologia. Em PNL, "o consciente" refere-se a tudo que está na consciência do momento presente. Podemos conscientemente reter cerca de sete informações separadas em um determinado momento. No entanto, muito depende de como organizamos as informações. Um número de telefone pode consistir em sete dígitos. Você memoriza isso como sete dígitos, mas uma vez considerado como um número de telefone, lembra dele como um único "pedaço", então poderá armazenar cerca de sete números de telefone em sua memória de curto prazo.

"O inconsciente" é usado em PNL para indicar tudo que não seja consciente. Assim, o inconsciente é um "contentor" para muitos pensamentos, sentimentos, emoções, recursos e possibilidades diferentes nos quais não está prestando atenção em qualquer determinado momento. Quando desloca sua atenção, se tornam conscientes.

Algumas crenças e alguns valores permanecem inconscientes, mas guiam a sua vida sem que você perceba o quão poderosos são. Algumas partes de sua fisiologia sempre serão inconscientes – a concentração de dióxido de carbono no sangue, como seu coração bate, o que seu fígado está fazendo. Quanto mais importante e vital a função, mais provável é que seja inconsciente. Seria muito incômodo ter que lembrar conscientemente de fazer seu coração bater, regular sua digestão ou regenerar seus ossos.

A mente consciente é como um cavaleiro, dirigindo e guiando, determinando resultados e decidindo direcionamentos. Esses então passam para o inconsciente e começamos a empreender ações para alcançá-los. O inconsciente é como o cavalo que efetivamente realiza o trabalho de chegar onde o cavaleiro quer. Não é boa idéia permitir que o cavalo determine a direção. Nem é boa idéia que o cavaleiro tente dizer ao cavalo exatamente onde colocar suas patas a cada estágio da jornada. Na melhor das hipóteses, consciente e inconsciente formam uma parceria equilibrada.

Todo mundo tem todos os recursos de que necessita para mudar, ou então pode criá-los. No entanto, as pessoas freqüentemente pensam que não possuem os recursos porque não têm consciência deles no contexto específico no qual deles necessitam. Mas algumas pesquisas neurofisiológicas sugerem que todas as experiências que já tivemos possam estar armazenadas em algum lugar, podendo ser acessadas nas circunstâncias certas. Todos nós já tivemos a experiência de ter um evento há muito esquecido surgir em nossas mentes, disparado por algum pensamento divagador, e recursos inconscientes podem ser utilizados pela hipnoterapia e transe.

Alguns sistemas de psicologia (ex.: a psicanálise) vêem a mente inconsciente como repositório de material reprimido e conturbador. A PNL considera o inconsciente como benevolente – já que encerra todas as experiências que poderíamos usar para ganhar sabedoria.

A PNL tem grande respeito pelo inconsciente. O lugar mais fácil de onde começar, no entanto, é o consciente – aquilo que percebemos e como dirigimos nossas vidas, formulando, compreendendo e alcançando nossos resultados.

Plano de Ação

1. Escolha uma das pressuposições da PNL que mais o atrai. Agora pense em um problema ou em uma situação difícil que tenha com outra pessoa. O que você faria se fosse agir como se essa pressuposição fosse verdadeira? Como a situação mudaria?

   Como exemplo simples, um amigo meu fazia parte de uma equipe de projeto de trabalho. Um membro da equipe o estava levando à loucura, continuamente dando voz a objeções, entrando em detalhes com demasiada antecedência e perdendo tempo (na opinião de meu amigo). A pressuposição que veio à mente foi a de que as pessoas trabalham com perfeição. Seu colega tinha uma excelente estratégia para classificar e fazer sentido de informações, mas a estava aplicando no lugar errado. Manter a pressuposição em mente ajudou meu amigo a compreender seu colega, a ser paciente com ele, a manter o rapport e a ajudá-lo a fazer suas perguntas de forma diferente em um momento diferente, quando eram extremamente valiosas.

2. Agora escolha uma pressuposição sobre a qual tem as maiores dúvidas. Considere outra situação difícil em sua vida. O que você faria se agisse como se essa pressuposição fosse verdadeira? Como a situação mudaria?

3. Assista ao filme *Matrix* no vídeo. Se já tiver assistido, assista de novo. Se você fosse protagonista no filme, teria tomado a pílula azul ou a pílula vermelha? E como você sabe que não está em um Matrix de verdade?

Capítulo 2

Resultados

O que você quer? Essa é a pergunta definitiva em PNL. Um resultado é o que você quer – um estado desejado, algo que você não tem em seu estado atual. Resultados "aparecem" quando nós os alcançamos, daí o nome, e o primeiro passo para alcançá-los é pensar a respeito cuidadosamente. Por que você deseja seu resultado e se você deve desejá-lo são perguntas que demandam respostas. Resultados em PNL são diferentes de alvos, metas e objetivos, pois foram cuidadosamente considerados e atendem determinadas condições que os tornam realistas, motivadores e alcançáveis.

Ao determinarmos um resultado, nos tornamos conscientes da diferença entre o que temos e o que desejamos. Essa diferença é o "problema". Quando determinamos um resultado e temos certeza quanto ao nosso estado desejado, podemos então planejar a viagem de um para outro. Tornamo-nos proativos, assumimos a propriedade do problema e começamos a ir em direção a uma solução. Quando não sabemos o que queremos, há muitas pessoas que terão enorme prazer em nos pôr a trabalhar para alcançar os resultados *delas*.

Um resultado não é a mesma coisa que uma tarefa. Um resultado é aquilo que você deseja. Uma tarefa é o que você precisa fazer para alcançá-lo. Não realize tarefas até que tenha determinado seus resultados.

Problemas não podem ser solucionados a não ser que você defina um resultado.

A mudança é uma jornada de um estado presente insatisfatório em direção a um estado desejado – seu resultado. Você utiliza vários recursos para ajudá-lo a fazer a jornada.

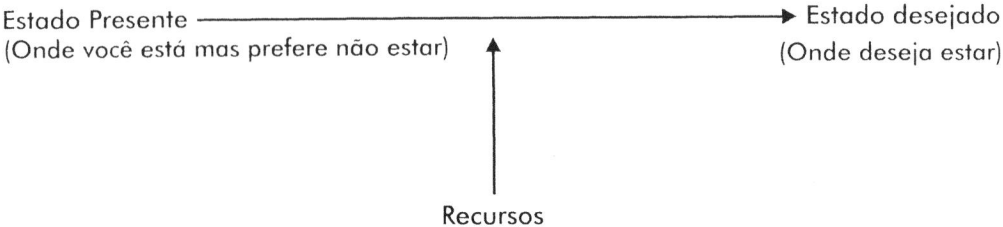

Mudança básica em PNL

Há quatro perguntas básicas que você precisa fazer para ser bem-sucedido nessa jornada:

- Em direção a que estou indo? *(O estado ou resultado desejado.)*
- Por que estou indo? *(Os valores que o guiam.)*
- Como chegarei lá? *(A estratégia para a jornada.)*
- E se algo der errado? *(Gerência de risco e planejamento de contingências.)*

Pensando em Resultados

Resultados apresentam dois aspectos:

- *Pensamento voltado para resultados* – decidir o que quer em uma dada situação.
- *Orientação para resultados* – pensar em resultados consistentemente e ter direcionamento e propósito gerais na vida. Até que saiba o que quer, o que fizer não terá propósito, e seus resultados serão aleatórios. A orientação para resultados lhe dá controle sobre a direção na qual viajará. Você necessita dela em sua vida pessoal e é essencial nos negócios.

O oposto ao pensamento voltado para resultados é o "pensamento voltado para problemas". Pensamento voltado para problemas focaliza aquilo que está errado. Nossa sociedade está emaranhada no pensamento voltado para problemas. Vemos que está errado e o passo seguinte é atribuir culpa, como se coisas ruins somente acontecessem porque as pessoas as causam deliberadamente. Isso parece ser especialmente verdadeiro na política. Muitas pessoas se perdem em um labirinto de problemas, descobrindo sua história, seu custo e suas conseqüências, fazendo perguntas como:

"O que está errado?"

"Há quanto tempo?"

"Quando começou?"

"De quem é a culpa?"

"Por que você ainda não resolveu?"

Essas perguntas focalizam o passado ou o presente. Também são garantidas para fazer com que você se sinta pior a respeito do problema porque realmente enfiam sua cabeça nele.

Problemas são difíceis porque o próprio ato de pensar neles faz com que nos sintamos mal e, portanto, menos capazes. Não pensamos tão claramente, e assim é mais difícil pensar em sua solução.

Pensamento voltado para problemas faz com que o problema seja ainda mais difícil de se resolver.

É muito mais útil pensar em problemas em termos de contribuição e perguntar:

"Qual foi a contribuição da outra pessoa para aquele problema?"

"Qual foi a minha contribuição para o problema?"

"Como a soma dessas contribuições constitui o problema?"

Essas perguntas nos levam em uma direção mais útil: o que queremos em vez disso e o que vamos fazer a respeito?

Como Estruturar Resultados

Há nove perguntas que você precisa fazer quando trabalha com resultados. Essas são conhecidas como "condições bem formuladas". Quando tiver pensado bem nelas, seu resultado será realista, alcançável e motivador. Essas condições se aplicam melhor a resultados individuais.

1. *Positivo: O que você quer?*

    Resultados são expressos no positivo. Isso nada tem a ver com "pensamento positivo" ou com "positivo" no sentido de ser bom para você.

Aqui, positivo significa "direcionado para algo que você quer" em vez de "se afastar de algo que deseja evitar".

Portanto, pergunte-se: "O que eu quero?", não "O que não quero, ou desejo evitar?"

Por exemplo, perder peso e deixar de fumar são resultados negativos, que podem explicar em parte por que são difíceis de se alcançar. Reduzir desperdício, reduzir custos fixos e perder menos pessoas-chave também são resultados negativos.

Como você transforma um resultado negativo em um positivo? Perguntando: "O que eu quero em vez disso?" e "O que isso fará para mim?"

Por exemplo, se você deseja reduzir suas dívidas, você pode determinar o resultado de melhorar o fluxo de caixa.

2. *Evidência: Como você saberá se está tendo ou obteve sucesso?*

    É importante saber se está no caminho certo para seu resultado. Você precisa de feedback adequado, na quantidade adequada e é necessário que seja preciso. Quando você estabelece um resultado, deve pensar em como medirá o progresso e com que grau de precisão.

    Há dois tipos de evidência:

    a) Feedback à medida que você progride em direção ao resultado. Como saberá se está no caminho certo?

    b) Evidência de ter alcançado o resultado. Como saberá se o alcançou?

    Pergunte-se:

    "Como saberei se estou no rumo certo para alcançar meu resultado? O que medirei?"

    "Como saberei se alcancei esse resultado? O que verei, sentirei ou ouvirei?"

3. *Pontos específicos: Quando, onde e com quem?*

    Onde você quer o resultado? Especificamente onde? Poderá haver locais e situações nos quais você não o quer. Poderá desejar aumentar a produtividade, mas apenas em certos departamentos. Poderá desejar comprar uma casa, mas não se as taxas de juros passarem de um determinado patamar.

    Quando você o quer? Poderá ter que cumprir um prazo ou poderá não querer o resultado antes de uma data específica, porque outros elementos não estariam implementados para dele se beneficiarem. Pergunte-se:

"Onde, especificamente, eu quero isso?"

"Quando, especificamente, eu quero isso?"

"Em que contexto eu quero isso?"

4. *Recursos: De que recursos você dispõe?*

    Relacione seus recursos. Eles recairão em cinco categorias, algumas mais relevantes do que outras, dependendo do seu resultado:

    ➲ *Objetos*. Exemplos seriam equipamento de escritório, prédios e tecnologia. Livros que poderá ler, programas de televisão e em vídeo que poderá ver, fitas que poderá ouvir.

    ➲ *Pessoas*. Por exemplo, familiares, amigos, conhecidos, colegas de trabalho, outros contatos de negócios.

    ➲ *Modelos*. Você conhece alguém que já teve sucesso em alcançar o resultado? Com quem pode falar? Alguém já escreveu a respeito de sua experiência?

    ➲ *Qualidades pessoais*. Que qualidades você tem ou precisa desenvolver para alcançar o resultado? Pense em todas as suas habilidades e capacidades pessoais.

    ➲ *Dinheiro*. Tem o suficiente? Pode levantar o suficiente?

5. *Controle: Você pode iniciar e manter esse resultado?*

    Até onde isso está sob seu controle direto? O que pode fazer e o que outros têm que fazer para alcançar esse resultado? Quem o ajudará? Como poderá motivar as pessoas *a realmente desejarem ajudar em vez de se sentirem* obrigadas a ajudá-lo? Pergunte-se:

    "O que eu posso fazer diretamente para conseguir esse resultado?"

    "Como posso persuadir outros a me ajudarem? O que posso oferecer a eles para fazer com que desejem ajudar-me?"

6. *Ecologia: Quais são as conseqüências maiores?*

    Eis algumas perguntas sistêmicas mais amplas a serem consideradas:

    ➲ Quanto tempo e esforço esse resultado exigirá? Tudo tem um "custo de oportunidade". Despender tempo e esforço em uma coisa desvia recursos de outra.

    ➲ Quem mais será afetado e como se sentirá? Adote perspectivas diferentes. Em sua vida de negócios considere seu chefe, seus clientes, seus fornecedores e as pessoas que você gerencia. Em sua vida pessoal, considere sua esposa, seus amigos e seus filhos. Quando pensar na ecologia do resultado, poderá desejar mudá-lo ou pensar em um meio diferente de alcançá-lo.

- De que terá que abrir mão quando alcançar esse resultado? Dizem que você pode ter tudo que quiser se estiver preparado para pagar por isso (e não necessariamente em dinheiro).
- O que é bom em relação à situação atual? O que deseja manter? A perda de aspectos valiosos da situação atual é a maior causa de resistência à mudança, tanto para indivíduos quanto para organizações.
- O que mais pode acontecer quando conseguir seu resultado? Há sempre conseqüências secundárias e às vezes essas se tornam um problema maior do que a situação inicial. (O toque de ouro do rei Midas vem à mente...)

7. *Identidade: Este resultado tem a ver com quem você é?*

Você pode aplicar isso tanto no nível individual quanto no organizacional. Primeiro, o nível individual. Suponha que deseje gerenciar um projeto. Seu envolvimento com esse projeto poderá significar muito tempo longe de casa. Poderá significar abandonar outros projetos. Poderá desviá-lo de seu caminho de carreira. Embora você queira se envolver, ele simplesmente não se adequa a você. Poderá perguntar: "Em que trabalhar no projeto me beneficiará?" Se a resposta for ganhar experiência valiosa, poderá haver outros projetos, ou treinamento e consultoria que poderão ser preferíveis.

O mesmo é verdade no nível organizacional. Cada empresa tem uma certa cultura e um conjunto de valores essenciais que definem sua identidade. Resultados corporativos precisam estar alinhados com esta identidade corporativa. Muitas organizações se perdem ao se diversificarem em áreas nas quais não têm experiência e que não se encaixam com suas identidades. Richard Branson, da Virgin, começou com uma empresa de aviação, coisa muito diferente de seu negócio de música inicial, mas ele e a Virgin se identificam com inovação, e a mudança foi lucrativa.

8. *Como seus resultados se encaixam?*

Como você come um elefante? Um pedaço de cada vez.

Se o resultado for demasiadamente grande, relacione todos os obstáculos que o impedem de alcançá-lo e estabeleça resultados menores para superar essas barreiras. Pergunte-se: "O que me impede de alcançar esse resultado?"

Quando você está com jacarés até o pescoço, é difícil lembrar que está ali para drenar o pântano.

Quando o resultado for pequeno demais para ser motivador e você se sentir atolado em detalhes, pergunte-se: "O que este pequeno resultado faz por mim?" Conecte os detalhes ao resultado maior, mais motivador, do qual fazem parte.

9. *Plano de ação: O que fazer a seguir?*

Uma vez que tenha passado seu plano por essas perguntas, estará pronto para agir. Ou talvez para delegar. Ao delegar em um projeto de negócios, informe seu pessoal do quadro maior para que possam ligar suas tarefas ao projeto maior. Certifique-se de que saibam pensar nos resultados por si mesmos. Isso assegurará que as tarefas deles estejam alinhadas com as suas.

Lembre-se da história dos dois operários de construção. A ambos foi perguntado o que estavam fazendo. O primeiro disse: "Estou assentando tijolos". O segundo disse: "estou construindo um prédio maravilhoso".

Adivinhe qual dos dois estava mais motivado e trabalhava melhor.

HUGGS[NT]

Alguns resultados são mais importantes do que outros. Gosto de chamar os mais importantes de HUGGs (Huge, Unbelievably Great Goals). Nem todas as condições para resultados se aplicam a HUGGs. São resultados de grande escala e não podem ser precisados com exatidão.

HUGGs têm as seguintes qualidades:

- São de longo prazo (de cinco a 30 anos).
- São metas claras, compelidoras e de fácil compreensão.
- Se conectam a sua identidade e a seus valores essenciais.
- Você tem fortes sentimentos a seu respeito. Elas engajam suas emoções – você se sente bem quando pensa nelas.
- Quando você as estabelece da primeira vez, parecem impossíveis. Com o passar do tempo, começam a se manifestar cada vez mais.
- Não envolvem sacrificar o momento presente por um futuro possível, por melhor que seja.

N.T.: *Huge, Unbelievably Great Goals*, ou "Metas Enormes, Inacreditavelmente Maravilhosas". Há também um trocadilho envolvido, pois *hug*, ou *hugs*, significa abraço, ou abraços.

HUGGs podem dar forma a sua vida. Por serem de longo prazo e alinhados com seus valores essenciais, você freqüentemente poderá alcançá-las de formas imprevisíveis, até mesmo paradoxais, ou parecerão "cair do céu", como mágica.

HUGGs freqüentemente possuem um elemento de "afastamento". Se você não as alcançar, dói. Isso as torna mais motivadoras. Freqüentemente têm um limite, como um prazo ou conjunto de condições. Por exemplo, um amigo meu deixou seu emprego para fundar uma empresa própria. Estabeleceu um prazo de cinco anos para alcançar o sucesso. Se não desse certo, procuraria outro emprego em sua profissão antiga.

As HUGGs mais poderosas freqüentemente envolvem a *remoção* de elementos de sua vida. Às vezes, a maior alavancagem advém não de fazer coisas para alcançá-las, mas de deixar de fazer coisas que estão em seu caminho.

Exemplos de HUGGs:

- escrever e publicar um livro.
- estabelecer sua própria empresa bem-sucedida.
- criar uma fundação de caridade.
- se mudar para outro país.
- ganhar uma medalha de ouro olímpica.
- tornar-se milionário.

HUGGs são criativas. Produzem efeitos continuados e expressam seus valores. Você as cria, são pessoais; você não as copia de outras pessoas.

Acompanhe suas metas e as avalie regularmente. Recompense-se quando as alcançar e desfrute desses momentos. São aquilo pelo que trabalhou e você merece. Desfrute da realização e aproveite a jornada. Colecione esses momentos como lindas fotos ou recortes para um álbum. Retorne a eles. Utilize-os para se motivar no futuro. Deixe que sejam fonte de inspiração, aprendizagem e prazer. Jamais esteja em posição de pensar: "Trabalhei duro para chegar onde estou ... Onde estou?"

Crenças

Crenças são as regras pelas quais vivemos. São nossos melhores palpites frente à realidade e formam nossos modelos mentais – os princípios pelos quais o mundo parece funcionar, com base em nossa experiência. Crenças não são fatos, embora muitas vezes as confundamos com fatos. Temos crenças sobre outras pessoas, sobre nós mesmos e sobre nossos relacionamentos, sobre o que é possível e sobre aquilo que somos capazes de fazer. Temos um investimento pessoal em nossas crenças. "Eu avisei" é uma frase que traz satisfação porque significa que nossas crenças se mostraram corretas. Dá-nos confiança em nossas idéias.

Algumas coisas não são influenciadas por nossa crença nelas – a lei da gravidade, por exemplo, não mudará quer acreditemos nela ou não. Às vezes, tratamos outras crenças – sobre nossos relacionamentos, capacidades e possibilidades – como se fossem tão fixas e imutáveis quanto a gravidade, e não o são. Crenças efetivamente *formam* nosso mundo social.

Crenças agem como profecias auto-realizáveis. Agem como permissões ou como empecilhos para aquilo que podemos fazer. Se você acredita que não é muito simpático, isso fará com que aja de forma desagradável em relação a outros e assim confirme sua crença, mesmo que não queira que seja verdade. Se você acreditar que é simpático, então abordará as pessoas de forma mais aberta, e elas terão mais probabilidade de confirmar sua crença.

A PNL trata crenças como pressuposições, não como verdade ou fatos.

Crenças criam nosso mundo social.

Tratar crenças como pressuposições significa que a PNL trata crenças como princípios de conduta. Você age *como se fossem* verdade e, se gostar dos resultados, continua a agir como se fossem verdade. Se suas crenças não lhe trazem bons resultados, você as muda. Você tem escolha quanto àquilo em que acredita – embora a crença de que crenças são mutáveis seja, em si, uma crença desafiadora para muitas pessoas!

Crenças têm que produzir ação se forem significar alguma coisa; portanto crenças são princípios de ação, não ideais vazios.

Crenças e Resultados

Você precisa acreditar em três coisas sobre seus resultados:

É possível alcançá-los.

Você *é capaz* de alcançá-los.

Você *merece* alcançá-los.

Possibilidade, Capacidade e Merecimento são as três chaves para a realização. Lembre-se delas como o Processo PCM.

Possibilidade

Com muita freqüência nos enganamos, pensando que possibilidade é competência. Pensamos que uma coisa não é possível quando na verdade não sabemos fazê-la. Todos nós temos limitações físicas, é claro – somos humanos, não super-heróis. Mas geralmente não sabemos quais são esses limites. *Você não pode saber quais são até atingi-los.*

Você não pode provar um negativo, portanto jamais poderá provar que é incapaz do que quer que seja; poderá apenas dizer que *ainda* não o alcançou. Houve época em que se considerava impossível para qualquer ser humano correr uma milha em menos de quatro minutos – até que Roger Bannister o fez em Oxford em 6 de maio de 1954. Então aconteceu uma coisa estranha – mais e mais atletas começaram a correr uma milha em menos de quatro minutos. Hoje a realização "impossível" de Roger Bannister é lugar comum.

Não se precipite ao decidir o que é impossível.

Capacidade

Você estabeleceu um teto mental para suas realizações? Freqüentemente depreciamos a nós mesmos ao não acreditarmos que podemos fazer algo. Mas crenças não são fatos – são apenas nosso melhor palpite quanto a como as coisas estão no momento.

Tenha uma crença básica e verdadeira: *Você ainda não atingiu o limite daquilo que é capaz.*

Mantenha a mente aberta. Jamais anuncie a outras pessoas que você não pode fazer algo, mesmo que ache que não pode. Ouça durante um dia ou dois e escutará uma grande quantidade de confissões de pessoas sobre o que não podem fazer. As pessoas admitirão muito mais prontamente aquilo que fazem mal do que aquilo que fazem bem. Algumas pessoas confundem isso com modéstia, mas não é. A modéstia significa não se vangloriar daquilo que você *pode* fazer.

Não se vanglorie de suas supostas limitações.

Conversa negativa apenas o envolve em uma camisa de força de limitações impostas. Se você se vir pensando assim, adicione a palavrinha "ainda" no final. Aí estará sendo realista.

Não se desculpe com antecedência nem alegue circunstâncias atenuantes em voz alta. Se você der uma desculpa com antecedência, precisará dela! Assuma responsabilidade pelas suas metas. Pode haver um sem-número de boas razões pelas quais você não as alcance, mas se der desculpas antecipadamente, você terá se preparado para o fracasso.

Merecimento

Você merece atingir seus alvos?

Só você pode responder a essa pergunta, mas por que não?

A PNL não julga se as metas são moral ou eticamente corretas, simplesmente lhe oferece um processo para ajudá-lo a alcançá-las. A verificação de ecologia geralmente vislumbrará alguns dilemas morais ou éticos. Só você pode decidir como resolver esses dilemas.

Depois de ter trabalhado em suas metas com as condições bem formuladas, submeta-as às perguntas PCM. Para cada meta, diga:

"Essa meta é possível."

"Tenho a capacidade de alcançar essa meta."

"Eu mereço alcançar essa meta."

Observe quaisquer sensações desconfortáveis. Elas apontarão obstáculos e dúvidas.

Agora procure possíveis obstáculos. O que poderá impedi-lo? Pense consigo mesmo: "Não alcançarei minha meta porque ..." e então relacione todas as razões possíveis que lhe venham à mente. Esses obstáculos geralmente recaem em cinco categorias:

1. Você não dispõe dos recursos – pessoas, equipamento, tempo e local.
2. Você tem os recursos, mas não sabe o que fazer.
3. Você sabe o que fazer, mas não acredita que tem a habilidade.
4. Você tem a habilidade, mas parece não valer a pena.
5. Vale a pena, mas, de alguma forma, "simplesmente não é você".

Uma vez com a lista de objeções em mão, decida quantas delas são obstáculos verdadeiros e quantas são crenças suas.

Há três possibilidades:

1. Existem obstáculos verdadeiros que tornam impossível que você alcance suas metas. Se isso for verdade, esqueça o resultado. É perda de tempo persegui-lo agora, embora as circunstâncias possam mudar.
2. São obstáculos reais que você poderia superar se dedicasse tempo e esforço para fazê-lo. Se isso for verdade, decida se quer a meta o suficien-

te para despender tempo e esforço. Se positivo, tudo bem. Se não, esqueça o resultado.

3. São crenças sobre você ou outras pessoas, e você, na verdade, não sabe se são reais. Se isso for verdade, pense sobre como poderia testar tais crenças. O obstáculo existe apenas em sua cabeça? O quão verdadeiro é? Uma vez que o tenha testado, recairá em uma das duas categorias anteriores.

Essa abordagem o torna responsável pelos seus resultados. Você decide.

As chaves para a realização

Afirmações

Afirmações podem ajudá-lo a alcançar suas metas. Uma afirmação é uma declaração forte de seu resultado que supõe ser este possível e alcançável e mantém sua mente focalizada nele.

Afirmações são como declarações de crenças – podem ser poderosas, mas precisam ser cuidadosamente fraseadas. Quando você fizer afirmações sobre autodesenvolvimento, fraseie-as *como se estivessem ocorrendo agora*. Por exemplo, se seu resultado for se tornar uma pessoa menos estressada, uma afirmação apropriada poderia ser: "Estou me tornando mais e mais *light*. Estou me sentindo cada vez melhor quanto a mim mesmo".

Não fraseie afirmações de autodesenvolvimento como se já tivessem acontecido. Por exemplo: "Sou uma pessoa mais tranqüila. Sinto-me melhor em relação a mim mesmo". Você não é – ainda –, e assim seu inconsciente sussurrará: "Não, você não é. Você não está enganando ninguém".

Não estabeleça um prazo exato para afirmações de autodesenvolvimento. Por exemplo: "Em três meses, serei uma pessoa mais tranqüila". Em primeiro lugar, poderá levar mais ou menos que três meses. Segundo, sua mente inconsciente sussurrará: "Ok, então não precisamos fazer nada agora, certo?"

Afirmações somente devem ter hora e data específicas se forem referentes a ações específicas. Por exemplo: "Na segunda-feira, 22 de janeiro, irei à academia e me exercitarei por uma hora" ou "A esta altura do ano que vem, terei dobrado meu salário".

"Não apenas pense no resultado, escreva-o!"

Escreva seus resultados. Escreva suas afirmações. Escreva-os em papel de boa qualidade com sua melhor caligrafia e repita-os várias vezes ao dia. Isto os manterá em sua mente, e você começará a ver oportunidades que de outra forma jamais veria.

Quando os alcançar, guarde-os cuidadosamente sob o título "Histórias de Sucesso" e sempre que sentir sua confiança se esvaindo, pegue-os e desfrute da sensação de realização mais uma vez.

Plano de Ação

1. Sente-se e escreva pelo menos 10 resultados que deseja alcançar durante a próxima semana.
2. Escreva seus resultados a cada seis meses. Tenha pelo menos dois em cada uma das categorias a seguir:
   - vida profissional
   - saúde pessoal
   - relacionamentos
   - dinheiro
   - autodesenvolvimento
   - vida espiritual

   Relacione cada um o mais detalhadamente que desejar. Mantenha essa lista onde possa consultá-la. Ao fim de seis meses, reveja e renove a lista para os próximos seis meses, substituindo os resultados alcançados por novos. Escreva-os com cuidado ou os prepare em um processador de texto. Seu inconsciente não dará qualquer valor a metas malredigidas em um pedaço de papel de embrulho. Portanto, escreva-os como se fossem muito importantes. Eles o são.

Faça-os como se pudessem mudar sua vida. E a mudarão.

3. Escreva três HUGGs.

4. Assista ao filme *The Shawshank Redemption* em vídeo, mesmo que o tenha visto antes. Qual era o recurso-chave da personagem desempenhado por Tim Robbins quando estava na prisão?

5. Procure ouvir os momentos em que você se deprecia, se vangloria de seus fracassos ou diz a outros que não pode fazer alguma coisa. Poderão acreditar. Você acredita? Durante o transcorrer de um dia, conte quantas vezes você ouve outras pessoas tentando convencê-lo de que são incapazes de alguma coisa. Você acredita nelas?

Capítulo 3

Aprendizagem

A aprendizagem é geralmente definida como a aquisição de conhecimento, habilidades e capacidades através do estudo, da experiência ou ensino. Mas esse é o resultado. E o processo? Como aprendemos?

A aprendizagem sempre envolve autodesenvolvimento – aprender a agir de forma diferente, pensar de forma diferente e nos sentirmos diferentes. A aprendizagem é natural. Aprendemos a todo momento; é parte da adaptação a circunstâncias mutantes. No entanto nem sempre pensamos nisso como aprendizagem.

Aprender não é a mesma coisa que ensinar e pode nada ter a ver com ensinar. Podemos aprender algumas coisas sendo ensinados diretamente e outras coisas no processo. Por exemplo, podem nos ensinar matérias diferentes na escola e durante o processo podemos vir a crer que não somos muito bons em aprender, quando na verdade não somos muito *bons em sermos ensinados*. Muitas escolas não são bons lugares para aprender.

A aprendizagem também não é a mesma coisa que educação. Educação descreve os resultados da aprendizagem e é freqüentemente testada através de exames. A origem da palavra advém do latim *educere*, significando "extrair, tirar". Educação diz respeito a professores retirando os recursos e capacidade dos alunos em linha com a pressuposição da PNL de que "todos já têm todos os recursos de que precisam, ou podem adquiri-los". Essa pressuposição dá *empowerment* tanto ao professor quanto ao aluno.

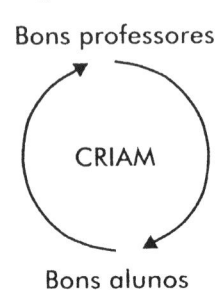

Bons professores

CRIAM

Bons alunos

Não se pode ter um professor sem um aluno; o ensino não pode existir como atividade por si só. Não faz qualquer sentido dizer: "Ensinei a matéria, mas os alunos não a aprenderam". Isso é o equivalente educacional da piada de médicos: "A cirurgia foi um sucesso, mas o paciente morreu". O professor também é um aprendiz, embora vá aprender algo diferente daquilo aprendido pela pessoa a qual estiver ensinando.

Com demasiada freqüência a educação é vista como o professor despejando conhecimento na vasilha vazia – o aluno. Isso não é educação, é injeção de conhecimento. Essa pressuposição deixa o professor literalmente "esvaziado", e o aluno se sentindo dependente e "inchado de conhecimento". Exames podem criar "bulimia educacional" – engula rapidamente antes e depois regurgite no momento certo para abrir espaço para o próximo porre.

Níveis de Aprendizagem

A aprendizagem tradicional pode ser dividida em quatro estágios principais:

- *Incompetência inconsciente*. Você não sabe e não sabe que não sabe. Pense em alguma atividade que você faz bem agora, tal como ler, praticar algum esporte ou dirigir um automóvel. Houve um tempo em que você nada sabia a respeito. Sequer tinha consciência disso.

- *Incompetência consciente*. Agora você treina a habilidade, mas não é muito bom nela. No entanto, aprende rápido nesse estágio, porque quanto menos você sabe, maior o espaço para melhoria. Você obtém resultados imediatos.

- *Competência consciente.* Neste estágio, você tem a habilidade, mas ainda não é consistente e habitual. Você precisa se concentrar. Essa é uma parte satisfatória do processo de aprendizagem, mas a melhoria é mais difícil. Quanto melhor você for, maior o esforço necessário para alcançar um ganho perceptível.

- *Competência inconsciente.* Agora, a sua habilidade é habitual e automática. Você não precisa pensar nela. Essa é a meta da aprendizagem, a de colocar o quanto for possível dessa habilidade nos reinos de competência inconsciente, de forma que sua mente consciente esteja livre para fazer outra coisa como, por exemplo, conversar com os passageiros e ouvir música enquanto dirige um automóvel.

Este é o caminho normal da aprendizagem. Acho que há mais um passo:

- *Maestria.* A maestria é mais do que competência inconsciente; possui uma dimensão estética adicional. Não só é eficaz, mas lindo de se ver. Quando você alcança a maestria, não precisa mais tentar; tudo acontece em um fluxo constante; você adentra um "estado de fluxo". Tal estágio exige tempo e esforço para ser alcançado, mas os resultados são mágicos.

Você sabe que está vendo um mestre porque embora não possa apreciar cada faceta de sua habilidade, ele faz com que pareça fácil.

A aprendizagem em qualquer nível demanda tempo. Leva cerca de 1.000 horas para se alcançar competência consciente em qualquer habilidade que valha a pena. Leva cerca de 5.000 hora para se chegar à competência inconsciente. E são necesssárias cerca de 25.000 horas para se chegar à maestria.

Existem dois atalhos. O primeiro é um bom ensino. Um bom professor manterá seu nível de motivação elevado, dividirá o trabalho em partes gerenciáveis, lhe proporcionará uma série constante de pequenos sucessos, o manterá em um bom estado emocional e satisfará sua curiosidade intelectual sobre a matéria. Também será bom na matéria ele próprio e acelerará sua aprendizagem sendo um bom modelo. Não só lhe dará o conhecimento, mas também uma boa estratégia para assimilá-lo.

O segundo atalho é a aprendizagem acelerada. Ela vai diretamente do primeiro estágio (incompetência inconsciente) para o quarto estágio (competência inconsciente), passando por cima dos estágios conscientes. A modelagem na PNL é um dos caminhos para a aprendizagem acelerada.

A Zona de Aprendizagem

Quando você está aprendendo novas idéias ou comportamentos, cuidado com dois perigos:

1. Você está totalmente atolado e não sabe o que fazer em seguida. Poderá sentir ansiedade ou impotência. Você está na "zona de ansiedade", onde a dificuldade percebida da tarefa parece maior do que os recursos de que dispõe.

Pare!

Dê um passo mental para trás. Respire fundo e pense naquilo que deseja fazer a seguir. De que recursos necessita? Mais informações? A quem perguntar? Um descanso completo? Uma cela acolchoada?

2. Tudo parece ser fácil demais, e você pode fazê-lo com uma das mãos amarrada às costas. Você não está sendo suficientemente exigido. Pode se sentir entediado ou distante. Você está na "zona do zangão". Os recursos de que dispõe parecem ser muito maiores do que a dificuldade da tarefa.

Pare!

Dê um passo mental para trás, respire fundo e então decida o que fazer. Talvez possa estabelecer resultados adicionais que exigirão mais de você. Talvez precise de um descanso ou talvez no final das contas sequer precise aprender essa habilidade.

A zona de aprendizagem é quando a dificuldade percebida se equipara aproximadamente aos recursos percebidos.

A zona de ansiedade é quando a dificuldade percebida é muito maior que os recursos percebidos.

A zona do tédio ou do zangão é quando os recursos percebidos são muito maiores do que a dificuldade percebida.

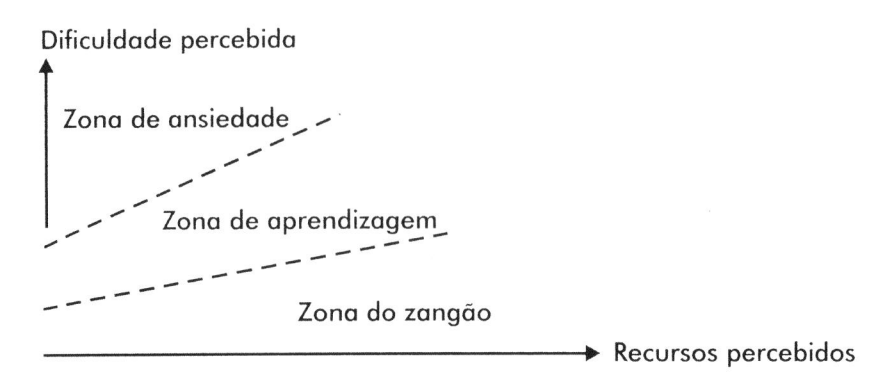

Quando você se sentir alerta e curioso, quando puder ficar na zona de aprendizagem e evitar a zona da ansiedade e a do zangão, então a aprendizagem será recompensadora e agradável.

A coisa mais importante de ter consciência quando estiver aprendendo é do seu estado emocional.

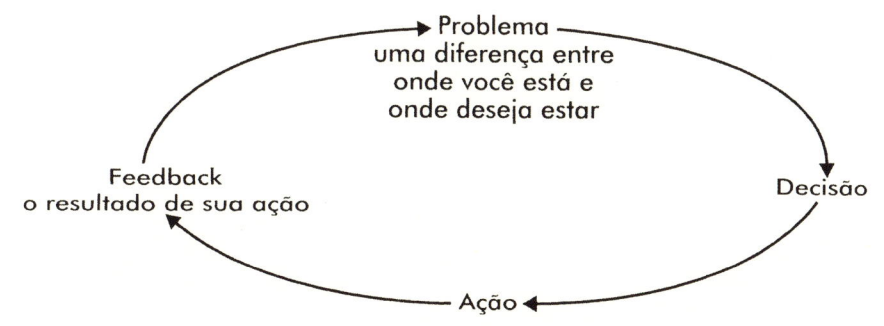

Aprendizagem Simples e Generativa

Aprendizagem Simples

Há dois principais tipos de aprendizagem. O primeiro é a aprendizagem simples, às vezes denominada aprendizagem de *loop* simples. Aqui há uma lacuna entre aquilo que se sabe e aquilo que se deseja saber, e você empreende ação para fechar essa lacuna. Os resultados são feedback que leva a conhecimento ou habilidades aumentados. O feedback lhe permite saber se você está se aproximando de sua meta. Se suas ações o levarem para mais perto de sua meta, ou seja, de reduzir a lacuna, então você empreende mais delas. Se aumentarem a lacuna, você empreende menos delas. (Pelo menos, essa é a teoria – é espantosa a freqüência com a qual supomos que é necessário fazer mais da mesma coisa!) Resolver o problema é fechar a lacuna.

A aprendizagem simples e a solução de problemas ocorrem dentro de um limite de suposições e crenças sobre o que é possível e necessário. Por exemplo, um homem pode sofrer de dores de cabeça freqüentes e ir ao médico. O médico prescreve analgésicos. O homem vai embora feliz e da próxima vez que tiver uma dor de cabeça, toma os analgésicos. Problema simples, solução simples. Um exemplo de negócios seria uma organização que deseja investir em uma fábrica mais moderna e rápida. Tenta uma série de possibilidades e decide pela mais eficaz em termos de custo. Seis meses depois, a fábrica está construída e funcionando à plena capacidade. Problema simples, solução simples.

Aprendizagem simples

Aprendizagem Generativa

O outro tipo de aprendizagem é a aprendizagem generativa ou de *loop* duplo. A aprendizagem generativa traz nossas crenças e suposições sobre a questão ao *loop* de feedback. O feedback de nossas ações nos leva a questionar nossas suposições. Nos exemplos anteriores, o homem poderia perguntar por que está tendo freqüentes dores de cabeça. Poderia descobrir que precisa mudar seu estilo de vida ou sua dieta. Também poderia pensar em assumir responsabilidade pela sua própria saúde, em vez de procurar o médico para resolver todos seus problemas de saúde.

A organização empresarial poderia perguntar se valeria a pena investir em novo equipamento para um produto que poderá estar ultrapassado dentro de um ano. Poderia perguntar se está no mercado certo e pensar em produtos alternativos em vez de supor que pode continuar fazendo o que sempre fez.

As perguntas básicas a serem feitas na aprendizagem de *loop* duplo são:

"Quais as minhas suposições a esse respeito?"

"De que outras maneiras eu poderia pensar nisso?"

"Como minhas suposições podem estar contribuindo para o problema?"

"Como essa situação tem persistido?"

Aprendizagem generativa

```
            Crenças e suposições
              Problema
          uma diferença entre
           onde você está e
           onde deseja estar
   Feedback                    Decisão
o resultado de sua ação
              Ação
```

Níveis Neurológicos

Outro modelo que também é útil ao se pensar em aprendizagem e mudança foi desenvolvido por Robert Dits com base no trabalho de Gregory Bateson. O modelo denomina-se "níveis neurológicos" e é útil sem ser consistente ou exaustivo (ou mesmo lógico). Tem sido amplamente adotado no pensamento da PNL. Os níveis são como segue:

1. *Ambiente: O onde e o quando*

   O ambiente é o lugar, o momento e as pessoas envolvidas. Você estabelece o limite do que incluir. Pode ter sucesso somente em circunstâncias específicas ou com pessoas em particular – "estar no lugar certo no momento certo".

2. *Comportamento: O o quê*

   Comportamento é o que fazemos. Em termos de PNL, inclui pensamentos além de ações. Às vezes, comportamento é difícil de mudar por estar estreitamente ligado a outros níveis. Você observa comportamento do lado de fora.

3. *Capacidade: O como*

   Capacidade é habilidade – comportamento consistente, automático e habitual. Esse nível inclui tanto estratégias de pensamento quanto habilidades físicas. Capacidade em um nível organizacional se manifesta como processos e procedimentos empresariais. Capacidade somente é visível no comportamento resultante porque reside em você.

4. *Crenças e valores: O por quê*

   Crenças são os princípios que guiam ações – não aquilo em que dizemos acreditar, mas aquilo sobre o qual agimos. Crenças dão significado ao que fazemos. Valores são por que fazemos o que fazemos. São o que é importante para nós – saúde, riqueza, felicidade e amor. Em um nível organizacional, empresas têm crenças de negócios com base nas quais agem e valores que detêm. São parte da cultura das organizações. Crenças e valores direcionam nossas vidas, agindo tanto como permissões quanto como proibições de nossas ações.

5. *Identidade: O quem*

   Identidade é o seu senso de si mesmo, as crenças e os valores essenciais que definem você e sua missão de vida. Ela é constituída ao longo de toda sua vida e é bastante resiliente. Nós nos expressamos através de nossos comportamentos, habilidades, crenças e valores, mas somos mais do que todos ou do que qualquer um desses. Nos negócios, a identidade organizacional é a cultura empresarial. Ela emerge da interação dos demais níveis.

6. *Além da identidade: Conexão*

   Este é o reino da ética, da religião e da espiritualidade – seu lugar no mundo. Para uma empresa, significa visão e como a empresa se conecta à comunidade e a outras organizações.

Níveis neurológicos não são uma hierarquia. Todos se conectam entre si e todos influenciam uns aos outros.

Níveis neurológicos são úteis para o estabelecimento de objetivos e resultados. Você pode especificar resultados por:

tipo de ambiente que deseja

como deseja agir

habilidades que deseja

atitudes e crenças que deseja adotar

tipo de pessoa que deseja ser

O próprio pensamento de resultados é uma habilidade ou capacidade, uma abordagem que você adota em todas as decisões que tomar.

Pensamento de resultados se alinha com suas crenças e valores quando você vê o quão bem funciona e quando se torna um princípio importante em sua vida.

O pensamento de resultados alcança o nível de identidade quando você se torna o tipo de pessoa que anda em direção àquilo que deseja na vida em vez de deixar isso ao acaso ou para que outros decidam.

Níveis neurológicos

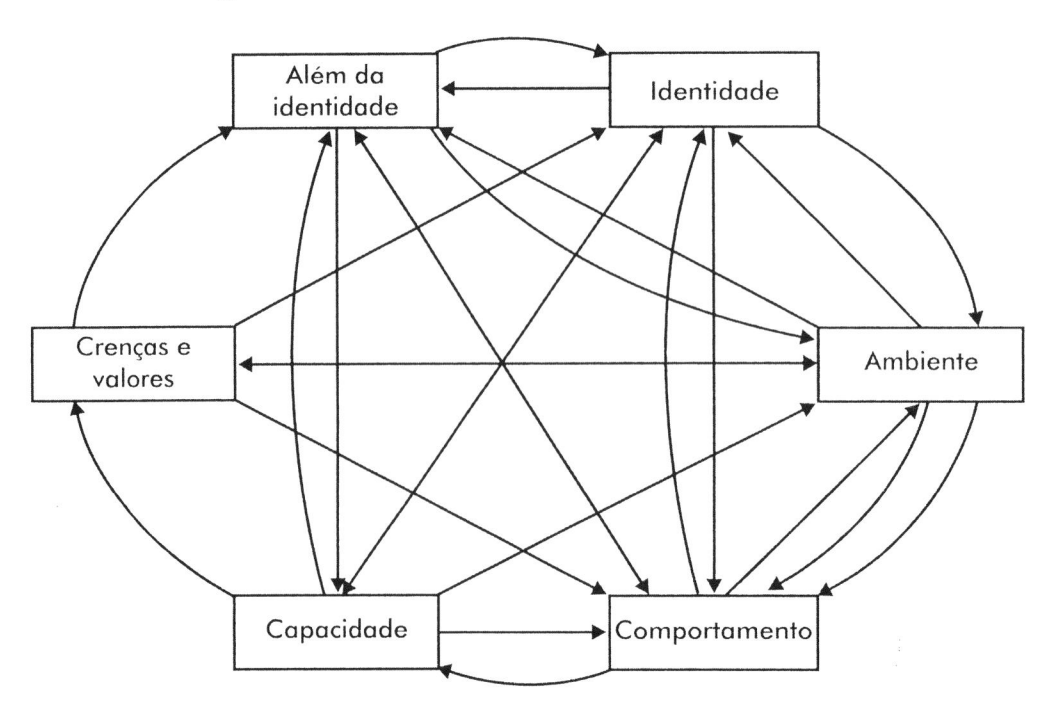

A Linguagem dos Níveis Neurológicos

É possível saber em qual nível uma pessoa está pensando ouvindo as palavras que usa. É possível, por exemplo, mapear todos os cinco níveis usando uma só sentença: "Eu não posso fazer isso aqui".

Quando o "Eu" é enfatizado, é uma declaração de identidade:
"_Eu_ não posso fazer isso aqui."

Quando o "não posso" é enfatizado, é uma declaração de crença:
"Eu _não posso_ fazer isso aqui."

Quando "fazer" é enfatizado, é uma declaração de capacidade:
"Eu não posso _fazer_ isso aqui."

Quando "isso" é enfatizado, é uma declaração de comportamento:
"Não posso fazer _isso_ aqui."

Quando "aqui" é enfatizado, é uma declaração de ambiente:
"Não posso fazer isso _aqui_."

Eis alguns exemplos de declarações que mostram claramente o nível a que se referem:

Identidade:	"Sou um bom gerente."
Crença:	"Fazer o MBA me ajudou muito em minha carreira."
Capacidade:	"Tenho excelentes habilidades em comunicação."
Comportamento:	"Fui mal naquela avaliação."
Ambiente:	"Trabalho bem com essa equipe."
Identidade	"Sou basicamente uma pessoa saudável."
Crença:	"A saúde física é importante para mim."
Capacidade:	"Sou bom corredor."
Comportamento:	"Corri uma milha em sete minutos."
Ambiente:	"A nova academia é um grande lugar para exercícios."

Você também pode usar níveis neurológicos para explorar um problema ou quando estiver confuso e incerto sobre o que fazer. Uma vez que saiba em que nível está preso, saberá o tipo de recursos de que precisa.

Ambiente: Você precisa de mais informações sobre a situação?

Comportamento: Você tem informações suficientes mas não sabe *exatamente o que fazer?*

Capacidade: Você sabe o que fazer mas duvida de sua capacidade para fazê-lo?

Crenças e valores: Você sabe que tem a capacidade mas não quer fazê-lo ou pensa que não é importante?

Identidade: Você pensa que vale a pena fazê-lo, mas de alguma forma simplesmente "não é você"?

Confundir níveis neurológicos causa muitos problemas. O problema mais importante é a confusão entre comportamento e identidade. Crianças ouvem com freqüência: "Você é mau!" (declaração de identidade), quando fazem algo errado (comportamento). Conseqüentemente, muitas pessoas acreditam que são o que fazem e se julgam de acordo. Mas cada um de nós é uma pessoa capaz de fazer muitas coisas e nem todas serão aprovadas pelos outros.

Níveis neurológicos separam o ato da pessoa.

Você não é seu comportamento.

Alinhamento de Níveis Neurológicos

Este é um exercício poderoso para construir seus recursos e sua congruência utilizando os níveis neurológicos. É melhor realizado com um guia que possa orientá-lo através do processo. Você pode fazer isso mentalmente, porém é mais poderoso se o fizer fisicamente.

Comece ficando de pé em um lugar onde possa dar cinco passos para trás.

Pense em uma situação difícil em que você gostaria de ter mais escolhas, em que suspeita que não está usando todos os seus recursos, em que você não seja totalmente "você". Você pode também utilizar este exercício em uma situação na qual deseje certificar-se de que está utilizando todos os seus recursos.

⊃ Comece pelo ambiente onde você tipicamente experimenta o problema; por exemplo, o lar ou o escritório.

Descreva seu entorno.

Onde está?

Quem está à sua volta?

O que você nota especialmente sobre o ambiente?

⊃ Dê um passo para trás. Agora, você está no nível de comportamento.

O que está fazendo?

Pense em seus movimentos, ações e pensamentos.

Como seu comportamento se encaixa no ambiente?

➲ Dê mais um passo para trás. Agora, está no nível de capacidade.

Pense em suas habilidades. Nessa situação, você está apenas expressando uma fração delas.

Que habilidades você tem em sua vida?

Quais as suas estratégias mentais?

Qual é a qualidade de seu raciocínio?

Que habilidades de comunicação e relacionais você tem?

Pense em suas habilidades de rapport, resultados e pensamento criativo.

Que qualidades tem que lhe servem bem?

O que você faz bem em qualquer contexto?

➲ Dê mais um passo para trás. Reflita sobre suas crenças e valores.

O que é importante para você?

O que acha que vale a pena no que você faz?

Que crenças potencializadoras você tem a seu próprio respeito?

Que crenças potencializadoras você tem sobre os outros?

Que princípios você toma como base de suas ações?

➲ Você não é o que faz nem mesmo o que acredita. Dê mais um passo para trás e pense a respeito de suas personalidade e identidade singulares.

Qual a sua missão na vida?

Que tipo de pessoa você é?

Obtenha um senso de si mesmo e daquilo que você quer realizar no mundo.

Expresse isso com uma metáfora – que símbolo ou idéia vem à mente que parece expressar sua identidade como pessoa?

➲ Dê um último passo para trás. Pense em como você está conectado a todos os outros seres vivos e tudo que acredita estar além de sua vida.

Muitas pessoas denominam isso de reino espiritual. Você poderá ter crenças religiosas ou uma filosofia pessoal. Tome o tempo que for necessário para obter um sentido do que isso significa para você. No mínimo, isso diz respeito a como você, como pessoa singular, se conecta a outras. Que metáfora melhor expressaria esse sentimento?

- Leve esse sentimento de conexão com você enquanto entra em seu nível de identidade. Observe a diferença que isso faz.

- Agora, pegue esse sentimento intensificado de quem você é e de quem poderá ser, com a metáfora que o expressa, e dê um passo à frente para o nível de suas crenças e valores. Mantenha essa fisiologia do nível de identidade enquanto faz isso.

  O que é importante agora?

  Em que acredita agora?

  O que quer que seja importante?

  Em que deseja acreditar?

  Quais crenças e valores expressam sua identidade?

- Pegue esse novo senso de suas crenças e valores e dê um passo para a frente para o nível de capacidades, mantendo a fisiologia anterior do nível de crenças e valores.

  Como suas habilidades estão transformadas e intensificadas com esta maior profundidade?

  Como pode usar suas habilidades da melhor maneira possível?

  Mantenha a fisiologia do nível de capacidade e dê um passo à frente para o nível de comportamento.

  Como poderá agir para expressar o alinhamento que sente?

- Finalmente, dê um passo à frente para seu real ambiente atual.

  De que forma é diferente quando traz esses níveis de você mesmo para ele?

  Observe como se sente a respeito de onde está com essas maiores profundidade e clareza de seus valores, de seu propósito e senso de conexão.

- Saiba que se você fosse trazer tudo isso para a situação do problema, ela mudaria.

Posições Perceptuais

Uma das primeiras coisas que aprendemos sobre o mundo é que nem todos compartilham nosso ponto de vista. Para compreender uma situação plenamente, você precisa adotar diferentes perspectivas, assim como ao examinar um objeto de ângulos diferentes para ver sua largura, altura e profundidade. Um só ponto de vista oferece apenas uma única dimensão, uma única perspectiva, verdadeira daquele ângulo, mas um retrato incompleto do objeto inteiro.

Não existe uma perspectiva "correta", seja qual for a situação. Você constrói compreensão a partir de muitas perspectivas. Todas são parcialmente verdadeiras, e todas são limitadas. A PNL oferece três dessas perspectivas, inicialmente propostas por John Grinder e Judith DeLozier e desenvolvidas a partir do trabalho de Gregory Bateson.

A **primeira posição** é a sua própria realidade, sua própria visão de qualquer situação. A maestria pessoal vem de uma primeira posição forte. Você precisa se conhecer e a seus valores para ser um modelo eficaz e influenciar outros através de exemplo.

A **segunda posição** é dar o salto criativo de sua imaginação para compreender o mundo a partir da perspectiva de outra pessoa, pensar da forma pela qual ela pensa. A segunda posição é a base da empatia e do rapport. Dá-nos a capacidade para apreciarmos os sentimentos de outros.

Há dois tipos de segunda posição:

Segunda posição emocional é compreender as emoções da outra pessoa. Portanto, você não deseja feri-la porque pode imaginar a sua dor.

Segunda posição intelectual é a capacidade de compreender como outra pessoa pensa, os tipos de idéias que tem e o tipo de opinião e resultados que detém.

A **terceira posição** é um passo para fora de sua visão e da visão da outra pessoa para uma perspectiva distanciada. Ali você pode ver o relacionamento entre os dois pontos de vista. A terceira posição é importante quando você verifica a ecologia de seus resultados. É preciso esquecer, por um momento, que é o seu resultado e que *você* o quer, e olhar para ele de forma mais distanciada.

Todas as posições são úteis. Muitas pessoas são bastante adeptas de uma posição, mas não tão boas em adotar outra. A melhor compreensão vem de todas as três.

Posições perceptuais são básicas para a PNL. Em qualquer situação você precisa conhecer sua posição e compreender a de outras pessoas sem necessariamente concordar com elas. Então, é essencial poder dar um passo mental para fora e avaliar o relacionamento. A solução para um problema de relacionamento deve envolver as perspectivas de ambas as pessoas. A negociação é impossível sem que se compreendam os pontos de vista conflitantes. Quando se analisa um problema de negócios, veja as perspectivas dos diferentes interessados – clientes, gerente sênior, gerentes de nível médio, parceiros estratégicos, fornecedores e concorrentes. Exatamente quais as perspectivas que você adotará dependerão do problema que está considerando.

Há dois principais padrões aplicáveis de posições perceptuais, um para relacionamentos (o metaespelho) e um para reuniões de negócios (o padrão de reuniões eficazes).

O Metaespelho

O metaespelho é um processo desenvolvido por Robert Dilts para explorar um relacionamento com outra pessoa. Você pode fazer isso sem se mover, mas funciona melhor se você se mover fisicamente para um lugar diferente para cada uma das diferentes posições.

- **Comece escolhendo o relacionamento que deseja explorar. Pense nele primeiramente a partir de seu ponto de vista (primeira posição).**

   O que o torna difícil?

   O que está pensando e sentindo nesse relacionamento?

   Se você se sentir desafiado, de que nível neurológico esse desafio parece vir?

   É sobre seu ambiente – onde você trabalha, os amigos que você tem, suas roupas, etc.?

   É sobre seu comportamento – aquilo que você faz?

   Você sente que suas habilidades e valores estão sendo desafiados?

   Você se sente assediado no nível de identidade?

   A outra pessoa está dizendo uma coisa, mas transmitindo outra em sua linguagem corporal?

- Agora deixe o seu ponto de vista e prepare-se para examinar a situação de um ponto de vista muito diferente. Imagine-a a partir do ponto de vista da outra pessoa (segunda posição).

    Como a outra pessoa, como se sente?

    Como você se vê no relacionamento? Como reage?

    Com qual nível neurológico você se preocupa?

    A outra pessoa (você) nesse relacionamento parece ser congruente?

- Quando tiver explorado isso, descarte essa segunda posição e volte a si mesmo no momento presente.

- Dê outro passo para a terceira posição.

    Considere ambos os lados do relacionamento de forma isenta.

    Que tipo de relacionamento é?

    O que você pensa de si mesmo (primeira posição no relacionamento)?

- Uma vez que tenha obtido algumas intuições da terceira posição, volte a si mesmo no momento presente.

- Agora, adote mais uma posição de fora (uma quarta posição). Desse ponto de vista, pense a respeito de como sua terceira posição se relaciona com sua primeira posição.

    Por exemplo, na terceira posição você estava irritado consigo mesmo?

    Resignado com a situação?

    Desejava que sua primeira posição se afirmasse mais?

    Sentia que sua primeira posição deveria ser menos afirmativa?

- Seja claro quanto a como sua terceira posição se relaciona a você na primeira posição.

- Uma vez que esteja claro, volte para você no aqui e agora.

- Agora inverta suas reações de primeira e terceira posições. Por exemplo, na primeira posição poderá se sentir sobrepujado pela outra pessoa. Na terceira posição poderá estar zangado com o "você" que está sobrepujado. Inverta a reação e adote a raiva na primeira posição. Na primeira posição, fique com raiva da outra pessoa.

    Como é isso?

    O que mudou?

    Como esse sentimento poderia ser um recurso aqui?

- Agora visite a segunda posição.

De que forma o relacionamento é diferente quando o "você da primeira posição" possui esse novo recurso?

➲ Termine na primeira posição no aqui e agora.

O Metaespelho

```
        ↑
        │ 1
   Primeira Posição              Segunda Posição
        ◯─────────────────────────────◯
        ↑
        │ 2
   Terceira Posição              Quarta Posição
        ◯─────────────────────────────◯
        Substitua o sentimento 1 pelo sentimento 2
```

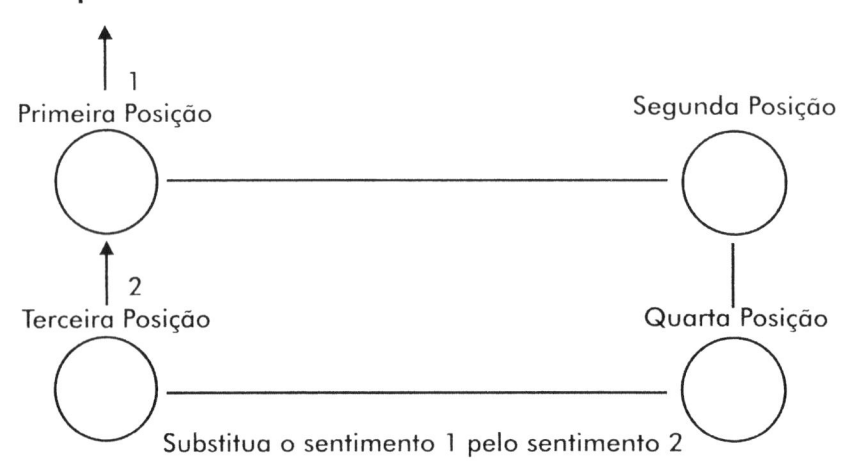

O metaespelho funciona porque espelhamos nossos relacionamentos externos por dentro. Nossa resposta a nossas próprias ações é freqüentemente exatamente o recurso de que necessitamos no mundo exterior.

O Padrão de Reuniões Eficazes

Esse padrão utiliza posições perceptuais para preparar uma boa reunião. Pode transformar reuniões difíceis em reuniões produtivas e fazer com que boas reuniões sejam ainda melhores.

➲ Escolha uma reunião iminente na qual você deseje maior compreensão. Não precisa ser uma que envolva conflito potencial ou antagonismo.

➲ Posicione duas cadeiras para representar os lugares onde você e a outra pessoa estarão sentados.

➲ Sente-se em uma cadeira. Essa é sua primeira posição. A partir desse ponto de vista, pergunte a você mesmo:

Qual o resultado desejado para essa reunião? (Poderá haver uma meta principal e algumas subsidiárias. Ocasionalmente, estas poderão estar em conflito ou ser mutuamente exclusivas, como: "Quero discutir o assunto plenamente e sair rapidamente".)

Como saberá se alcançou essas metas? (Em que estaria prestando atenção?)

Qual a atitude que pretende adotar para essa reunião?

Como estruturará a reunião?

Qual será sua posição de apoio, se necessária? Por exemplo, uma resposta possível seria: "Quero obter concordância para minha proposta e manter o bom relacionamento que tenho como a outra pessoa. Saberei ter alcançado isso quando o contrato estiver assinado, quando ouvir as palavras de concordância e vir um sorriso no rosto da outra pessoa. Serei amigável e *light* e começarei por resumir o que aconteceu no passado e fazendo minhas sugestões para o futuro. Se isso não funcionar, concordarei em rever minha proposta e a reapresentarei em outra ocasião".

➲ Agora fique de pé, dê uma sacudida e mentalmente deixe-se ficar sentado na cadeira. Sente-se na outra cadeira e pense em si mesmo como sendo a outra pessoa. Você agora está na segunda posição. Pergunte-se a mesma coisa que antes e responda da melhor maneira possível como uma outra pessoa. É importante que, ao se referir a si mesmo na cadeira da primeira posição, você use o seu nome para estar claro quanto à separação.

➲ Quando tiver respondido as mesmas perguntas da segunda posição, fique de pé, sacuda-se para descartar a outra pessoa e passe para uma terceira posição a poucos metros de distância. Agora, olhando para as duas cadeiras, pense no que provavelmente acontecerá entre as duas pessoas imaginárias que estão sentadas ali. Mantenha seu ponto de vista objetivo; utilize os nomes das pessoas envolvidas. Como se relacionam? Faça perguntas como:

Que conselhos daria ao "você" sentado na cadeira?

Há mais alguma coisa que deseje dizer a si mesmo?

Que conselhos daria à outra pessoa?

Qual o resultado provável dessa reunião no momento?

Ambas as pessoas obterão o que querem? Se não, o que teria que ser mudado?

➲ Agora se livre da terceira posição e volte para a primeira. À luz das informações coletadas das segunda e terceira posições, reveja as perguntas originais. Faça quaisquer mudanças necessárias para seu resultado ou para o estilo que irá adotar. Você pode verificar essas mudanças voltando às segunda e terceira posições novamente.

Plano de Ação

1. Pense em sua experiência no exercício da reunião.

   Qual das três posições foi a mais fácil de ser adotada?

   Se tiver preferência por uma posição, faça uma lista dos benefícios daquela posição.

   Então, faça uma lista das desvantagens. Por exemplo, se tiver uma primeira posição forte, você sabe o que quer, mas pode ser considerado prepotente. Uma segunda posição forte lhe dá grande empatia, mas pode levá-lo a negligenciar seus próprios interesses. Uma terceira posição forte lhe dá objetividade, mas você se arrisca a parecer distanciado.

   Então faça uma lista dos benefícios que obteria ao desenvolver as outras duas posições.

   Desenvolva as posições mais fracas. Certifique-se de adotá-las sempre que tiver uma decisão a tomar.

2. O que você associa à palavra "aprendizagem"?

   Que tipo de sensação lhe dá?

   Qual a sua experiência de aprendizagem na escola?

   O que aprendeu de sua experiência de vida?

3. Quem foram seus melhores professores?

   O que os destacava?

4. Da próxima vez que um amigo lhe contar um problema, ouça além das palavras, nos níveis neurológicos. De qual nível o problema parece estar vindo?

5. Assista ao filme *High Fidelity* em vídeo, mesmo que já o tenha visto. Grande parte do filme é narrada da primeira posição. Como pensa que o personagem de John Cusack parece do ponto de vista de suas namoradas?

6. Olhe para a ilustração abaixo. Em que direção a escada vai? Você pode fazer com que invertam sua direção olhando para a ilustração de modo diferente? Se estivesse subindo a escada, em qual ponto preto você chegaria primeiro, no da parte horizontal do degrau ou no da parte vertical?

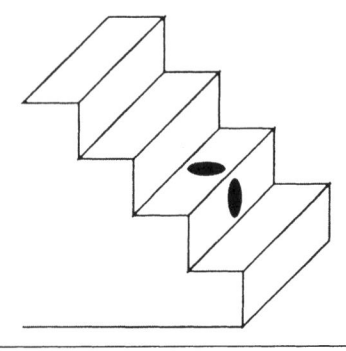

Capítulo 4

Relacionamento

Como você se relaciona com outros? Como se relaciona consigo mesmo? Se você fosse apresentado a si mesmo em uma festa, gostaria de iniciar uma conversa?

Criamos nossos relacionamentos pelo que fazemos e como pensamos. Para sermos influentes em qualquer relacionamento, precisamos de rapport. Rapport é a qualidade de um relacionamento de influência e respeito mútuos entre pessoas. Não é uma qualidade de tudo ou nada que você tem ou não tem – há graus de rapport. Uma pessoa não tem rapport até que construa um bom relacionamento com outra pessoa; então ambas têm rapport. Rapport é natural. Não precisamos criá-lo e sim deixar de fazer aquilo que poderia estar o impedindo. A PNL fornece as habilidades para a criação de um relacionamento respeitoso e mutuamente influente ao estabelecer e construir rapport em diferentes níveis neurológicos.

Rapport não é manipulação. Pessoas que manipulam podem parecer que estão construindo rapport, mas como não estão se permitindo estar abertas a influência e porque não respeitam as outras pessoas, não há rapport em seus relacionamentos. Para sermos influentes, temos que estar dispostos a sermos influenciados; assim, quando construímos rapport com outra pessoa, também estamos dispostos a sermos por ela influenciados.

Rapport não é amizade. Estar em rapport geralmente é agradável, mas você pode ter rapport e respeito mútuo e mesmo assim não se dar bem pessoalmente.

Rapport não é concordância nem necessariamente advém da concordância. É possível concordar com alguém com quem não temos rapport. Também é possível discordar da pessoa e estar em rapport. Rapport pode ser rapidamente construído e rapidamente perdido. Quanto mais rapidamente é construído, mais rapidamente pode ser perdido.

Rapport advém de assumir uma segunda posição. Quando assumimos uma segunda posição, estamos dispostos a tentar compreender a outra pessoa a partir do ponto de vista *dela*. No processo, podemos nos conscientizar de que se soubéssemos o que ela sabe, se tivéssemos experienciado aquilo que ela experienciou e quiséssemos aquilo que ela quer, provavelmente estaríamos agindo como ela está agindo, mesmo que no nosso ponto de vista (primeira posição), seu comportamento pareça estranho.

Relacionamentos satisfatórios são construídos com rapport, não por concordância.

Como se constrói rapport?

Tendo interesse genuíno em outra pessoa.

Sendo curioso quanto a quem é e como pensa.

Estando disposto a ver o mundo a partir de ponto de vista da outra pessoa.

Rapport e Confiança

A confiança é um conceito abstrato, mas sem ela não poderíamos conviver, fazer negócios ou nos sentirmos seguros. Como o rapport, a confiança é baseada em um relacionamento, sendo, no entanto, possível, confiar em alguém sem que ele confie em você. É como um presente que você dá a outro.

Mais uma vez, como o rapport, a confiança não é algo que você tem ou não tem. Há graus. Confiamos quando acreditamos que alguém será forte – ou seja, que não nos decepcionará, podemos "nos apoiar" nele – e confiamos naquilo que acreditamos ser verdade. Outras pessoas confiam em nós quando também acreditam que somos fortes e não as decepcionaremos. Um relacionamento de confiança mútua somente pode existir entre duas pessoas fortes. Enquanto rapport pode ser imediatamente construído, a confiança leva tempo. Precisamos testar a força da outra pessoa, aos poucos dando mais para ver o que acontece. Um relacionamento baseado em confiança mútua é um dos mais satisfatórios possíveis.

Enquanto rapport é um investimento, a confiança é um risco e uma delicada dança com outra pessoa que leva tempo para se manifestar. Quanto você precisa conhecer de outra pessoa para confiar nela? Ela o decepcionará? O quão forte ela é?

Geralmente julgamos retroativamente. Se alguém nos decepciona, podemos culpar a nós mesmos e não mais assumir tal risco ou podemos culpar a outra pessoa por não atender a nossas expectativas.

As pessoas têm diferentes patamares de confiança. Um patamar demasiadamente baixo, e você confiará com demasiada facilidade e poderá se decepcionar com freqüência. Um patamar demasiadamente alto, e você estará querendo que a outra pessoa dê demais antes que você se comprometa. Poucas pessoas serão dignas de sua confiança, e isso pode ser emocionalmente isolador.

Uma das escolhas mais difíceis em relacionamentos pessoais é a de em quem confiar, como você decide confiar e o quão vulnerável está preparado para ser para poder confiar.

Ritmo e Liderança

Para construir rapport e bons relacionamentos, você precisa começar por acompanhar o ritmo de outra pessoa. Isto ocorre quando você entra no modelo de mundo de outra pessoa de acordo com os termos dela. É exatamente como andar ao lado dela no mesmo passo. Rápido demais, e ela terá que se apressar para acompanhá-lo; devagar demais, e ela terá que se refrear. Em qualquer dos casos, terão que fazer um esforço especial.

Uma vez tendo acompanhado o ritmo de outra pessoa, estabelecido rapport e mostrado que você a compreende, terá uma chance para liderá-la. Liderar é utilizar a influência que você construiu ao acompanhar seu ritmo. Você não pode liderar uma pessoa se ela não quiser ser liderada, e as pessoas não se mostram dispostas a serem lideradas a não ser que seu ritmo tenha sido adequadamente acompanhado primeiro.

Para estender a metáfora, uma vez que tenha andado no ritmo de alguém até que se sinta à vontade, você pode mudar seu ritmo para um que considere mais adequado e será mais do que provável que a pessoa acompanhará sua liderança.

Acompanhando Seu Próprio Ritmo

Você também precisa acompanhar seu próprio ritmo. Às vezes, nos apressamos em aplicar habilidades PNL a outros, mas não a nós mesmos. Freqüentemente, não respeitamos nem tentamos compreender nossa própria experiência, mas esperamos sermos capazes de mudar drasticamente com pouca preparação. Acompanhar o ritmo de sua própria experiência é dar atenção às intuições que tem em relação a outros, cuidando de si mesmo quando está doente em vez de avançar despreocupado e apreciando o momento presente em vez de mergulhar em planos e resultados futuros com demasiada precipitação.

Acompanhar o ritmo é o equivalente de compreender o *estado presente* para construir um *estado desejado* mais apropriado e com mais *empowerment*.

> *Para qualquer mudança bem-sucedida em si mesmo ou em outros, acompanhe o ritmo ... depois ... lidere.*

Equiparação e Desequiparação

Você acompanha o ritmo e constrói rapport através de "equiparação". Equiparação é espelhar e complementar um aspecto de outra pessoa. Não é copiar, é mais como uma dança. Quando você equipara, mostra que está disposto a entrar no modelo de mundo da outra pessoa. Ela intuitivamente perceberá isso, e assim você poderá se sentir mais à vontade com ela, e ela se sentirá mais à vontade com você.

A equiparação pode ser realizada em todos os níveis neurológicos.

O Ambiente

Rapport nesse nível é geralmente superficial e advém de trabalho no mesmo prédio ou na mesma empresa. Aqui, você se equipara às expectativas das outras pessoas com relação a padrões de vestuário ou aparência pessoal. Por exemplo, você não iria a uma reunião de negócios sem estar adequadamente trajado com roupas de trabalho, já que perderia credibilidade imediatamente. O compartilhamento de interesses e amigos também ajuda a construir rapport nesse nível.

Rapport no nível ambiental é freqüentemente o primeiro ponto de contato. Ele "abre a porta".

Comportamento

Equiparação no nível de comportamento significa equiparar os movimentos de outra pessoa ao mesmo tempo em que você mantém suas próprias identidade e integridade. É como um dueto musical – duas pessoas não tocam a mesma melodia, se harmonizam para produzir algo maior. Olhe à sua volta em restaurantes ou festas onde pessoas estão se encontrando socialmente e verá que estão intuitivamente equiparando sua linguagem corporal, especialmente o contato visual. Bons amigos freqüentemente podem ser vistos em posturas muito similares, e amantes fitarão os olhos uns dos outros e freqüentemente respirarão juntos.

Há três elementos importantes na equiparação no nível comportamental: linguagem corporal, tom de voz e linguagem.

- *Linguagem corporal.*

    Você pode ganhar rapport equiparando:

    padrão respiratório

    postura

    gestos

    contato ocular

- *Tom de voz.*

    Você pode equiparar:

    velocidade da fala

    volume da fala

    ritmo da fala

    sons característicos (ex.: tossidas, suspiros e hesitações)

Equiparar o tom de voz é muito útil para desenvolver rapport ao telefone, onde você dispõe apenas do canal auditivo e da voz, e palavras são tudo o que você tem para desenvolver rapport.

A equiparação não-verbal é muito mais poderosa do que a concordância verbal. Damos mais importância ao comportamento não-verbal de uma pessoa do que a suas palavras. Quando os dois conflitam, tendemos a acreditar na parte não-verbal da mensagem. Por exemplo, "Isso é lindo!" dito com um tom de escárnio ou "Estou interessado!" ao mesmo tempo em que olha para o relógio darão a impressão contrária às palavras ditas. Você pode discordar verbalmen-te de alguém e manter rapport se você equiparar sua linguagem corporal ao fazê-lo.

Tome cuidado, no entanto, para não equiparar linguagem corporal com demasiada exatidão. Você pode obter bom rapport simplesmente se certificando de que não se desequipara. Em outras palavras, adote uma postura que seja similar, mas não exatamente a mesma. Mantenha a mesma quantidade de contato visual que a outra pessoa, porque é com isso que se sentirá à vontade. Um excesso de contato visual não é uma boa coisa!

Nós equiparamos voz e corpo natural e inconscientemente. Pesquisas muito interessantes foram realizadas por William Condon na década de 60, sobre o que ele chamou de "microrritmos culturais". Ele analisou pequenas fitas de vídeo de pessoas conversando e as decompôs em milhares de quadros. O que ele verificou (confirmado por pesquisadores subseqüentes) foi que os gestos eram harmônicos, assim como o ritmo da conversa. Volume e tom se equilibravam, e a velocidade da fala – o número de sons de fala por segundo – se eqüalizava. O período de tempo que passava entre o momento em que uma pessoa parava de falar e a outra começava (o período de latência) também se equalizava.

➲ *Linguagem.*

Você pode equiparar:

palavras ou frases-chave que designam valores (por exemplo, quando você resume para buscar concordância)

palavras que mostram como uma pessoa está pensando

A essas, denominamos predicados. Mostram que uma pessoa pode estar visualizando, ouvindo sons ou vozes mentais ou prestando atenção em sensações. Equiparando predicados, você mostra à outra pessoa que respeita seu modo de pensar.

A equiparação de comportamento exige habilidade e respeito. Deve ser realizada a partir de um desejo honesto de compreender o modelo de mundo da outra pessoa. A simples imitação da linguagem corporal é copiar indiscriminadamente sem respeito e fará com que perca rapport muito rapidamente, tão logo a outra pessoa perceba. E perceberá.

Freqüentemente, a melhor maneira de obter rapport no nível de comportamento é simplesmente evitar a desequiparação excessiva (ex.: não fique de pé se a outra pessoa estiver sentada; não fale rapidamente se a outra pessoa fala devagar; não fale alto se a outra pessoa tiver uma voz macia). Esteja à vontade e congruente quando equiparar o comportamento de outras pessoas. Não equipare nada com que não esteja à vontade.

Você pode equiparar um aspecto da linguagem corporal de uma pessoa com outro aspecto da sua se isto lhe deixar mais à vontade. Isto se chama "equiparação cruzada". Por exemplo, você poderá equiparar o ritmo de respiração de uma pessoa com um pequeno movimento de sua mão.

Capacidades

Esse nível de rapport advém de habilidades e interesses compartilhados. Competidores esportivos, colegas de equipe e colegas profissionais podem todos ter rapport nesse nível. Quando você é bom naquilo que faz, outros no mesmo campo o respeitam. Isso se aplica especialmente a situações profissionais. As equiparações ambiental e comportamental irão até certo ponto, mas depois você precisará demonstrar que é competente para construir e manter rapport quando há uma tarefa conjunta a ser realizada.

Crenças e Valores

Você constrói um rapport poderoso quando respeita e compreende as crenças e valores de outra pessoa. Você não precisa concordar com ela, apenas respeitar aquilo que é importante para ela.

Valores não são lógicos, não podem ser justificados com a razão, mas nem por isso são irrazoáveis. Não peça a alguém que justifique por que alguma coisa é importante para ela a não ser que já tenha bom rapport e esteja em uma situação em que se sinta à vontade para explorar.

Identidade

Para ganhar rapport no nível de identidade, você precisa compreender e respeitar as crenças e valores essenciais da outra pessoa e dar-lhe atenção como indivíduo, não como membro de um grupo. Você precisa estar genuinamente interessado em quem ela é em si mesma e estar disposto a compartilhar algumas de suas próprias crenças e valores. Agendas ocultas e manipulação impedem rapport nesse nível.

Além de Identidade

Em um nível social, isso advém de uma cultura compartilhada. Em um nível espiritual vem da conscientização de que você faz parte da humanidade. É aqui que você é mais você e mais conectado a outros.

É possível ter rapport em alguns níveis mas não em outros. De modo geral, quanto mais você sobe pelos níveis neurológicos, maior o grau de rapport que poderá alcançar. A desequiparação em um nível mais alto poderá quebrar o rapport estabelecido em um nível mais baixo.

A desequiparação é, no entanto, uma habilidade útil. Você pode desequiparar linguagem corporal para encerrar uma conversa de forma natural. Quanto maior o rapport que você construiu através de equiparação, mais eficaz isso será. Você pode encerrar ligações telefônicas excessivamente demoradas desequiparando tom de voz (por exemplo, falando mais alto e mais rápido) enquanto diz algo como: "Desculpe-me, mas tenho que desligar agora...") A outra pessoa recebe a mensagem nos níveis tanto verbal quanto não-verbal.

Plano de Ação

1. Observe pessoas conversando em lojas e restaurantes. Você pode ver quem está em rapport e quem não está?

2. Em uma conversa telefônica, comece equiparando a voz da outra pessoa – fale à mesma velocidade com o mesmo volume e o mesmo período de latência. Observe a qualidade da conversa. Quando quiser encerrar a ligação, desequipare. Fale mais rapidamente e mais alto e mude o período de latência. Você consegue terminar a ligação sem efetivamente dizer algo como "Tenho que ir agora..."?

3. Em uma conversa, interesse-se pela outra pessoa. Imagine que ela tenha grande sabedoria e conhecimento. Avalie a conversa depois. Você tinha rapport? Você equiparou a linguagem corporal da outra pessoa sem pensar a respeito? Se puder pedir a um amigo que observe a conversa e lhe fale a respeito depois, isso seria ainda melhor.

4. Assista ao filme *Don Juan de Marco* no vídeo, mesmo que já o tenha visto. Há dois personagens principais – Don Juan, desempenhado por Johnny Depp, e o psiquiatra, desempenhado por Marlon Brando. Quem acompanha o ritmo e lidera quem?

5. Existe alguém em sua vida com quem você não consegue se dar? Se quiser se dar bem com essa pessoa, pense em qual nível neurológico você está desequiparando. Equipare nesse nível. Que diferença isso faz?

Capítulo 5

Os Sentidos

A PNL se baseia em como usamos nossos sentidos. Prestamos atenção no mundo exterior e coletamos informações utilizando nossos cinco sentidos:

V	*visual*	ver
A	*auditivo*	ouvir
C	*cinestésico*	sentir
O	*olfativo*	cheirar
G	*gustativo*	saborear

A alegria, o prazer, a compreensão e a agudeza do pensamento, tudo que faz com que a vida valha a pena de ser vivida vem através de nossos sentidos.

Atenção

A atenção é direcionada através dos sentidos. Prestando atenção no exterior, você enriquece seu pensamento. Prestando atenção no interior, você se torna mais sensível a seus próprios pensamentos e sentimentos, mais seguro de si e mais capaz de dar atenção ao exterior.

Atenção Externa

Há muito do que estarmos conscientes. Nossa atenção consciente é limitada a cerca de sete coisas, mas há muito mais que notamos de forma inconsciente. A PNL cresceu através da modelagem – observando diferenças que outras pessoas não haviam notado antes, diferenças que acabaram por se mostrar significativas. A PNL presta atenção nos movimentos dos olhos, por exemplo. Quando você estuda PNL, se torna consciente de movimentos dos olhos de uma forma pela qual jamais o fizera antes, muito embora sempre estivessem lá. O que mais poderia estar lá fora em seu ambiente que é significativo, mas ainda não percebido?

Algumas coisas passam despercebidas porque as pessoas favorecem um sentido. Você pode notar muita coisa visualmente, mas ouvir pouco. Após falar com alguém, você poderá lembrar muito bem sua aparência, mas não estar tão claro quanto ao que disse ou a seu tom de voz. Você pode ouvir bem, mas não ser visualmente perspicaz. Após uma conversa, pode se lembrar do que foi dito e das nuances de tom de voz, mas não se lembrar bem da aparência da pessoa ou de seus trajes. Você pode prestar atenção principalmente no tato. Pode se lembrar primariamente de sentimentos e emoções e intuições de uma conversa, talvez um sentimento de empatia, mas não estar tão certo quanto a detalhes do que foi dito ou da aparência da outra pessoa.

A maneira de se desenvolver é exercitar seus pontos fracos. Separe certas horas para deliberadamente prestar atenção com seus sentidos mais fracos. Você não se sentirá à vontade, mas aprenderá mais.

Se você sempre fizer o que sempre fez, sempre obterá o que sempre obteve. E há sempre mais.

Atenção Interna

Do que você tem consciência em seu corpo?

Freqüentemente, tentamos apagar sinais de que não gostamos em vez de prestar atenção neles. Quando você presta atenção, é capaz de compreender e apreciar a si mesmo em um nível mais profundo. Isto é parte de *acompanhar seu próprio ritmo* – simplesmente estar consciente de seus pensamentos, sentimentos, emoções e estados sem necessariamente tentar mudá-los. Quanto mais nos tornarmos conscientes de nosso mundo interno, mais apreciaremos quem somos e nos conheceremos melhor.

A consciência interna sistemática é denominada "inventário pessoal".

Realizando um Inventário Pessoal

- Sente-se, quieto, por alguns minutos e torne-se consciente de seu corpo.

    De que mais tem consciência?

    O que você sente em seu corpo?

- Comece pelos seus pés e deixe que sua consciência suba pelo seu corpo.

    Sinta a conexão entre todas as partes do corpo.

    Que partes estão à vontade e quais não estão?

    Não tente mudar coisa alguma, apenas observe, sem julgar.

- Que pensamentos tem?

    Olhe para suas imagens mentais, se as tiver no momento.

    Quais as qualidades dessas imagens? Elas se movem com rapidez ou devagar, ou estão imóveis?

    Onde em seu campo visual se localizam?

    A que distância parecem estar?

- Que sons você ouve em sua mente?

    Está falando consigo mesmo?

    Que tipo de qualidade de voz isso tem?

    Há outros sons?

    De onde parecem estar vindo?

- Como está seu senso de equilíbrio?

    Você se sente como se estivesse se inclinando muito para um lado, ou para trás ou para a frente?

- Em que estado emocional você está?

    Qual sua emoção predominante?

    Esteja consciente dela sem tentar mudar coisa alguma.

- Volte para o momento presente.

Um inventário não procura mudar alguma coisa, apenas prestar atenção internamente.

Sistemas Representacionais

Assim como vemos, ouvimos, sentimos sabores, tocamos e cheiramos o mundo exterior, também recriamos essas mesmas sensações em nossas mentes, *re-apresentando* o mundo a nós mesmos através do uso interno de nossos sentidos. Podemos nos lembrar de experiências verdadeiras passadas ou imaginar experiências futuras possíveis (ou impossíveis). Você pode se imaginar correndo para pegar um ônibus (imagem visual lembrada) ou correndo pelos canais de Marte vestido com uma fantasia de Papai Noel (imagem visual construída). A primeira terá acontecido. A segunda, não, mas você pode representar ambas.

Usamos nossos sistemas representacionais em tudo que fazemos – memória, planejamento, fantasiando e na solução de problemas. Os sistemas principais são os seguintes:

O Sistema Cinestésico

Esse é composto de nossos sentidos internos e externos de tato e consciência corporal. Também inclui o sentido de equilíbrio (embora haja literatura que trate isso como sistema representacional separado – o sistema vestibular). As emoções também estão incluídas no sistema cinestésico, embora emoções sejam ligeiramente diferentes – são sensações *sobre* alguma coisa, embora ainda sejam representadas cinestesicamente no corpo. Quando você imagina estar se equilibrando numa trave e tem a sensação de tocar uma superfície lisa ou sentir-se feliz, está usando seu sistema cinestésico.

Às vezes, os sistemas olfativos ou gustativos são tratados como partes do sistema cinestésico. Esses dois são menos importantes nas culturas ocidentais européia e norte-americana.

Sistema Visual

Criamos nossas imagens internas visualizando, sonhado acordados, fantasiando e imaginando. Quando você imagina estar olhando para um de seus locais favoritos ou uma boa praia para passar as férias, está usando seu sistema visual.

Sistema Auditivo

O sistema auditivo é usado para ouvir música internamente, falar consigo mesmo e ouvir novamente as vozes de outras pessoas. O pensamento auditivo é freqüentemente uma mistura de palavras e outros sons. Quando você imagina a voz de um amigo ou uma de suas peças musicais favoritas, está usando seu sistema auditivo.

Sistema Olfativo

Esse sistema consiste em odores lembrados e criados.

Sistema Gustativo

Esse sistema é composto de sabores lembrados e criados.

Lembre-se de uma boa refeição. Lembre-se de como foi cheirar e degustar a comida. Você está usando seus sistemas olfativo e gustativo.

Não utilizamos nossos sistemas representacionais isoladamente, assim como não experimentamos o mundo através de um só sentido. O pensamento é uma rica mistura de todos os sistemas, assim como a experiência nos vem através de todos os sentidos. No entanto, da mesma forma pela qual alguns de nossos sentidos são mais desenvolvidos e mais "sensíveis" ao mundo exterior, alguns sistemas representacionais são mais bem desenvolvidos. Tendemos a favorecer esses sistemas. O sistema representacional preferido geralmente é ligado a um sentido preferido ou excepcionalmente agudo. Por exemplo, se você presta muita atenção no que vê, é provável que use o sistema representacional visual em seu pensamento. Com uma preferência visual, você poderá estar interessado em desenho, projetos de interiores, moda, artes visuais, televisão e cinema. Com uma preferência auditiva, poderá se interessar por línguas, livros, teatro, música, treinamento e palestras. Com uma preferência cinestésica, poderá se interessar por esportes, ginástica e atletismo.

Não há maneira "certa" de pensar. Depende do que quiser realizar. No entanto, pessoas criativas tendem a usar seus sistemas representacionais de forma mais flexível. A criatividade freqüentemente envolve pensar em uma coisa com outro sistema, talvez para, literalmente, "ver sob um novo prisma".

Pistas de Acesso

O sistema representacional que estamos usando se mostra em nossa linguagem corporal através de nossa postura, padrão de respiração, tom de voz e movimentos oculares. Esses são chamados de "pistas de acesso" – se associam ao uso de sistemas representacionais e os tornam mais fáceis de serem acessados.

A linguagem que utilizamos também oferece pistas quanto ao sistema representacional que estamos usando. Como já mencionamos, palavras baseadas nos sentidos associadas a sistemas representacionais são chamadas de "predicados" na literatura PNL.

	VISUAL	AUDITIVO	CINESTÉSICO
MOVIMENTOS OCULARES	Desfocados, ou para cima à direita ou à esquerda.	Na linha mediana.	Abaixo da linha mediana, geralmente para a direita.
TOM E VELOCIDADE DE VOZ	Geralmente, fala rápida, tom de voz alto e claro.	Tom melodioso, ressonante, em ritmo médio. Freqüentemente possui um ritmo subjacente.	Tonalidade baixa e mais profunda, freqüentemente lento e macio, com muitas pausas.
RESPIRAÇÃO	Respiração alta e pouco profunda, na parte superior do peito.	Respiração regular no meio do peito.	Respiração, mais profunda, vinda do abdômen.
POSTURA E GESTOS	Mais tensão no corpo, freqüentemente com o pescoço estendido. Freqüentemente, tipo corporal mais magro (ectomórfico).	Tipo corporal freqüentemente mediano (mesomórfico). Pode haver movimentos rítmicos do corpo, como se estivesse ouvindo música. A cabeça pode estar inclinada para o lado, como se estvesse pensando, na "posição de telefone".	Ombros arredondados, cabeça baixa, tom muscular relaxado, pode gesticular para o abdômen e para a linha mediana.

Aqui estão as principais pistas de acesso, ou as formas principais pelas quais sintonizamos nossos corpos às diferentes maneiras de pensar (sistemas representacionais). Dão-nos indicações sobre como pensamos (mas não dos pensamentos específicos). Essas também são generalizações e não são verdadeiras em todos os casos.

Algumas pessoas pensam principalmente em linguagem e em símbolos abstratos. Essa forma de pensar é freqüentemente denominada "digital". Uma pessoa que pensa dessa maneira tem tipicamente uma postura ereta, freqüentemente com os braços cruzados. Sua respiração é pouco profunda e restrita, a fala é monótona e, muitas vezes, entrecortada. Os que apresentam pensamento digital normalmente falam em termos de fatos, estatísticas e argumentos lógicos.

Pistas de Acesso Oculares

(Também chamadas de movimentos oculares laterais.)

Visualização

Imagens visuais construídas

Imagens visuais lembradas

Sons construídos

Sons lembrados

Cinestésico
(Sentimentos e sensações corporais)

Auditivo Digital
(Diálogo interno)

NB. Isto é como se você olhasse para outra pessoa.

Esses padrões oculares são os mais comuns. Algumas pessoas canhotas e algumas poucas destras podem apresentar um padrão invertido: imagens e sons lembrados serão em direção ao lado direito da pessoa, seus sentimentos serão para baixo, à esquerda, e seu diálogo interno, para baixo, à direita. Quando você se torna mais consciente de pistas de acesso vê que algumas pessoas têm pistas de acesso invertidas – isto é *diferente,* mas, *mesmo* assim, *é normal!*

> *Não suponha que conhece as pistas de acesso oculares de uma pessoa – teste sempre.*

A maneira mais fácil de testar pistas de acesso é fazer uma pergunta sobre sensações e sentimentos. Em situações do dia-a-dia você pode fazer isso de forma fácil em uma conversa, perguntando a alguém como está se sentindo. Embora as pesquisas sejam escassas, parece que se uma pessoa acessar o sentimento para baixo e à sua direita, terá padrões de acesso padronizados. Se o fizer para baixo e à sua esquerda, tenderá a ter um padrão invertido, em outras palavras, imagens e sons lembrados estarão à sua direita e imagens e sons construídos, à sua esquerda.

Outros Padrões Oculares

Piscar

Piscamos o tempo todo – faz parte do mecanismo natural para lubrificação do globo ocular. Muitas pessoas piscam mais quando pensam. Esta parece ser uma maneira de dividir informações em blocos; e o piscar pode pontuar o pensamento.

Certas pistas de acesso são evitadas

Isso pode significar que a pessoa está sistematicamente bloqueando informações visuais, auditivas ou cinestésicas de seu consciente, talvez como resultado de trauma anterior.

Nenhuma pista de acesso óbvia

Tem certeza? Alguém pode estar falando de tópicos de tal forma familiares e óbvios que não precisa acessar. Para obter as pistas de acesso mais claras, faça perguntas que requeiram um pouco de reflexão.

Diálogo auditivo interno imediato em resposta a cada pergunta

A pessoa pode estar primeiramente repetindo a pergunta e depois acessando a resposta. Isso pode ser parte de sua estratégia habitual de pensamento. Poderá até ver seus lábios se mexerem quando faz isso.

Pistas de acesso incomuns

Essas são provavelmente resultado de a pessoa fazer uma sinestesia (uma mistura de sistemas representacionais simultaneamente).

O padrão da PNL é um guia e uma generalização – e, como toda generalização, algumas vezes não será verdadeiro!

Lembre-se de que a resposta está na pessoa à sua frente, não na teoria.

Perguntas para Pistas de Acesso

A seguir, estão algumas amostras de perguntas que evocarão pistas de acesso oculares juntamente com o símbolo do sistema representacional que evocarão. Quando fizer essas perguntas, procure ver a linguagem corporal da pessoa *antes* da resposta. *Quando* ela responder é tarde demais – o pensamento terá ocorrido e terminado, e as pistas de acesso também.

De que cor é a porta da frente de sua casa? (V)

Como é morder uma laranja suculenta? (G)

Você consegue ouvir sua música favorita em sua mente? (A)

Como é a sensação de estar feliz? (C)

Como é sentir lã encostada em sua pele? C)

Imagine um triângulo roxo dentro de um quadrado vermelho. (V)

Como seria o barulho de uma motosserra dentro de um galpão de chapas galvanizadas? (A)

Como ficaria seu quarto com papel de parede de bolinhas cor-de-rosa? (V)

Quando você fala consigo mesmo, de onde vem o som? (A)

Se um mapa estiver de cabeça para baixo, para onde fica o sudeste? (V)

Imagine o cheiro de capim recém-cortado. (O)

Qual de seus amigos tem o cabelo mais comprido? (V)

Como se soletra seu nome de trás para a frente? (V)

Como se sente vestindo meias molhadas? (C)

Qual o cheiro de cebolas? (O)

O que você fala para si mesmo quando as coisas dão errado? (A)

Como é relaxar em um banho bem quente? (C)

Como é provar uma colherada de sopa muito salgada? (G)

Vendo Imagens Mentais

Quando você utiliza o sistema representacional visual, vê imagens em sua mente. Isso é importante para um pensamento claro, designa criatividade e sucesso na maioria das matérias acadêmicas. Todos são capazes de visualizar, embora algumas pessoas aleguem não conseguir criar qualquer imagem mental. No entanto, todos devem criar imagens mentais, do contrário como reconheceriam suas casas ou seus carros? O reconhecimento envolve equiparar aquilo que você vê a uma imagem lembrada. Se você não tivesse qualquer imagem lembrada, não poderia reconhecer coisas conhecidas. Você não tem consciência dessas imagens armazenadas no momento, já que ocorre tão rapidamente, mas elas têm que estar lá. A única alternativa seria trabalhosa: encontrar uma equivalência através de uma descrição verbal de todas as coisas similares que lembra. Descrições verbais levam muito tempo. Uma imagem oferece as informações num piscar de olhos. Olhe à sua volta e imagine quanto tempo levaria para descrever seu entorno em palavras, para um amigo. Dê a ele uma imagem, e é fácil.

O treinamento em PNL ajuda você a se tornar mais consciente e a ter maior controle de suas imagens mentais para que possa pensar de forma mais criativa e flexível. Muitos padrões PNL são mais fáceis de compreender e aprender quando você tem consciência de suas imagens mentais.

O próximo exercício o ajudará a desenvolver seu sistema representacional visual. Observe quais as partes fáceis e quais as mais desafiadoras.

Desenvolvendo Visualização

- Feche os olhos, relaxe seu corpo e olhe para a sua tela mental. Descreva o que está vendo para você mesmo. De início, provavelmente serão tons de cinza com borrões de branco. Poderá ver uma imagem em negativo daquilo que estava olhando antes. Quando isso se acalmar, imagine um pequeno ponto preto no centro de seu campo visual.

- Faça com que seja o mais preto possível.

- Agora imagine esse ponto crescendo como uma gota de tinta derramada sobre a água de forma que lentamente se espalhe a partir do centro e comece a colorir toda a sua tela mental. Quanto mais preta você fizer com que a tela se torne, melhor. Ponha a mão sobre os olhos se isso ajudar.

- Agora abra os olhos e olhe para um objeto próximo. Relaxe os olhos, não fite o objeto fixamente nem tente fixá-lo em sua mente.

- Gradualmente, feche os olhos. Ao fazê-lo, mantenha uma imagem do objeto em seu campo visual mental. Pode ser útil olhar para a esquerda, mesmo que seus olhos estejam fechados. Esta posição ocular ajuda a visualização.

- Feche os olhos e imagine o objeto a sua frente, exatamente como era.

  De que cor era o objeto?

  Visualize a cor o mais vivamente que puder.

  Agora torne a sua imagem ainda mais brilhante.

  Imagine um holofote sobre o objeto, fazendo com que se destaque ainda mais claramente.

  Imagine tornar o objeto menor de tal maneira que ele se some à distância.

  Agora faça com que fique bem perto, como em um *zoom*.

- Ser capaz de imaginar perspectivas diferentes é importante. Você precisa ser capaz de controlar sua imagem observando-a de diferentes ângulos.

- Imagine-se flutuando perto do teto, olhando o objeto de cima.

- Agora imagine-se no chão, olhando para objeto de baixo.

- Agora mova o objeto em sua mente.

- Imagine virá-lo de cabeça para baixo para que possa ver seu fundo.

- Agora vire-o para que possa vê-lo por trás. Se isso for difícil, abra os olhos e faça isso fisicamente no objeto (se puder), depois feche os olhos e visualize o que acaba de ver.

- Imagine-se virando o objeto ao avesso e vendo-o por dentro.

- Agora imagine-se entrando nele para que possa vê-lo por dentro.

Alguns livros sobre visualização dão a impressão de que todos podem ver espantosas imagens em três dimensões que ficam impressas na mente durante minutos de cada vez e que qualquer coisa a menos não é bom o bastante. Mas isso não é verdade. As pessoas variam muito no quão facilmente e vivamente podem visualizar, mas todos podem melhorar sua clareza e controle com a prática. Todos têm memória fotográfica, mas algumas pessoas têm filme de melhor qualidade em suas máquinas fotográficas.

Ouvindo Sons Mentais

Ser capaz de imaginar sons com clareza tornará seu pensamento mais flexível e criativo. Derivará maior prazer da música e será capaz de mudar seu diálogo interno de forma a torná-lo mais apoiador e positivo.

O próximo exercício desenvolverá seu sistema representacional auditivo. Observe quais as partes que são fáceis e quais as que são mais desafiadoras.

Desenvolvendo sua Audição

- Feche os olhos.
- Faça um barulho batendo com seu punho na cadeira.
- Agora ouça esse som novamente, em sua mente.
- Agora imagine-o mais uma vez, primeiramente mais alto, depois mais baixo. Faça o barulho novamente se tiver dificuldade em lembrá-lo.
- Agora imagine que o som vem do outro lado da sala.
- Imagine-o vindo de cima, depois de baixo de você. Pode ajudar imaginar-se batendo com seu punho na cadeira, mais uma vez.
- Agora imagine a voz de alguém de sua família. Ouça-a dizendo algo. Pode ajudá-lo criar uma imagem da pessoa vendo-a abrir a boca e falar. Pode ajudar olhar para o lado. Essa posição ocular torna mais fácil ouvir sons internos.
- A seguir, imagine o som de sua música favorita.
- Faça com que seja mais alto, depois mais baixo.
- Faça com que seja mais rápida, depois mais lenta.
- Faça com que venha de diferentes partes da sala.

Há duas estratégias que podem ajudá-lo a ouvir sons mais claramente em sua mente:

1. Visualize outras pessoas fazendo o som. Veja-as dedilhando um violão, tocando um pistom ou batendo tambores. Ao ver isso, o som virá naturalmente. Essa estratégia funciona bem se você for bom em criar imagens mentais.

2. Imagine-se tocando o instrumento. Não importa se sabe fazê-lo ou não. Imagine-se dedilhando o violão, soprando o pistom ou tocando bateria. Ouça os sons ao fazê-lo. Crie uma imagem "associada", como se

estivesse lá de verdade, olhando pelos seus próprios olhos. Essa estratégia funciona bem se você tiver facilidade para imaginar sensações.

Entrando em Contato com Sensações

De muitas maneiras, o tato é o mais imediato dos sentidos. Ele nos "põe em contato" com o mundo. Dizemos "ver para crer", mas para muitas pessoas, tocar torna as coisas reais.

A PNL nos ajuda a fazer uso de nossos sentidos, especialmente através de nossa consciência corporal. O sistema representacional cinestésico tem quatro aspectos:

Consciência corporal (sentido proprioceptivo ou memória muscular)

- ⊃ O senso de seu corpo físico é parte essencial do rapport com você mesmo, sendo a base para que se sinta fisicamente saudável e para seu bem-estar. Sem um senso de consciência física é impossível relaxar.

A memória muscular leva mais tempo para ser adquirida do que a memória visual e auditiva, mas também leva mais tempo para desaparecer. Uma vez que aprendemos algo "no músculo", essa coisa é confiável, até mesmo impossível de ser esquecida. Se você aprendeu a andar de bicicleta uma vez em sua vida, provavelmente ainda será capaz de fazê-lo anos depois, sem prática adicional.

Nós consistentemente tensionamos certos músculos e depois "aprendemos" aquele padrão de tensão muscular. Isso pode levar a dores lombares, e de cabeça crônicas, ou à má coordenação. Pagamos o preço, mesmo que não estejamos conscientes da tensão. Uma boa massagem freqüentemente oferecerá uma experiência completamente diferente do significado de estar relaxado.

Também podemos armazenar emoções em nossos corpos através de tensão muscular. Vemos linhas de riso e linhas de caráter no rosto de uma pessoa porque ela tem habitualmente adotado essas expressões. Nossos corpos armazenam nossas posturas características da mesma forma. Isso pode levar ao estresse e à doença física.

A consciência cinestésica significa sermos capazes de discriminar entre sensações sutis em nossos corpos. Uma afinada consciência corporal nos avisará quando necessitamos descansar e não seremos pegos de surpresa pelo estresse e pelo excesso de trabalho. Quanto mais sutis forem os sinais corporais que você é capaz de reconhecer, melhor poderá cuidar de si mesmo e melhor será seu senso de saúde e bem-estar.

O sentido do tato (tátil)

⊃ O tato é nossa forma mais básica de comunicação. Começa quando somos bebês, tentando tocar e compreender o mundo. O toque amoroso de nossos pais nos diz que o mundo é um lugar amistoso. Quanto mais sensíveis formos a sensações e ao tato por dentro, mais o seremos por fora, também.

Equilíbrio (Vestibular)

⊃ O senso de equilíbrio é geralmente tratado como um caso especial do sistema cinestésico, embora às vezes seja considerado um sistema representacional separado na literatura da PNL (ver Cecile A. Carson, MD, "The Vestibular System", Capítulo Quatro de *Leaves Before the Wind*, Grinder, DeLozier and Associates, 1991).

Emoções (Empáticas)

⊃ Emoções são "metacinestésicas"; em outras palavras são sensações *sobre* outros sentimentos ou experiências. Estarmos conscientes de nossas emoções e sermos capazes de senti-las é parte do nosso estar em rapport com nós mesmos e com nosso ritmo. À medida que nos tornamos mais sensíveis as nossas emoções, assim também nossa expressão emocional se torna maior e percebemos que há significado e valor em todas as emoções, mesmo as que possamos considerar negativas.

Emoções podem ser arrebatadoras, mesmo assim nós somos donos delas porque as criamos através de nossa fisiologia e nossa bioquímica em resposta ao que vemos, ouvimos e sentimos. Às vezes tememos uma emoção apenas porque jamais a sentimos adequadamente. É uma qualidade desconhecida. Podemos temer emoções também porque temos medo de que sejam incontroláveis, ou se forem associadas a experiências demasiadamente dolorosas. A partir do momento em que sentir emoções como sendo suas, não como algo a ser mantido à distância, você será dono delas e terá mais escolha quanto a como lidar com elas.

Desenvolvendo Consciência Cinestésica

Você pode realizar este exercício a qualquer momento. Ele o ajudará a se centrar e a se tornar consciente de seus sentidos de equilíbrio, tato e de consciência corporal. Também o ajudará a estabelecer uma forte primeira posição e a se conectar a seus valores. É bom realizar este exercício quando estiver enfrentando um problema ou tiver de tomar uma decisão difícil.

- Pause.
- Torne-se consciente de seu corpo – sem julgamento.
- Como seu corpo se pareceria se você congelasse nessa posição? Pareceria estranho?
- Que partes de seu corpo estão tensas?
- Como está seu senso de equilíbrio?
- Sinta a conexão entre todas as partes do corpo.
- Quais as partes que estão à vontade e quais as que estão desconfortáveis?
- Sinta onde seu corpo está tocando outros objetos, como uma cadeira.
- Conscientize-se do toque de suas roupas em sua pele.
- Do que tem consciência através de seu sentido do tato?
- Pergunte a si mesmo:

    "O que estou sentindo neste momento?"

    "O que estou fazendo neste momento?"

    "O que estou pensando neste momento"
- Então se pergunte:

    "O que quero neste momento?"
- Agora, pergunte-se:

    "Quais os valores que desejo expressar?"

    "O que é importante para mim neste momento?"

    "Como o que estou fazendo me ajuda a alcançar isso?"

    "O que estou fazendo neste momento que me impede de alcançar o que quero?"
- Por fim, faça uma escolha. Diga a si mesmo: "Eu escolho ..."

Preferências de Sistemas Representacionais

Nós constantemente utilizamos nossos sistemas representacionais. Não podemos pensar a respeito de coisa alguma sem usar pelo menos dois: o primeiro, para trazer as informações, e o segundo para considerá-las de forma diferente. A PNL considera o pensamento como cadeias de sistemas representacionais formando estratégias – seqüências de sistemas representacionais com um propósito.

O que denominamos "talento" é em parte resultado da maneira pela qual uma pessoa utiliza seus sistemas representacionais para formar estratégias incomuns e criativas.

Toda memória é um coquetel criativo de sistemas representacionais. Todas têm componentes visuais, auditivos, cinestésicos, olfativos e gustativos. Isto às vezes se chama de "quintuplo" e é representado por [VACOG].

Como já mencionamos, no entanto, tendemos a favorecer um ou dois sistemas representacionais. Tipicamente nos voltaremos para nosso sistema preferido ou preferencial quando estivermos sob pressão ou estresse. Isso poderia ser uma fraqueza se limitasse nosso pensamento ao que nos é familiar em situações desconhecidas.

Você pode descobrir sua própria maneira de pensar preferida ouvindo a forma pela qual fala ou analisando sua redação. Encontrará mais predicados de seu sistema preferido do que dos demais sistemas representacionais.

Há duas coisas que você pode fazer para aumentar seus próprios autoconhecimento e flexibilidade de pensamento:

Conheça sua própria preferência.

Desenvolva seus sistemas representacionais mais fracos.

Sistema Representacional Condutor

O sistema representacional condutor ou orientador é o sistema que usamos para recuperar informações de nossas memórias. Por exemplo, quando você pensar em férias, poderá recuperar a memória visual primeiro, e depois pensar a respeito. Nesse caso, o visual é o sistema condutor. O sistema condutor pode ser o mesmo que o sistema preferido, mas não obrigatoriamente.

Você poderá saber qual o sistema condutor de uma pessoa observando suas pistas de acesso oculares. Por exemplo, se perguntar sobre suas férias, ela pode fazer um acesso visual rápido para recuperar a memória (o sistema condutor é visual) e depois contar os dias agradáveis que passaram usando muitos predicados cinestésicos (mostrando que seu sistema preferido é cinestésico).

Atenção!
Evite descrever pessoas como "auditivas" ou "visuais" ou "cinestésicas" com base em seus sistemas preferidos. Esses não são identidades, apenas preferências e capacidades.

Tradução e Superposição de Sistemas Representacionais

Tradução

A tradução de sistemas representacionais significa pegar uma idéia e expressá-la em diferentes sistemas representacionais. Por exemplo:

"Confortável como um cobertor quentinho..." (C)

"Confortável como uma sala bem decorada..." (V)

"Confortável como um nome conhecido..." (A)

"Desconfortável como cores berrantes na arte abstrata..." (V)

"Desconfortável como migalhas na cama..." (C)

"Desconfortável como uma tuba enferrujada tocando desafinadamente..." (A)

A tradução preserva o significado, mas muda a forma. Pode ser necessária para que as pessoas possam compreender umas às outras. Por exemplo, uma pessoa com um sistema preferido cinestésico pode não perceber o quanto uma sala bagunçada pode distrair uma pessoa visual, a não ser que possa traduzir, então você poderá dizer: "Estar em uma sala bagunçada desvia minha atenção da mesma forma que sentar em uma cadeira desconfortável desvia a sua..."

A tradução é uma habilidade de comunicação importante nos negócios. Às vezes, gerentes podem parecer estar discordando, mas estão discordando apenas quanto à expressão de uma idéia, não quanto à idéia em si. Uma vez traduzida a idéia, concordarão. Por exemplo, um gerente com um sistema preferencial auditivo pode gostar de conversar com seus colegas gerentes para explicar o que estão fazendo. Um colega gerente que prefere o sistema visual provavelmente desejará ver algo por escrito e, até que tal ocorra, de alguma forma não parecerá "real".

Eis um exemplo com os predicados em itálico. O primeiro gerente está falando principalmente de forma cinestésica, o segundo está falando visualmente. Ambos concordam que algo deve ser feito, mas as palavras estão atrapalhando a boa comunicação.

"Não consigo *captar* sua opinião sobre o departamento de contabilidade..."

"*Olhe*, está perfeitamente *claro*, precisamos *ver* o que está acontecendo com um relatório, antes de decidirmos."

"Bem, não estou *à vontade* com essa abordagem. Vamos *sentar* com o David e *destrinchar* o assunto, pessoalmente."

"Acho que perderemos objetividade fazendo isso. Com tantas mudanças no *horizonte*, precisamos *delinear* as opções, *preto no branco*."

"*Espere*, isso é um tanto precipitado..."

Tradução

Sistema Um ⟶ Sistema Dois

Eis algumas frases comuns com traduções entre sistemas representacionais.

GERAL	VISUAL	AUDITIVO	CINESTÉSICO
Não compreendo.	Estou no escuro.	Isso tudo é grego para mim.	Não consigo captar isso.
Não sei.	Ainda não está claro.	Não consigo saber se está certo.	Não consigo captar a idéia.
Eu compreendo.	Estou vendo o que quer dizer.	Isso soa bem.	Sinto que está certo.
	Entendi o quadro.		Captei sua idéia.
Eu penso.	Minha visão é...	Alguma coisa me diz que...	Segure essas imagens...
Estou confuso.	Isso é uma bagunça.	Não há ritmo ou razão nisso.	Não consigo pegar.
	É tão obscuro.	Isto soa estranho.	Nada disso encaixa.

Superposição

A superposição é um exemplo de estabelecimento de acompanhamento e condução utilizando a linguagem dos sistemas representacionais. Você usa um sistema representacional bem desenvolvido para passar para outro menos desenvolvido. Por exemplo, a superposição é utilizada para induzir um transe:

> *À medida que sente o peso de seu corpo na cadeira e as roupas em sua pele, você ouve minha voz e os outros ruídos leves na sala. Esses ruídos leves podem ajudá-lo a se tornar mais confortável e a relaxar. Ao olhar em redor da sala e ver os objetos familiares, você poderá querer fechar os olhos para ficar mais confortável e*

se concentrar mais nos ruídos que está ouvindo para ficar mais relaxado, para que possa repassar o dia em sua mente e aprender facilmente a partir disso...

(Essa seqüência é C, A, C, V, C, A, V.)

Eis um exemplo de vendas:

Esse computador parece ser potente e é potente. O monitor é maravilhosamente projetado para ser bonito em seu espaço de trabalho. Tudo que ouvirá ao ligar a máquina é o ronronar de seu funcionamento. O sistema de som é potente e toca seus CD com clareza e tom surpreendentes. O teclado é projetado ergonomicamente para ser confortável e fácil de usar e o layout é atraente...

(A seqüência é V, C, V, A, C, A, C, V.)

Observe que as apresentações de vendas têm a mesma estrutura que a indução de transe – ela o convida a criar imagens, sons e sensações internamente e a se sentir bem em relação a eles (para que compre o produto que passou a significar comprar as sensações).

A sobreposição também é usada para contar histórias – você cria a história, as imagens, os sons e as sensações a partir das palavras impressas na página.

Sinestesia

A cor era dor para ele, calor, frio, pressão; sensações de intoleráveis alturas e enormes profundezas, de tremendas acelerações e compressões esmagadoras...

O tato era degustação para ele ... a textura da madeira era acre e parecia calcário em sua boca, metal era sal, pedra tinha um sabor agridoce ao toque de seus dedos, e o toque de vidro estragava seu paladar como um doce excessivamente doce...

Alfred Bester, *The Stars my Destination*, 1956

Sinestesia, que significa literalmente "sentir junto", ocorre quando um sentido se liga a outro. Dois ou mais sistemas representacionais são acessados simultaneamente. Isto poderá dar margem a pistas de acesso confusas. Sinestesias ocorrem naturalmente e são a base do trabalho artístico e criativo. São diferentes das estratégias. Uma estratégia é uma seqüência de representações. Em uma sinestesia, as representações ocorrem simultaneamente.

Todos nós experimentamos sinestesias, a música, por exemplo, evoca cores e formas, quadros evocam sentimentos e a mera visão de alguém passando as unhas por um quadro-negro pode evocar o som em nossas mente e nos fazer trincar os dentes.

Sinestesias são as metáforas dos sentidos e temos que utilizar metáforas literárias para descrevê-las. A poesia e a boa redação evocam sinestesias através da linguagem usada.

Sinestesias são usadas com freqüência na propaganda:

"O sabor macio de geleia de morango..."

"Uma bebida borbulhante que desce como veludo..."

"Os últimos sons quentes..."

As sinestesias mais comuns são as que envolvem nosso sistema condutor e nosso sistema preferencial, porque essa é a seqüência típica que usamos em nosso pensamento e em nossas memórias, e portanto essas sinestesias nos deixarão mais à vontade.

Richard Cytowic descreve a sinestesia vivamente em seu livro *The Man Who Tasted Shapes* (Abacus, 1993). Cytowic é um médico e seu livro foi inspirado por um encontro com um homem que sentia o gosto das formas e uma mulher que sentia o cheiro das cores. Essas pessoas eram sinestetas literais – sua experiência externa dos sentidos perpassava os diferentes sentidos. O homem que sentia o sabor das formas realmente sentia seu gosto; os sabores eram tão reais quanto seu jantar (mas sem o mesmo valor nutricional, é claro!). Nossas desbotadas experiências com sinestesia mediadas através de linguagem e metáfora eram experiências sensoriais verdadeiras para essas pessoas. Cytowic ficou suficientemente intrigado para investigar a sinestesia extensamente e concluiu que é função natural de nossa neurologia humana, mas que geralmente ocorre no nível do inconsciente.

Pistas de acesso oculares nem sempre mostram as sinestesias, embora as vezes uma pessoa olha fixamente para um determinado ponto no espaço enquanto está claramente sob influência de alguma emoção. Freqüentemente, as pessoas acessarão sinestesias de forma cinestésica porque o tato é a parte mais importante da experiência. Muitas vezes não estarão conscientes das outras partes da sinestesia, apenas do estado emocional resultante.

Integração de Movimentos Oculares

Eis aqui uma maneira de usar pistas de acesso oculares para lidar com problemas difíceis. Você pode usar isso para si mesmo ou para ajudar outra pessoa. Quando estiver trabalhando sozinho, simplesmente mova seus olhos para todas as diferentes posições. Imagine seguir um ponto de luz que se move para lugares diferentes.

Parte Um

Peça à outra pessoa que esvazie sua mente e siga o curso de seu dedo com os olhos sem mover a cabeça. Ligue as posições de acesso oculares com o movimento de seu dedo, passando pelas posições superiores, do meio e inferiores em todas as combinações em frente ao rosto da pessoa, a uma distância de aproximadamente 70 centímetros.

Alternativamente, poderá manter dois dedos em duas posições diferentes e pedir à pessoa que olhe de um para outro sem mexer a cabeça. Dê à pessoa tempo para pensar. Mantenha o processo lento e simples e deixe que descanse durante os padrões se precisar.

Quando tiver terminado, faça algumas perguntas:

Quais os movimentos mais suaves?

Quais os mais fáceis de realizar? (Isso poderá mostrar as sinestesias mais fáceis ou o sistema condutor em relação ao preferencial.)

Quais os mais difíceis? (Esses mostram as áreas com maior potencial.)

Quais os movimentos mais irregulares?

Como essas indicações neurológicas se conformam com a experiência da pessoa em sua maneira de pensar e as sinestesias e as associações que fazem?

Parte Dois

Peça à pessoa que pense em um problema ou questão difícil em relação à qual gostaria de ser mais criativa. Observe para onde dirigem os olhos.

Agora repita todos os movimentos, ligando todas as posições, como antes.

Observe quais os lugares desprovidos de recursos e quais os que têm recursos.

Repita quaisquer ligações que pareçam especialmente difíceis. Ao fazê-lo, peça que a pessoa imagine que todos os seus recursos, sua criatividade e diferentes modos de pensar estão sendo integrados e aplicados na questão.

Dê a ela tempo para integrar e depois peça que pense na questão novamente.

O que mudou para ela?

Esse exercício focaliza muitos recursos e maneiras de pensar em um problema em combinações diferentes e criativas. Também embaralha o modo de pensar habitual da pessoa em relação ao problema.

Linguagem Sensorial

Palavras ligadas a um determinado sistema representacional são conhecidas como "predicados" na terminologia da PNL. Predicados são o resultado de pensar com um determinado sistema representacional. São como pistas de acesso verbais. Por exemplo: "Vejo o que está querendo dizer" implica o sistema visual. Uma vez sensível a predicados, você começará a notar como as pessoas descrevem eventos de formas diferentes que implicam diferentes modos de pensar. Também estará mais consciente de sua própria linguagem, como ela se liga ao seu próprio modo de pensar e como se equipara (ou não) ao modo de pensar de outras pessoas, como mostrado pelos seus predicados.

Por exemplo, três amigos vão a um jogo de futebol. O primeiro diz: "foi um jogo *brilhante*! Vou lhe contar os *destaques*. Os dois times jogaram muito bem, tínhamos uma excelente *visão,* e a *iluminação* estava boa. *Vimos* nosso time vencer por três a dois. Vou *assistir* novamente na televisão hoje à noite."

O segundo diz: "Que jogão! Deixe-me lhe *contar* a respeito. O clima estava fantástico, todo mundo torcia aos *gritos* e não conseguia *ouvir* meus pensamentos. *Gritei* até ficar rouco. *Ouvi* o comentário em meu walkman, e isso foi legal também."

O terceiro diz: "Foi um jogo *estonteante*! O primeiro tempo foi *duro*, mas no final nosso time venceu *confortavelmente*. O outro time não chegou a *entrar no jogo* no segundo tempo. As cadeiras não eram lá muito *confortáveis*, no entanto. Vou *pegar* o jogo pela TV hoje à noite."

Esses são exemplos exagerados, mas podem ver que o primeiro exemplo usa muitos predicados visuais, o segundo, muitos auditivos, e o terceiro, muitos predicados de tato, ou cinestésicos.

Predicados e Frases Visuais

Olhar, imaginar, focalizar, *insight*, cena, branco, visualizar, perspectiva, brilhar, refletir, esclarecer, examinar, olho, foco, prever, ilusão, ilustrar, notar, visão, revelar, antever, ver, mostrar, visão, observar, enevoado, escuro, aparência, brilhante, colorido, penumbra, entrever, destacar, obscuro, fazer sombra, visão geral, cintilar, holofote, assistir, vívido, espelhar...

> Vejo o que está querendo dizer.
>
> Estou examinando a idéia de perto.
>
> Nós temos a mesma visão.
>
> Tenho uma vaga idéia.
>
> Ele tem um ponto cego.

Mostre-me o que quer dizer.

Você olhará para isso depois e dará risadas.

Predicados e Frases Auditivas

Dizer, sotaque, ritmo, alto, tom, ressonar, som, monótono, surdo, pedir, acentuar, audível, timbre, claro, discutir, proclamar, chorar, comentar, ouvir, gritar, suspirar, guinchar, sem fala, clique, coaxar, vocal, sussurrar, contar, silêncio, dissonante, zumbido, calar, melodioso, ganir, harmonia, melodia, musical, acústico, cacarejo, diálogo, eco, rosnar...

Estamos em sintonia.

Vivemos em harmonia.

O local zumbia com a atividade.

Isso tudo é grego para mim.

Não dar ouvidos.

Isso faz soar o sino! A campainha!

É música para meus ouvidos.

Terminou, não com um estrondo, mas com um ganido.

Predicados e Frases Cinestésicos

Tocar, manusear, equilibrar, quebrar, frio, sentir, firme, agarrar, contato, pegar, empurrar, esfregar, golpear, fazer cócegas, apertado, sólido, quente, saltar, pressão, correr, morno, áspero, derrubar, tomar, agudo, sensível, estresse, macio, grudento, emperrado, tamborilar, tensão, dobrar, tocar, andar, concreto, gentil, segurar, raspar, sofrer, pesado, liso...

Eu entro em contato com você.

Ela tem a língua afiada.

Estou surfando na Internet.

Sinto nos ossos.

Havia tensão no ar.

Ele tem um temperamento quente.

A pressão era enorme.

O projeto está em pleno curso.

Predicados e Frases Olfativos

Perfumado, fedorento, mofado, faro, fragrante, enfumaçado, fresco, almiscarado...

Sinto cheiro de confusão.

Era uma situação que me cheirava mal.

Ele tinha faro para os negócios.

Predicados e Frases Gustativos

Azedo, amargo, salgado, suculento, doce, apimentado, água na boca, náuseas, açucarado...

É uma pílula amarga.

Ela é uma pessoa doce.

Ele fez um comentário ácido.

Palavras e Frases não Específicas a Sentidos

A maioria das palavras não tem qualquer conotação sensorial. Como já mencionamos, essas por vezes são chamadas de "digitais". Você pode usá-las quando quiser dar a outra pessoa a opção de pensar no sistema representacional que bem entender.

Exemplos de Palavras Não-Especificadas

Decida, pense, lembre, saiba, meditar, reconhecer, atender, compreender, avaliar, processar, decidir, aprender, motivar, mudar, consciente, considerar, supor, escolher, resultado, meta, modelo, programa, recursos, coisa, teoria, idéia, representação, seqüência, lógica, memória, futuro, passado, presente, condição, conexão, competência, conseqüência.

Ponte ao Futuro

Utilizamos nossos sistemas representacionais para nos lembrar do passado e também para imaginar o futuro. Podemos ensaiar mentalmente como desejamos que o futuro seja. Isto se chama "ponte ao futuro", na terminologia da PNL.

Quando fazemos ponte ao futuro, ensaiamos um resultado mentalmente para nos assegurarmos de que ocorra e para descobrirmos se parece correto. A mudança pessoal começa com um objetivo ou resultado. Você tem um problema ou deseja que a situação seja diferente. Então, determina um estado desejado – o que você quer em vez da situação atual. Depois aplica uma técnica ou um padrão para realizar essa mudança. Muitas abordagens psicológicas terminam aí. Mas, às vezes, a mudança é fácil no momento, mas difícil na situação real, dias ou semanas depois. A ponte ao futuro lida com esse problema e é parte de todas as técnicas de mudança de PNL. Você pode fazer ponte ao futuro de seus próprios resultados e a ponte ao futuro dos outros quando trabalha com eles para ajudá-los a alcançar os seus resultados.

Sempre que tiver trabalhado em um problema, ensaie mentalmente sua solução. Por exemplo, suponha que tem tido problemas em se comunicar com outra pessoa e que você tem novos recursos para ajudá-la. Faça a ponte ao futuro pensando em quando você encontrar a outra pessoa da próxima vez. Imagine-a o mais claramente possível, ouça sua voz mentalmente e depois imagine-se respondendo a ela da forma que deseja. Verifique como se sente. Imagine a resposta possível. Quando sentir-se bem, e a situação ocorrer satisfatoriamente, terá testado a mudança o mais minuciosamente possível, próximo efetivamente a encontrar-se com a pessoa. Se não sentir que está bem, provavelmente não funcionará na vida real. Às vezes uma pessoa pode desempenhar o papel da outra para que a ponte ao futuro seja mais realista.

A ponte ao futuro é a verificação de seu resultado em realidade virtual.

O estabelecimento de ponte ao futuro tem quatro funções:

1. Como verificação ecológica. Às vezes o resultado parece bom em teoria, mas quando faz ponte ao futuro, você percebe que não está exatamente certo. Então precisa voltar e fazer mais mudanças.

2. Como teste de que a mudança realmente funcionará.

3. Como ensaio mental de seu resultado desejado. Quanto mais você ensaiar mentalmente seu resultado, mais familiar ele se tornará e mais fácil será.

4. Como meio de generalizar as lições que aprendeu, levando-as para o mundo real. Quando você levar o que aprendeu e o aplicar em qualquer lugar, independentemente de contexto, terá o maior impacto sobre você mesmo e sobre outros.

Ponte ao Futuro da Mudança Organizacional

Fazer ponte ao futuro é excepcionalmente importante no treinamento empresarial. Freqüentemente, esse ocorre fora do escritório, muitas vezes em um hotel próximo. Em geral, essa é uma boa idéia, pois afasta os participantes das distrações do escritório. As idéias que têm e o trabalho que realizam na sala de treinamento são com freqüência excelentes. Mas, quando retornam ao trabalho, é demasiadamente fácil recaírem nos mesmos velhos hábitos. Assim, todo treinamento empresarial deve ter sua ponte ao futuro rigorosamente estabelecida em relação ao ambiente de trabalho e deve funcionar lá se for ter algum impacto.

A PNL é bastante pragmática. O teste para a intervenção de PNL bem-sucedida é que funcione no mundo real. Fazer ponte ao futuro pode fazer a diferença entre uma que funciona e uma que não funciona.

A simulação em computadores é outra maneira de fazer ponte ao futuro utilizada nos negócios. Os resultados que as pessoas desejam alcançar são inseridos em um cenário de computador, a simulação é rodada, e as conseqüências, monitoradas. Isso é mais facilmente realizado quando o comportamento mudado pode ser medido em termos de dados concretos como receita de vendas, reclamações de clientes e lucros. Existe também softwares sofisticados que simulam os aspectos sistêmicos de mudanças mais complexas. Ajuda os gerentes a verem cenários futuros possíveis para que possam compreender as prováveis conseqüências da mudança.

Princípios de Ensaios Mentais

O ensaio mental é uma poderosa ferramenta para a automelhoria e para o *coaching*. Quando ensaia mentalmente você utiliza os caminhos neurais envolvidos no uso efetivo da habilidade no mundo real. O ensaio mental é amplamente utilizado como técnica para melhoria na música e nos esportes. O ensaio mental torna uma nova habilidade familiar e cria micromovimentos nos músculos de que você necessita no mundo real.

Sempre que ensaiar seus resultados mentalmente, siga os princípios a seguir:

- *Comece pela sua meta.*

    Imagine como seria alcançá-la. Veja-a em detalhes para que esteja absolutamente claro quanto ao que terá que fazer para alcançá-la.

- *Focalize o processo, não o resultado.*

    Use seus sistemas representacionais para ver como atinge o objetivo. Desde que esteja claro quanto à meta, ela fluirá naturalmente desse processo da qualidade. O último passo é ver a meta alcançada como resultado do processo. Por exemplo, para ensaiar mentalmente uma tacada de golfe, imagine-se selecionando o taco adequado, sentindo o peso do taco em suas mãos, se posicionando, realizando seus movimentos usuais e focalizando-se na tacada. Depois visualize a bola entrando no buraco. É isso que separa o ensaio mental de sonhar acordado.

Sonhar acordado focaliza o resultado, que acontece em um passe de mágica. O ensaio mental focaliza o processo, e os bons resultados são inevitáveis.

- *Seja específico.*

    Imagine o maior número de detalhes que puder – onde está, as roupas que está vestindo, cada parte da habilidade que está ensaiando. Quanto mais ricos os detalhes, mais poderoso será o processo.

- *Veja, ouça e sinta a perfeição.*

    O que você vê (e ouve e sente) é o que terá. Não se satisfaça com menos que o melhor; imagine tudo exatamente como quer que seja.

- *Utilize todos os sentidos.*

    Quanto mais sentidos usar, mais memorável será a experiência e mais profunda será a sua marca. Veja os quadros em sua imaginação o mais claramente que puder. Ouça os sons. Sinta seus movimentos corporais, incluindo seu senso de equilíbrio.

- *Relaxe.*

    O relaxamento intensifica os efeitos do ensaio mental.

- *Pratique.*

    A prática perfeita resulta na execução perfeita. Da mesma forma, quanto mais utilizar o ensaio mental, mais habilidoso se tornará e melhor será seu funcionamento para você.

Plano de Ação

1. Quando assistir a programas de atualidades na televisão, observe as pistas de acesso de políticos e especialistas quando respondem a perguntas. O que pode dizer a respeito da maneira pela qual utilizam seus sistemas representacionais? Sua linguagem se equipara a suas pistas de acesso?

    (Nota importante: Uma pista de acesso visual construída não significa que a pessoa está mentindo. Significa que está pensando através da construção de imagens, que pode ser parte de sua estratégia de memória.)

2. Olhe atentamente para o livro que está lendo atualmente. Qual o estilo predominante? O que pode observar quanto à maneira preferida de pensar do autor a partir do equilíbrio de predicados no texto?

(Nota: Livros acadêmicos são geralmente escritos em linguagem digital; existe uma crença amplamente disseminada de que isso os torna mais sérios e críveis, mas apenas os torna mais entediantes.)

Faça esse exercício com um romance, observando especialmente os predicados nos diálogos.

3. Jogos de predicados.

    Escolha uma conversa casual na qual o conteúdo não é importante e procure ouvir predicados. Quando ouvir um predicado, equipare-o à frase seguinte que disser em resposta (acompanhamento).

    Quando for capaz de fazer isso com confiança, equipare o predicado e siga-o com outra frase ou sentença que utilize um predicado de outro sistema (acompanhando e liderando). Seu companheiro segue a sua liderança usando predicados daquele sistema em sua resposta?

4. Comece a trabalhar sua acuidade sensorial. O prazer que você deriva da vida depende do quão agudos seus sentidos são. Muitas pessoas ingerem overdoses de hedonismo – precisam de um estímulo maciço porque seus sentidos estão desgastados. Com sentidos limpos, você obterá mais prazer com menos estímulo.

    Faça de um dia um dia visual:

    Preste atenção especial no que vê. Veja o conhecido com novos olhos e deixará de ser conhecido.

    Preste atenção nas cores ao seu redor.

    Observe quanta diversidade há em seu entorno.

    Depois, tenha um dia auditivo:

    Ouça os sons das vozes das pessoas.

    Ouça música com mais atenção.

    Ouças os sons do dia-a-dia com novos ouvidos e deixarão de ser sons do dia-a-dia.

    Por fim, tenha um dia cinestésico:

    Preste mais atenção nas suas sensações e sentimentos à medida que se move através do dia.

    Observe como seus sentimentos estão em constante mutação.

    Preste atenção na sensação táctil provocada pelas coisas.

    Observe como você se equilibra sobre duas pequenas áreas (seus pés) com facilidade.

5. Conheça seu sistema representacional condutor. Quando você pensa em algo, o que normalmente acontece primeiro?

    Você fala consigo mesmo? (A)

Você visualiza? (V)

Você se lembra da sensação táctil? (C)

Conheça seu sistema preferido.

Escreva durante aproximadamente cinco minutos sobre algo que gosta de fazer. Escreva rapidamente sem pensar. Depois, reveja o que escreveu. Qual o equilíbrio de predicados?

Você poderá preferir falar no microfone de um gravador por alguns minutos em vez de escrever. (Isso, em si, pode ser uma dica de que você prefere o sistema auditivo.)

6. Qual o seu sistema representacional mais fraco?

Exercite sua parte fraca e use os exercícios nas páginas 62-7 para desenvolver esse sentido. Seu pensamento se tornará mais criativo e flexível.

7. Eis um exercício que pode tornar sua maneira de pensar mais criativa, estimulando todos os sistemas representacionais e que também é bom para os músculos oculares.

Escolha qualquer objeto longe de você e imagine que é o centro de um grande relógio. Mantenha sua cabeça e seus ombros parados e mova seus olhos cuidadosamente até onde puder para a posição de 9h, como se estivesse querendo ver sua orelha esquerda. Mantenha os músculos esticados por alguns segundos, sem olhar para algo específico e depois retorne os olhos para o centro do relógio. Agora, faça o mesmo para as posições de 10h, 11h e 12h. Nesta última estará olhando para cima, em direção a sua testa. Continue ao redor de todo o relógio até ter olhado para todas as horas. Faça isso devagar e com cuidado; não tente forçar o que quer que seja, e se sentir dor ou qualquer desconforto, pare, descanse e continue em outra ocasião.

Capítulo 6

Estado Emocional

Um estado é nossa maneira de ser em qualquer dado momento. Advém de nossa fisiologia, nossa forma de pensar e de nossas emoções e é maior que a soma de suas partes. Experienciamos estados por dentro, mas possuem marcadores externos que podem ser medidos de fora, como uma dada freqüência de ondas cerebrais, velocidade de pulso, etc. Mas nenhum desses pode lhe dizer como é sentir-se zangado ou estar apaixonado.

Estados são a parte mais imediata de nossa experiência. Variam em intensidade, duração e familiaridade. Quanto mais calmo o estado, mais fácil é pensar de forma racional. Quanto mais violento ou intenso o estado, mais o raciocínio é conturbado e mais energia emocional terá. Estados sempre têm um componente emocional: nós os descrevemos normalmente em termos cinestésicos.

Embora acreditemos que estados sejam causados por eventos fora de nosso controle, nós mesmos os criamos. Um dos maiores benefícios que a PNL tem a oferecer é a capacidade de escolhermos nosso estado e de influenciar os estados de outros de forma positiva em direção a mais saúde e felicidade.

Eis as boas notícias: nosso estado muda no decorrer do dia. Tendemos a nos lembrar dos altos e baixos, mas é impossível permanecer em qualquer estado específico por muito tempo.

E, agora, as más notícias: nosso estado muda no decorrer do dia. Não podemos desfrutar de qualquer um desses estados bons indefinidamente. Eles também passarão.

Estados e Capacidades

Estados afetam nossas capacidades. Um músico pode ter ensaiado uma apresentação muitas vezes e ser capaz de realizá-la com perfeição – quando ninguém estiver assistindo. Diante de uma platéia, pode não se desempenhar tão bem. Dizemos que sofre de "ansiedade de desempenho". A ansiedade de desempenho pode reduzir seu desempenho em 20 ou 30 por cento. Algumas pessoas ficam de tal forma paralisadas de medo que são incapazes de qualquer tipo de desempenho. Não são incapazes nem incompetentes; precisam aprender a gerenciar seu estado.

Não há pessoas desprovidas de recursos, apenas estados desprovidos de recursos.

Estados bons para a aprendizagem são a curiosidade, a fascinação, o interesse e a empolgação. Quando as pessoas estão entediadas, desanimadas, ansiosas ou hostis, nada aprendem. Os melhores professores são capazes de mudar o estado de seus alunos para bons estados de aprendizagem. Fazem isso estando em bons estados eles mesmos – estados são contagiosos.

O segredo de como fazer amigos e influenciar as pessoas é simples. Pessoas são atraídas por qualquer um que possa fazer com que se sintam bem. A emoção é contagiosa (ver o livro *Emotional Contagion*, de Elaine Hatfield e John Cacioppo, Cambridge University Press, 1994). Nós normalmente pensamos que a emoção vem de dentro para fora. Em outras palavras, sinto-me feliz por dentro e, portanto, sorrio, e o sorriso aparece para o mundo externo em minha fisiologia. No entanto, há excelentes pesquisas que mostram que a emoção vai de fora para dentro. Mude sua fisiologia, e você muda a emoção. Quando eu sorrio e você sorri de volta, aquele sorriso passa felicidade para você. Se eu puder fazer você sorrir, posso fazê-lo feliz. Assim, se você optar por estar em um estado positivo no meio das pessoas, jamais lhe faltarão amigos que queiram estar em sua companhia.

O quão bem você aprende depende do estado em que você está.

O quão bem você se desempenha depende do estado em que você está.

Seja qual for a tarefa que tiver que desempenhar, seja o que for que quiser aprender, seja qual for o resultado que desejar, pergunte-se: "Em que estado quero estar para fazer com que isso seja mais fácil?"

Seu Estado-Base

Seu estado-base é aquele no qual você se sente mais em casa. Não é necessariamente o mais bem provido de recursos nem o mais confortável, mas é o mais familiar. Quando é há muito estabelecido – e o pode ser na infância – pode parecer a única maneira de ser, quando na verdade é apenas uma das maneiras de ser. Seu estado-base é uma combinação de seus pensamentos e sentimentos habituais, tanto físicos quanto mentais.

Torne-se consciente de seu estado-base:

O quão saudável você é?

O quão confortável você se sente em seu corpo?

Que pontos uma caricatura enfatizaria?

O quão alto é seu nível usual de energia?

Qual é o seu nível usual de atenção, consciência e energia mental?

Qual é o seu sistema representacional preferido?

Qual é a sua emoção predominante?

Qual é o seu estado espiritual?

Pense em seu estado-base em termos de níveis neurológicos:

Que partes de seu ambiente apóiam ou limitam seu estado-base?

Que habilidades você possui nesse estado?

Que crenças e valores você possui?

O quanto seu estado normal de consciência é parte de sua identidade?

Como o seu estado-base mudou ao longo do tempo?

Por quanto tempo tem permanecido o mesmo?

Pode apontar um momento em que se fixou no que é agora?

Já modelou esse estado com base em alguma outra pessoa (por exemplo, pais ou um sócio)?

Uma vez que esteja consciente de seu estado-base, poderá pensar nele de forma mais crítica. Está satisfeito com seu estado-base? O que poderia fazer para torná-lo um estado mais saudável, mais equilibrado e mais bem provido de recursos?

Associação e Dissociação

Essa é uma distinção crucial para todos os estados. Para entender isso já, feche os olhos e imagine-se flutuando para cima em direção ao teto. Agora, se imagine olhando para baixo a partir de seu novo ponto de observação. Você não vê seu corpo na cadeira porque está supondo que está em seu corpo. Imagine-se flutuando de volta novamente, vendo a cadeira chegar cada vez mais perto até que esteja de volta de onde começou. Quando estiver dentro de seu corpo, vendo imagens através de seus próprios olhos, então estará *associado*.

Agora, se imagine flutuando para fora de seu corpo, vendo seu corpo sentado na cadeira. Suponha que pode fazer uma "viagem astral" pela sala, vendo seu corpo a partir de diferentes ângulos. Flutue de volta para baixo. Seu corpo não saiu da cadeira, mas parece que você o fez. Quando estiver se vendo como se fosse pelo lado de fora, então estará *dissociado*.

Quando está associado, você sente as sensações que acompanham a experiência.

Quando está dissociado, tem sentimentos relativos à experiência.

Associação e dissociação não são apenas formas diferentes de ver uma imagem mental, são maneiras de experimentar o mundo. Há dias em que você se sente "inteiro", realmente em seu corpo. Há outros em que pode se sentir "fora de contato", ou reflexivo, mais como um observador à medida que o mundo passa.

Há muitas frases que destacam a diferença entre associação e dissociação:

ASSOCIADO	DISSOCIADO
na experiência	fora dela
inteiro	desleixado
no meio da atividade	à margem dela
ligado	desligado
atualizado	meio ausente
no fluxo	um tanto não você
em contato	fora de contato

- Você está associado quando:

    Está no aqui e agora.

    Está absorvido naquilo que está fazendo no presente e não acompanha o passar do tempo.

    Está dentro de seu corpo olhando para fora com os próprios olhos.

    Sente as sensações corporais.

    Quando está associado, seu corpo geralmente se inclina para a frente e você fala no presente; por exemplo: "Estou fazendo..."

- Associação é boa para:

    desfrutar experiências agradáveis

    desfrutar lembranças agradáveis

    treinar uma habilidade

    prestar atenção

- Você está dissociado quando:

    Está pensando em algo em vez de estar fazendo.

    Sente-se distanciado daquilo que está fazendo.

    Você se vê em sua imaginação; não está olhando com seus próprios olhos.

    Está consciente do passar do tempo.

    Está distanciado de suas sensações corporais.

    Quando está dissociado, seu corpo geralmente se inclina para trás e você fala *sobre* coisas, por exemplo; "Estou pensando sobre o que você disse" ou "Não me vejo fazendo isso".

- A dissociação é boa para:

    rever experiências

    aprender com experiências passadas

    acompanhar a passagem do tempo

    distanciar-se de situações desagradáveis

Eis um exercício para associação e dissociação.

- **Pense em uma recordação agradável.**
- **Verifique o tipo de imagem que tem em sua mente.**

- Você está associado, olhando através dos próprios olhos?
- Você está dissociado, se vendo na situação?
- Seja qual for, mude e tente da outra maneira.
- Agora volte para como era.
- Qual você prefere?

Para a maioria das pessoas, estar associado traz as sensações de volta de forma mais forte, porque estão dentro de seus corpos e, assim, mais em contato com seus sentimentos.

Quando você está dissociado, está fora de contato com o seu corpo. Você ainda terá sensações, mas serão *sobre* aquilo que vê e não como as sensações que tem quando está dentro da experiência.

A dissociação é uma técnica útil se quiser colocar alguma distância entre você e uma lembrança. Como regra geral, pense em suas recordações agradáveis de forma associada para delas derivar maior prazer e em suas recordações desagradáveis de forma dissociada para evitar as sensações ruins.

Âncoras

Âncoras são gatilhos visuais, auditivos ou cinestésicos que se tornam associados a uma resposta ou a um estado específicos. As âncoras estão ao nosso redor – sempre que respondemos sem pensar, estamos sob a influência de uma âncora. A ancoragem é o processo através do qual qualquer estímulo interno ou externo se torna um gatilho que provoca uma resposta. Isso pode acontecer aleatoriamente no decorrer da vida ou pode ser proposital.

Âncoras são parte muito importante de nossas vidas; constroem hábitos. Ajudam-nos a aprender a nos tornarmos inconscientemente competentes. Por exemplo, não queremos ter que pensar em parar no sinal vermelho cada vez que nos aproximamos de um cruzamento, mas o sinal vermelho é uma âncora para pararmos.

Âncoras podem estimular uma ação, como parar em um sinal vermelho, ou podem mudar nosso estado emocional. Podem ocorrer em qualquer sistema representacional. Quando algo que você vê, ouve, sente, saboreia ou cheira consistentemente muda seu estado, ou algo a que você, de forma consistente, responde da mesma maneira, isso é um exemplo de ancoragem.

> *A liberdade emocional vem de estar consciente das âncoras que se tem e de optar por responder apenas às que deseja.*

Exemplos de âncoras visuais:

a bandeira nacional

retratos

um sorriso

propaganda

um dia ensolarado

moda

A maior parte da propaganda é uma tentativa de ancorar uma boa sensação ao produto anunciado. É por isso que o anúncio pode nada ter a ver diretamente com o produto. Esse tipo de propaganda busca vender produtos com base nas emoções e estados emocionais, não na razão ou necessidade.

O tempo é uma âncora poderosa para o estado emocional. Muitas pessoas se sentirão bem olhando pela janela em um dia ensolarado e menos bem se virem chuva e céu encoberto. O tempo é apenas o tempo, mas respondemos a ele emocionalmente como se fosse pessoal.

Exemplos de âncoras auditivas:

seu nome

música

tom de voz

canto dos pássaros

Muitas palavras são âncoras porque nos ligam a uma representação mental consistente. Por exemplo, a palavra "cão" é uma âncora para um animal com determinadas qualidades. Nem todos têm *exatamente* as mesmas representações visuais, auditivas e cinestésicas em resposta à palavra, porque ninguém tem exatamente a mesma experiência com o melhor amigo do homem, mas a palavra suscita consistentemente a mesma resposta em cada pessoa, com base em suas experiências anteriores com cachorros.

Exemplos de âncoras cinestésicas:

uma cadeira confortável

um banho ou ducha

um gesto poderoso, por exemplo, socar o ar após um gol

Âncoras cinestésicas transitórias também pode ser estabelecidas. Tocar o braço ou ombro de alguém quando estiver em um estado intenso associará esse toque a um estado específico.

Exemplos de âncoras olfativas e gustativas:

o cheiro de asfalto em uma estrada
o cheiro de um hospital
o cheiro de uma escola
o cheiro de pão recém-assado
o sabor de sua comida predileta
o gosto de chocolate
o gosto de café

Odores se conectam diretamente ao centro emocional do cérebro, e âncoras olfativas são especialmente poderosas.

Estabelecendo Âncoras

Uma experiência intensa pode estabelecer uma âncora. É assim que as fobias começam – um trauma emocional intenso pode criar um medo para a vida toda.

Se as emoções envolvidas forem menos intensas, âncoras podem ser igualmente estabelecidas pela repetição. A maioria das âncoras são criadas de forma aleatória através da repetição. Passamos o dia respondendo a pessoas, eventos, sons e vozes, objetos e música sem pensarmos nisso. Não prestamos atenção às âncoras em nossas vidas.

Âncoras são atemporais. Uma vez estabelecidas, podem dirigir nossas vidas a partir daquele momento.

Âncoras também podem prejudicar a sua saúde. Há amplas evidências de que depressão, solidão, ansiedade e hostilidade podem se traduzir em doença porque as âncoras dos estados podem também ancorar uma resposta mais fraca do sistema imunológico.

Algumas âncoras olfativas podem implicar alergias – um alergênico pode ser a âncora para uma reação alérgica. Nem toda alergia é assim, mas há evidências de que algumas são respostas aprendidas do sistema imunológico e, portanto, podem ser desaprendidas.

Como Mudar de Estado

A capacidade de mudar seu estado e escolher como se sentir é uma das habilidades necessárias para a liberdade emocional e uma vida feliz. A liberdade emocional não significa jamais sentir estados negativos, e sim ser capaz de senti-los de forma limpa, lidar com eles e escolher a sua resposta. Todos nós experimentamos estados desprovidos de recursos. Alguns estados são de tal forma desagradáveis que o auxílio profissional se faz necessário. A depressão profunda pode precisar ser tratada com medicamentos; todos os estados têm um componente psicológico, e todos têm um componente bioquímico – são produzidos por certas substâncias químicas no corpo e, assim, medicamentos os influenciarão. No entanto, isso não quer dizer que você esteja à mercê de tais estados. Não são "causados" por essas substâncias neuroquímicas, porque apenas suscitam a pergunta: "O que causa a produção de substâncias neuroquímicas?" Pode ser sua forma de pensar. Corpo e mente podem ser duas palavras, mas são um só sistema. Estados são associados a padrões de pensamento, fisiologia e substâncias neuroquímicas. Mudar qualquer um destes pode influenciar seu estado.

Quando você se vê em um estado desprovido de recursos em sua vida diária, aceite-o como parte normal da vida. Dizer a si mesmo que "não deveria" sentir-se assim ou que há algo de errado com você, ou que é fraco por sentir-se dessa forma apenas fará com que as coisas fiquem piores. Já é ruim o suficiente sentir-se mal, sem sentir-se mal por estar se sentindo mal!

Acompanhe seu ritmo. Você se sente como se sente. E o estado de estar consciente de seu estado começará a mudá-lo por si só.

Em seguida, conscientize-se de que tem escolha. Você pode permanecer nesse estado ou mudá-lo. Você quer mudar o seu estado?

Se deseja mudá-lo, há muitas maneiras de fazê-lo. À medida que a mente e o corpo são um só sistema, você pode modificar o seu estado através de sua fisiologia ou através de sua maneira de pensar. Use qualquer dos métodos que funcione para você. Se estiver em um estado muito negativo, poderá precisar quebrar o estado primeiro, antes de tentar entrar em um estado que tenha recursos.

Quebra de Estado e Interrupção de Padrão

Quebrar o estado é sair de qualquer estado para um mais neutro. É como mudar de marcha do carro para ponto morto.

Uma *interrupção de padrão* é uma intervenção para passar alguém de um estado intensamente negativo para um estado neutro, como mudar de marcha a ré para a primeira marcha e depois para ponto morto. Interrupções de padrão são abruptas. São as maneiras mais poderosas e eficazes de quebrar um estado.

Use quebras de estado quando quiser que uma pessoa esteja em um estado neutro porque precisa testar uma âncora e quando uma pessoa estiver distraída e desejar chamar a atenção dela.

Use interrupções de padrão quando desejar quebrar um forte estado negativo, pois ir diretamente para um estado positivo seria um passo grande demais.

Há muitas maneiras de quebrar um estado:

- Conte uma piada. O riso é a melhor maneira de quebrar um estado – muda o pensamento, a fisiologia e a respiração.

- Diga o nome da pessoa.

- Peça a ela que se movimente ou ande, para mudar seu posicionamento.

- Distraia-a:

    visualmente – mostre algo interessante a ela

    auditivamente – faça um barulho ou toque música

    cinestesicamente – toque-a (se isso for apropriado)

Quebras de estado e interrupções de padrão são úteis para sair de estados emperrados. Você pode reconhecer um estado emperrado em alguém quando:

- A pessoa tem uma fisiologia fixa.

- Ela sempre senta ou vai para o mesmo lugar em uma sala.

- Ela pouco se movimenta.

- Ela diz a mesma coisa ou repete movimentos.

- Ela fica dando voltas em uma discussão ou debate.

Uma criança que chora está em um estado emperrado e freqüentemente não possui os recursos necessários para escapar dele. Para quebrar esse tipo de estado emperrado, as interrupções de padrão são mais eficazes. Dizer a uma criança que pare de chorar geralmente não é eficaz. Ela o faria se soubesse como.

Quando você usar uma quebra de estado ou uma interrupção de padrão, deverá estar preparado para levar a pessoa para um estado melhor, do contrário, é provável que ela recaia no estado emperrado.

Ancoragem de Recursos

Você pode utilizar a "ancoragem de recursos" para mudar de estado. Isso é quando você deliberadamente estabelece uma âncora que não existia antes para ajudá-lo ou, a outra pessoa, a passar para um estado com mais recursos.

A ancoragem de recursos é útil quando:

- estiver fazendo um teste
- estiver fazendo uma apresentação
- estiver tendo uma reunião difícil
- estiver lidando com situações estressantes
- estiver falando em público
- estiver tomando uma decisão difícil

O recurso que você ancorar dependerá da situação com a qual tem que lidar.

Para utilizar a ancoragem de recursos você precisa:

1. Evocar um estado com recursos.
2. Calibrar o estado.
3. Ancorar o estado.
4. Testar a âncora.
5. Fazer ponte ao futuro para que a âncora seja usada no contexto apropriado.

Peça ao cliente que encontre um estado positivo poderoso

Você pode utilizar muitos desses métodos para eliciar estados com recursos em si mesmo ou para mudar seu próprio estado. No entanto, é geralmente mais fácil com outra pessoa.

Você pode eliciar um estado com recursos mental e fisicamente, mudando um padrão de pensamento ou fisiologia. Para melhores resultados, trabalhe com as duas coisas. Você também pode utilizar âncoras existentes no ambiente, por exemplo, música e decoração.

Eliciação de Estado: Mental

- *Modele o estado.*

    De forma geral, é difícil eliciar um estado em outra pessoa, salvo se você o modelar para ela. Assim, ao tentar mudar o estado de alguém, o primeiro passo é entrar nesse estado você mesmo. Às vezes, isso é o suficiente para mover o estado da outra pessoa naquela direção. Lembre-se de que estados são contagiosos.

No mínimo, você não deve estar em um estado radicalmente diferente daquele que deseja eliciar, senão será incongruente. Por exemplo, não tente eliciar um estado alegre com tom de voz e expressão sombrios.

- *Traga uma lembrança de volta.*

    Peça à pessoa que pense em um momento em que estava no estado no qual deseja que esteja agora. Peça que retorne àquela experiência, vendo-a através dos próprios olhos. Deve estar associada – uma recordação dissociada não trará de volta o estado em si, apenas uma sensação *sobre* o estado.

- *Conte uma história.*

    Conte uma história à pessoa de forma tal que ela se associe a um dos personagens e, assim, sinta aquelas emoções. Você também poderá contar uma história como forma de eliciar um estado emocional relativo à história. Por exemplo, se "calma" for o estado-alvo, você poderá contar uma história sobre um personagem calmo ou contar uma história que acalme (ou usar uma história que tenha ambas as características).

Eliciação de Estado: Físico

- *Mude a fisiologia.*

    O movimento mudará o estado; portanto, você pode mudar a fisiologia da pessoa diretamente movendo seu corpo para um estado com mais recursos; por exemplo: ficando de pé, ou respirando mais profundamente ou olhando para cima e sorrindo.

    Você também pode pedir que a pessoa aja "como se" já estivesse naquele estado. Todo estado tem respiração, expressão facial e postura características. Mesmo que uma pessoa não se sinta naquele estado inicialmente, mudar sua fisiologia em si iniciará sua movimentação naquela direção, pois mente e corpo são um só sistema. Por exemplo, o ato físico de sorrir ativa neurotransmissores que são parte integrante de um estado feliz. Esse "agir como se" não é ser falso. É a intenção que conta.

Calibrando o Estado

Uma vez que tenha eliciado um estado, precisa saber como ele parece e soa em termos sensoriais específicos. "Confuso", "feliz", "triste", etc. não são descrições sensoriais específicas. São adivinhações e leitura mental. Podem ser totalmente precisas, mas não o ajudam a reconhecer o estado. Uma descrição sensorialmente específica deve consistir no que você pode ver, ouvir e sentir. Portanto, preste atenção em:

- tom e volume de voz
- postura
- coloração facial
- pistas de acesso oculares e dilatação de pupilas
- tensão muscular na face e testa
- ângulo da cabeça
- equilíbrio e peso na cadeira ou no chão
- tamanho do lábio inferior (o lábio inferior pode expandir quando o sangue flui para o rosto)
- padrão de respiração

Você calibra um estado de forma que possa reconhecê-lo novamente. Isso o mantém longe da leitura mental.

Ancorar o Estado

Você pode ancorar um estado de recursos visual, auditiva ou cinestesicamente. Por exemplo, um gesto com a mão seria uma âncora visual, uma palavra ou frase em determinado tom de voz seria uma âncora auditiva, e um toque seria uma âncora cinestésica.

Quando ancorar, preste atenção na:

- *Intensidade do estado.* Quanto mais forte o estado, mais eficaz será a âncora.
- *Pureza do estado.* Busque fazer com que o estado seja o mais puro possível. Você pode misturar estados mais tarde.

Então, estabeleça a âncora:

- *A âncora deve ser ao mesmo tempo singular e capaz de ser repetida.* Deve ser separada do ambiente diário, mas de fácil repetição.
- *A âncora deve ser bem temporizada.* Deve ser estabelecida imediatamente antes do pico do estado. Se você esperar até chegar ao pico, poderá ancorar um declínio de estado.
- *A âncora deve ser adequada à situação.* Deve se encaixar no contexto em que é necessária ou ser discreta. Socar o ar e uma grande expiração seriam apropriados em uma quadra de tênis, mas não em um discurso após um banquete.

Teste a Âncora

Sempre teste a âncora que estabelecer. Pergunte à pessoa o que sente e cheque sua fisiologia com sua calibração anterior. Você poderá precisar ancorar novamente ou repetir a mesma âncora várias vezes. Não desista até que tanto você quanto a outra pessoa possam ver, ouvir e sentir uma diferença.

Âncoras devem ser usadas para que sejam eficazes. Quando uma pessoa usa uma âncora umas 20 vezes, a âncora será confiável. Âncoras que não são reforçadas logo esvanecem, exatamente como qualquer lembrança.

Faça Ponte ao Futuro

Peça à pessoa que imagine a situação estressante na qual deseja utilizar o recurso da âncora. Faça com que repita essa seqüência várias vezes.

Peça à pessoa que estabeleça algo que a lembre de usar a âncora; por exemplo: levantar-se para falar, abrir uma porta ou ver outra pessoa. Uma poderosa âncora de recurso é perda de tempo a não ser que se lembre de usá-la.

Encadeamento, Empilhamento e Colapso de Âncoras

Encadeamento de Âncoras

O *encadeamento de âncoras* leva uma pessoa através de uma série seqüencial de estados.

Isso é útil quando a lacuna entre um estado presente sem recursos e um estado desejado com recursos é muito grande, e você a atravessa realizando uma "cadeia" de uma série de estados. Por exemplo, uma cadeia entre um estado sombrio e um estado alegre pode ir de sombrio para despreocupado; de despreocupado para calmo; e de calmo para alegre. Para encadear esses estados, você ancoraria cada um em um lugar diferente e então dispararia as âncoras para trazer a pessoa através da série para o estado desejado. A repetição da cadeia várias vezes dá à pessoa um caminho para sair de seu estado sem recursos.

Empilhamento de Âncoras

O empilhamento de âncoras utiliza mais de um recurso para intensificar o efeito.

Às vezes, um estado de recursos por si só não é o bastante para mudar uma situação. Então você "empilha" estados, colocando mais de um estado com recursos na mesma âncora. Quando essa âncora é disparada, todos os estados são acessados, formando um só poderoso estado com recursos.

Encadeamento de âncoras

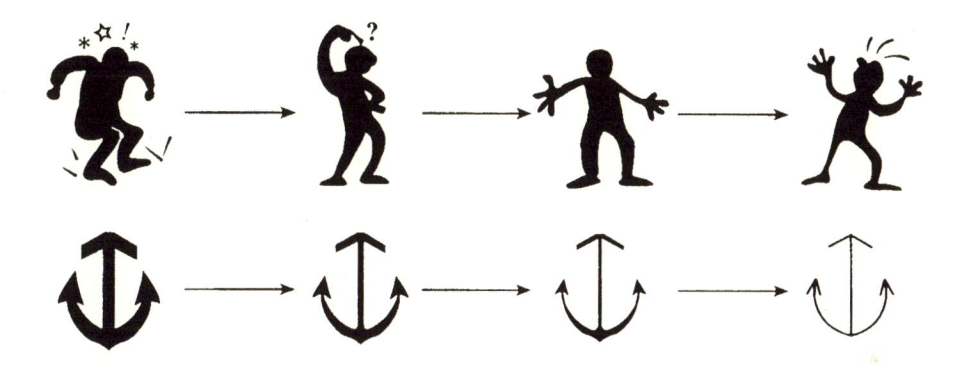

Colapso de âncoras

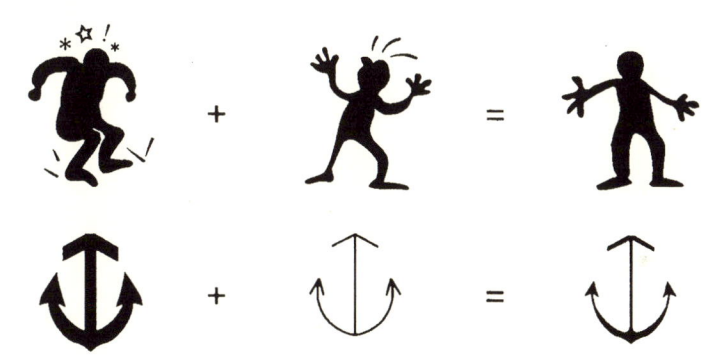

Colapso de Âncoras

O colapso de âncoras é quando você dispara duas âncoras diferentes simultaneamente.

O estado resultante é geralmente diferente de ambos os dois estados originais. O colapso de âncoras é como uma reação química na qual dois produtos químicos reagem para produzir um terceiro que é uma combinação dos dois, mas diferente.

Padrão de Colapso de Âncoras

1. Identifique o estado negativo contra o qual o cliente deseja agir.
2. Elicie o estado e calibre o estado. Ancore-o com um toque no braço do cliente.

3. Quebre o estado e depois teste a âncora para assegurar que traga de volta o estado

4. Quebre o estado.

5. Peça ao cliente que encontre um estado positivo poderoso que seria o recurso certo para agir contra o estado negativo.

6. Elicie esse estado positivo e o calibre. Ancore-o cinestesicamente com um toque no outro braço do cliente. (É importante ancorar os estados em lados diferentes do corpo.)

7. Quebre o estado e teste a âncora.

8. Quebre o estado.

9. Alterne as âncoras – primeiro uma, depois a outra – como teste final e então dispare-as simultaneamente. Observe a mudança na fisiologia do cliente. Tipicamente, entrará em um estado de confusão. Segure ambas as âncoras por cerca de dez segundos e então as remova, a negativa em primeiro lugar.

10. Quebre o estado.

11. Teste. Toque a âncora negativa e observe a fisiologia do cliente. Ele não deve responder à âncora com o antigo estado sem recursos. Ele geralmente relatará sentir-se bem em um estado neutro.

12. Se ainda houver resquícios de estado negativo, empilhe outro estado positivo ao recurso de âncora que estabeleceu no passo seis e depois passe ao passo sete. Continue até que não mais haja estado negativo remanescente associado à âncora negativa original.

Renovação do Passado

Esse padrão é também conhecido como "Mudança de história pessoal". Ajuda a quebrar antigas crenças e comportamentos limitadores. Funciona melhor se você selecionar um problema que continua recorrente e parece ter uma causa ou um gatilho original no passado.

1. O cliente identifica uma questão que tem sido uma fonte recorrente de problemas. Ele pensa em uma situação típica na qual experimenta o estado sem recursos e especifica a sensação.

2. Calibre o estado e ancore-o cinestesicamente. Mantenha a âncora negativa enquanto o cliente rastreia a sensação de volta ao passado até

que chegue no primeiro exemplo ou nos primeiros exemplos significativos da sensação (não necessariamente a situação que evocou a sensação).

3. Solte a âncora, quebre o estado e traga o cliente inteiramente de volta ao presente. Deixe que fale a respeito da situação e da sensação anteriores que identificou.

4. Pergunte ao cliente que recursos necessitava na situação anterior. Anote as palavras exatas. Essas são âncoras auditivas para poderosos estados de recursos. Os recursos devem estar dentro da pessoa e sob o seu controle. (Por exemplo, "X deveria ter sido mais apoiador" não é um recurso e sim uma exigência fora do controle do cliente.)

5. Elicie o estado de recursos e *ancore-o cinestesicamente em um lugar diferente*. Se for necessário mais de um recurso, empilhe as âncoras. Teste a âncora.

6. Mantenha a âncora positiva e peça ao cliente que pense na experiência negativa inicial. Quando o fizer, adicione a âncora negativa. Isso provoca o colapso das âncoras. Espere enquanto o cliente processa os dois estados em conjunto. Mantenha ambas as âncoras por pelo menos dez segundos. O estado resultante será diferente de ambos os estados iniciais. Haverá mudanças na fisiologia do cliente.

7. Quebre o estado.

8. Teste. Peça ao cliente que retorne à situação do problema original e observe como se sente. Pergunte a ele o que mudou.

9. Faça ponte ao futuro. Peça ao cliente que imagine uma situação futura na qual pode esperar estar em um estado sem recursos similar. Peça que imagine passar por essa situação com os novos recursos e que observe a diferença que isso faz.

Encadeamento de Âncoras

Nós nos movemos entre diferentes estados emocionais ao longo do dia. Às vezes, uma âncora será o suficiente para mudar nosso estado, mas na maior parte do tempo âncoras funcionam em cadeias – uma leva à outra até que, imperceptivelmente, nos encontramos em um estado diferente.

Precisamos reconhecer quando essas cadeias nos levam a estados sem recursos. Assim, podemos impedir que operem ou reprojetá-las para que nos levem a uma conclusão com mais recursos. Também podemos projetar nossas próprias cadeias como caminhos em direção aos estados que desejamos.

Exercício de Encadeamento de Âncoras

Este exercício é melhor realizado com outra pessoa.

Peça à pessoa que lhe diga um de seus estados sem recursos mais comuns. Dê um nome ao estado ("confusão", "frustração", etc.).

Em seguida, peça à pessoa que identifique o estado com recursos que deseja alcançar. Assegure-se de que seja realista e ecológico (por exemplo, "paralisado" ao "êxtase espiritual" é pouco provável de funcionar bem). Faça com que o estado final seja de real utilidade no contexto do estado sem recursos (por exemplo, de "confusão" para "clareza").

- Projete o caminho. Que estados intermediários a pessoa deseja em seu caminho? Escolha de um a três estados. Quanto maior a lacuna emocional entre o estado inicial e o desejado, mais estados intermediários serão necessários.

  O primeiro estado será um do qual a pessoa deseja fugir. O segundo pode também ser ligeiramente desagradável. Quaisquer outros intermediários devem ser positivos, e o estado final deve ser muito positivo e útil no contexto. Verifique com o cliente se esta cadeia será útil e de valor.

- Peça à pessoa que acesse o primeiro estado e então ancore-o cinestesicamente em sua mão ou em seu braço com um toque em um determinado lugar. Calibre o estado e depois quebre-o. Teste a âncora, tocando a pessoa no mesmo lugar e verificando se ela entra no mesmo estado.

- Repita o processo para cada estado. Ancore cada um cinestesicamente em um lugar diferente no mesmo braço. Calibre, quebre o estado e teste cada um antes de prosseguir com o próximo.

- Dispare a primeira âncora. Quando a pessoa chegar ao pico desse estado (peça que acene com a cabeça quando isso acontecer), *dispare a âncora seguinte ao mesmo tempo em que mantém a primeira*. Mantenha as duas por um momento e então solte a primeira ao mesmo tempo em que continua a manter a segunda. Não dispare a próxima âncora até ver que a fisiologia do segundo estado está bem instalada. Repita esse processo para cada âncora e verifique a fisiologia do cliente para determinar se está no estágio de recursos final. Então quebre o estado.

- Repita a cadeia três vezes, um pouco mais rápido de cada vez. Quebre o estado entre cada cadeia completa.

○ Teste. Dispare a primeira âncora para o estado sem recursos e observe a fisiologia do cliente passar para o estado com recursos sem intervenção adicional.

○ Faça ponte ao futuro. Peça ao cliente que pense em um momento em que seja provável que sinta a emoção negativa inicial durante os próximos dias. Ele começará a se mover em direção ao estado de recursos automaticamente.

Estados e Metaestados

As emoções são inegáveis. Sabemos quando nos sentimos felizes, tristes, zangados ou aborrecidos. Emoções se conectam com eventos reais puramente sem pensar – por exemplo, seu parceiro está atrasado, e você começa a se preocupar com o que poderia ter acontecido a ele. Você começa a imaginar alguns cenários ruins e a se sentir ansioso. Então você o ouve à porta e se sente aliviado. Jamais houve qualquer perigo real, mas mesmo assim entrou em estado de preocupação. Então poderá ficar zangado por ele ter chegado tarde sem avisar. Pode também haver estados sobre nossos estados, ou o que poderia ser denominado "metaestados". Também podemos nos sentir ridículos por nos preocuparmos tanto. Podemos sentir vergonha por estarmos felizes ou zangados por nos sentirmos aborrecidos por acreditarmos demonstrar nossa preocupação. Podemos responder a nossos próprios estados ao percebê-los por um outro estado, um metaestado.

Metaestados têm várias características:

○ São reflexivos. Em outras palavras, você responde a sua própria realidade, ao seu próprio estado, não a algo no mundo exterior. Nesse sentido, metaestados estão a um passo da experiência sensorial primária.

○ Geralmente são menos intensos do que o estado primário que os evocou. O estado original de felicidade ou raiva ou depressão, por exemplo, engajará mais fisiologia do que quaisquer pensamentos sobre esse estado.

○ Podem ser infinitamente recursivos. É possível (pelo menos em teoria) termos estados sobre estados sobre estados. Você pode se sentir curioso quanto a sentir-se triste com seu sentimento ridículo em relação a sua preocupação com sua raiva em relação a sua burrice, etc. Cada um é mais distanciado do sentimento original.

○ Geralmente são mais cerebrais do que o estado original; envolvem mais raciocínio do que sentimento.

Metaestados podem ser úteis, por exemplo, como quebra de estado. Se alguém estiver zangado e você perguntar: "E como se sente quanto a estar zangado?", a pessoa poderá parar para pensar. Terá que considerar sua raiva como objeto e separá-la de si mesma. Terá, portanto, que se dissociar dela até certo ponto para avaliá-la e se conscientizar de sua reação a ela. Mestaestados dissociam do estado primário. Fazendo uma avaliação, você se afasta do estado original, e isso pode dar uma certa liberdade emocional. Utilizar metaestados para fugir do estado original não é, entretanto, uma boa idéia – se tornarão uma fuga do sentimento para os corredores vazios e ecoantes da mente. Quando você engajar um metaestado, certifique-se sempre de ter sentido o sentimento original para que possa avaliá-lo.

Um metaestado também pode modificar o estado original. Assim poderá começar furioso e, depois, à medida que se torna curioso quanto à sua raiva, seu estado muda para uma raiva menos intensa com um toque de curiosidade. Isso pode ser uma coisa um pouco mais fácil com a qual lidar e um pouco menos desconfortável para todos os envolvidos.

Um metaestado pode se tornar tão intenso quanto o estado original. Substitui, então, o estado original e se torna um estado primário. Assim, poderá começar um pouco deprimido, começar a se sentir infeliz com sua depressão e começar a espiralar para baixo em direção à desesperança. Ou poderá começar a ficar curioso sobre por que está deprimido, e essa curiosidade passa a assumir o comando, com você não mais se sentindo deprimido.

Tenha sempre um objetivo quando utilizar metaestados – estes não têm qualquer mérito próprio e não são necessariamente mais fortes ou mais úteis do que o estado original.

Resumindo, metaestados podem:

- ser utilizados para quebrar estados
- modificar o estado original
- se tornar suficientemente intensos para substituir o estado original
- oferecer uma distração mental por algum tempo, mas sem afetar significativamente o estado original

Mudança de Estados: Resumo

A PNL não é um tipo de psicologia "alegre e feliz" com pressão inexorável visando banir estados negativos. Praticantes da PNL não vivem em um estado Zen de *satori**, jamais preocupados por estados ou problemas sem recur-

---

*N.T.: *Satori*, do japonês *sator*, ou despertar, é um estado de iluminação intuitiva procurado no zen-budismo.

sos. Vivem no mundo, e isso significa experimentar altos e baixos. A meta da PNL não é a de banir todos os estados negativos e negar seus sentimentos através da assunção de uma alegria forçada que mexe com os nervos de todos.

No entanto, há muitas maneiras para mudar seu estado se assim o desejar. Eis um resumo de como mudar de estado:

- *Conscientize-se de seu estado.*

    Observe-o friamente. Interesse-se por ele. Como é? Sua observação distanciada por si só começará a mudar seu estado. Essa posição de "testemunha" é um dos recursos mais poderosos que você tem para a liberdade emocional. Quando o tiver, ancore-o, para que se torne mais fácil da próxima vez.

- *Mude sua maneira de pensar.*

    Como quer se sentir? Pense em um momento em que se sentiu dessa forma. Associe-se, esteja lá novamente, vendo através de seus próprios olhos. Sinta os sentimentos positivos.

    Faça com que a boa lembrança fique ainda mais intensa mudando suas qualidades. Por exemplo, torne suas imagens mentais maiores e mais brilhantes. Torne quaisquer sons mais altos ou suaves. Observe o efeito que essas mudanças têm sobre seus sentimentos.

- *Mude sua fisiologia.*

    Finja que se sente mais positivo. Sorria, mude sua postura. Quando alterar sua fisiologia, você mudará sua forma de pensar. De início, parecerá incongruente, mas, depois, se realmente quiser mudar seu estado, seu pensamento começará a seguir sua mudança fisiológica.

- *Mova-se.*

    Movimentação vigorosa mudará seu estado. O exercício liberará beta-endorfinas. Essas substâncias químicas naturais são poderosas intensificadoras de humor.

- *Mude sua respiração.*

    Respirar mais profundamente e levar o dobro do tempo para expirar do que para inspirar têm um efeito calmante porque alteram a concentração de dióxido de carbono no sangue. Rir é uma maneira fantástica de mudar sua respiração e sempre irá alterar seu estado. (Rir também libera betaendorfinas.)

- *Relaxe seus músculos.*

    Dê atenção especial àqueles ao redor de seu maxilar, rosto e pescoço. Toda emoção possui uma tensão muscular e um padrão de respiração característicos. É difícil sentir-se desprovido de recursos quando relaxa seu rosto e seu pescoço.

- *Mude sua visão.*

    A maioria dos estados sem recursos estreita sua visão para uma área, geralmente para baixo em direção ao chão. Para combater isso, olhe para cima e deixe sua visão se expandir. Conscientize-se de sua visão periférica (aquilo que vê com o canto dos olhos).

- *Preste atenção na outra pessoa.*

    Envolva-se com as preocupações dela. Busque ajudá-la ou fazer algo positivo por ela.

- *Use suas âncoras de recursos.*

    Estabeleça algumas âncoras de recursos – associações que tenha feito a experiências prazerosas – e use-as.

- *Coma.*

    A comida é psicoativa, e comer mudará seu estado. Tome cuidado, no entanto – esta não é uma resposta de longo prazo para estados ruins consistentes. Comer produz efeitos reais sobre seu metabolismo e sua cintura e você se arrisca a transformar um estado ruim em peso adicional – e poderá se sentir pior.

Por fim, lembre-se de que estados acabam mudando mesmo que nada faça diretamente para alterá-los! Nenhum estado dura para sempre.

Plano de Ação

1. Você ancora outras pessoas através daquilo que faz e das mensagens que envia. Explore como poderia ser uma âncora para outras pessoas – use a segunda posição para descobrir como pessoas significativas em sua vida profissional e pessoal reagem a você. Que estados você elicia nelas?

    Como poderia mudar seu comportamento de forma a ser uma âncora positiva para muitas pessoas?

	VIDA PESSOAL		VIDA PROFISSIONAL	
	POSITIVO	NEGATIVO	POSITIVO	NEGATIVO
VISUAL				
AUDITIVO				
CINESTÉSICO				
OLFATIVO E GUSTATIVO				

2. Nós respondemos a âncoras ao longo do dia. São freqüentemente aleatoriamente constituídas. Explore as âncoras às quais responde em sua vida diária, tanto positivas quanto negativas.

	VIDA PESSOAL		VIDA PROFISSIONAL	
	POSITIVO	NEGATIVO	POSITIVO	NEGATIVO
VISUAL				
AUDITIVO				
CINESTÉSICO				
OLFATIVO E GUSTATIVO				

Você tem mais âncoras positivas ou negativas?

Suas âncoras formam cadeias que se combinam para mudar seu estado?

De qual sistema representacional você tem maior consciência em suas âncoras, e o que isso pode lhe dizer sobre aquilo no que presta atenção em diferentes aspectos de sua vida?

3. Relaxe os músculos de seu pescoço, de seu rosto, de sua testa, de seus olhos, queixo e maxilar. Deixe que seus ombros caiam. Sinta o peso de seu corpo.

Agora, nesse estado de relaxamento, pense em algo que normalmente faz com que fique com raiva. *Mantenha o estado relaxado!* Você consegue ficar com raiva enquanto estiver nesse estado relaxado? Não pode.

Agora, tente ficar ansioso. Pense em algo que possa normalmente lhe causar um pouco de ansiedade.

Mais uma vez, é difícil, se não impossível, tornar-se ansioso enquanto relaxado. A fisiologia geralmente sobrepujará o pensamento.

É improvável que você seja capaz de se largar e relaxar inteiramente da próxima vez que se sentir com raiva, especialmente se estiver com outras pessoas. No entanto, se conscientemente relaxar sua testa, a nuca, a mandíbula e os músculos faciais ao mesmo tempo em que permitir que suas mãos pendam soltas, poderá se surpreender com como sua raiva se dissipa.

4. Considere uma situação iminente com a qual se sente um pouco inseguro e estabeleça uma âncora de recursos como segue:

◯ Decida qual estado com recursos que gostaria que o ajudasse. Como deseja sentir-se?

◯ Pense em um momento em que tinha essa qualidade. Esse estado é um recurso que você trará ao presente com uma âncora.

Quando tiver identificado um momento, imagine-se nele, associe-se à lembrança e experimente-o novamente, o mais plenamente que puder.

- Estabeleça uma âncora para esse estado.

Enquanto estiver associado àquele estado:

Escolha uma palavra ou uma frase que se una fortemente a esse estado; por exemplo: "foco" ou "posso fazê-lo!" ou "sim!"

Escolha uma âncora visual. Isso pode ser algo que você sabe ser capaz de ver naquela situação, ou uma imagem da recordação, ou um símbolo.

Escolha uma âncora cinestésica. Inspirar profundamente é um bom exemplo, como o é expirar com força. O gatilho deve ser um movimento natural que possa realizar com facilidade; a única atenção que deseja atrair é a sua própria, não a de curiosos que estejam querendo saber o que está fazendo!

Quebre o estado.

Em seguida, teste a âncora. Diga a frase a si mesmo, veja a pista visual ou, se isso for impossível, imagine-a em sua mente e faça o gesto. Observe como isso muda seu estado para o estado que deseja.

Se o gatilho não funcionar, volte para o terceiro passo. Associe-se àquele estado o mais plenamente que puder, esteja inteiramente de volta àquele momento, ouvindo o que ouviu, vendo o que viu, sentindo o que sentiu. Então estabeleça suas âncoras novamente. O motivo de se estabelecer três é que isso utiliza todos os sistemas representacionais. A âncora mais eficaz geralmente é a de seu sistema representacional preferido.

- Quando tiver testado a âncora e verificar que funciona, ensaie usá-la mentalmente. Imagine-se enfrentado esse desafio no futuro e usando a âncora. Ensaie mentalmente aquilo que deseja que aconteça. Assegure-se de que esteja associado.

- Pratique! Pratique sua âncora pelo menos 20 vezes. Quanto mais praticar, mais as âncoras passarão para a competência inconsciente, e você as fará automaticamente quando delas necessitar. Além disso, funcionarão automaticamente. Âncoras de recursos são inúteis se você esquece de usá-las.

5. Assista ao filme *The Shawshank Redemption* no vídeo, mesmo que já o tenha visto. Qual o estado característico da personagem desempenhada por Tim Robbins? Qual estado de recursos ela é capaz de comandar para atravessar seu período na prisão? Que âncoras ela tem para ajudá-lo com esse estado?

Capítulo 7

Por Dentro da Mente

Suas imagens mentais, seus sons e sentimentos todos possuem determinadas qualidades. Suas imagens, por exemplo, têm brilho e cor, seus sons têm ritmo e tom, seus sentimentos, certa textura e temperatura. Em PNL, essas qualidades são conhecidas como "submodalidades". Os sentidos são as "modalidades" que usamos para pensar; assim, as qualidades da experiência sensorial são submodalidades. Embora sejam conhecidas como submodalidades, não são inferiores, subordinadas ou abaixo das modalidades, e sim uma parte integrante destas. Não se pode ter uma experiência sensorial sem essas qualidades.

Submodalidades são os tijolos para a construção dos sistemas representacionais. São as qualidades básicas do "Neuro", na Programação Neurolingüística.

Submodalidades são a forma como estruturamos nossas experiências.

Como você sabe se uma coisa realmente aconteceu ou se a imaginou? Porque atribuímos a eventos verdadeiros submodalidades diferentes das imaginadas. Como sabemos no que acreditamos e no que não acreditamos? Porque quando pensamos naquilo em que acreditamos, atribuímos a ele submodalidades diferentes das que atribuímos àquilo em que não acreditamos. Sonhos do futuro têm submodalidades diferentes das memórias do passado.

Submodalidades codificam nossa experiência da realidade, da certeza e do tempo. São os componentes fundamentais de nossa experiência. Mudar submodalidades é uma intervenção muito poderosa e eficaz que muda o significado de uma experiência.

Quando mudamos a estrutura de nossa experiência, alteramos seu significado. Podemos escolher nossas submodalidades. Portanto, podemos escolher o significado que atribuímos à nossa experiência.

Submodalidades não são novidade. Foram descritas primeiramente por Aristóteles como "sensíveis comuns", ou seja, as qualidades compartilhadas por todos os sentidos. Esses "sensíveis comuns", ou submodalidades comuns a todos os sistemas representacionais, são:

Localização	Toda experiência sensorial é experimentada como vindo de algum lugar.
Distância	A localização estará a uma certa distância – perto ou longe.
Intensidade	Julgamos toda experiência sensorial como sendo mais ou menos intensa.
Associação ou dissociação	Estaremos "dentro" ou "fora" de nossa experiência.

Quanto mais finas as discriminações que fizermos em nossas submodalidades, mais clara e criativamente pensaremos.

Ser capaz de fazer uma fina distinção nas submodalidades dos sistemas representacionais também é a base do talento e da realização em muitas profissões. A capacidade de criar imagens mentais claras é a base da arte, do design e da arquitetura. O talento musical é a capacidade de fazer muitas distinções auditivas finas. O talento atlético é a capacidade de fazer distinções finas no sistema cinestésico, levando a uma consciência e a um controle corporais maiores. Ser capaz de notar e desfrutar de submodalidades cinestésicas é também a base de todo prazer.

Submodalidades Digitais e Analógicas

"Digital" significa variar entre uma série de estados. Qualidades digitais são ou/ou. Por exemplo, um interruptor de luz pode estar ligado ou desligado; o código binário de computadores pode ser um ou zero.

Submodalidades digitais são agudamente diferenciadas. Por exemplo, uma imagem pode ser associada ou dissociada. Não pode estar no meio, embora às vezes possa alternar-se rapidamente entre as duas coisas.

Exemplos de submodalidades digitais são associadas/dissociadas, enquadradas/desenquadradas e bi ou tridimensionais.

"Analógico" significa variação contínua entre limites. Por exemplo, imagens podem variar continuamente entre escuras e muito brilhantes, não havendo qualquer distinção absoluta entre uma imagem brilhante e uma escura.

Exemplos de submodalidades analógicas são brilho, tamanho e volume.

Submodalidades Visuais

associada/dissociada: vista através de nossos próprios olhos ou olhando para nós mesmos.

cor: em cores ou em preto e branco.

limite: com moldura ou sem moldura.

profundidade: bi ou tridimensional.

localização: esquerda ou direita, para cima ou para baixo.

distância: perto ou longe.

brilho: brilhante ou escuro.

contraste: bem ou maldefinido.

foco: nítido ou embaçado.

movimento: parado, suave ou espástico.

velocidade: rápido ou lento.

número: imagens em tela única, tela dividida ou telas múltiplas.

tamanho: grande ou pequeno.

Submodalidades Auditivas

verbais ou não-verbais: palavras ou sons.

direção: estéreo ou mono.

volume: alto ou baixo.

tom: suave ou estridente.

timbre: fino ou som completo.

localização: para cima, para baixo, esquerda ou direita.

distância: perto ou longe.

duração: contínua ou descontínua.

velocidade: rápida ou lenta.

clareza: claro ou abafado.

alcance: agudo ou grave.

Submodalidades Cinestésicas

O sistema representacional cinestésico abrange as seguintes submodalidades:

vestibular (equilíbrio)

proprioceptivo (consciência corporal)

táctil (toque)

Sensações e sentimentos podem também ser:

primários (uma sensação corporal)

meta (um sentimento em relação a outra coisa)

As submodalidades cinestésicas seguintes aplicam-se a todas essas categorias:

localização: onde no corpo.

intensidade: alta ou baixa.

pressão: forte ou suave.

extensão: grande ou pequena.

textura: áspera ou lisa.

peso: leve ou pesado.

temperatura: quente ou fria.

duração: longa ou curta, contínua ou descontínua.

forma: regularidade.

movimento: parado ou em movimento.

Submodalidades Olfativas e Gustativas

Odor e sabor são partes importantes da experiência, mas não são facilmente decompostos em submodalidades, exceto em laboratórios de nutricionistas e químicos especialistas em sabores. Eles se sobrepõem – o que aparenta ser sabor é geralmente um odor, mas detectado pelo sentido gustativo. Freqüentemente nos referimos a eles mais por conteúdo – aquilo que os causa. Isso pode ser porque são sentidos básicos, diretamente ligados à nossa segurança corporal. O cheiro de fumaça sempre interromperá o que quer que se esteja fazendo.

Algumas submodalidades cinestésicas básicas podem ser aplicadas a odores e sabores:

localização: onde no corpo.

intensidade: alta ou baixa.

extensão: grande ou pequena.

temperatura: quente ou fria.

duração: longa ou curta, contínua ou descontínua.

movimento: parado ou em movimento.

Como sabores e odores conectam-se diretamente a partes de nosso cérebro que governam a emoção, podem mudar nosso estado muito rapidamente. Odores são especialmente evocativos; o cheiro de pão fresco ou de perfume repentinamente nos lembrará de alguém que conhecemos ou nos levará de volta à infância.

Sabores parecem ter quatro componentes: doce, azedo, salgado e amargo. Cada um é percebido por um tipo diferente de célula na língua e no interior da boca. Essas quatro qualidades são o que há de mais próximo a submodalidades de sabor, mas é no entanto difícil destinguir entre elas sem treinamento (por exemplo, na degustação de vinho) e decompor o sabor nesses componentes.

O sentido do olfato parece ter sete odores primários: o assemelhado à cânfora; o almiscarado; o floral; o assemelhado à hortelã; o etéreo (fluido para lavagem a seco, por exemplo); o pungente (similar ao vinagre); e o pútrido, correspondentes aos sete tipos de receptores de odores das células olfativas. Esses poderiam ser os equivalentes às submodalidades do odor.

No entanto, falamos principalmente de sabor e odor através de metáforas – "o gostinho da boa vida" ou "o doce cheiro do sucesso", por exemplo.

Avaliamos sabores e odores em um metanível através do sentido cinestésico. Experimentamo-nos como agradáveis ou desagradáveis, e as submodalidades desse metanível de avaliação cinestésica (por exemplo, o quanto você gosta desses sabores e odores) são outra forma de discriminar entre odores e sabores.

Submodalidades Críticas

Mudar algumas submodalidades tem pouco ou nenhum efeito. Outras, no entanto, podem fazer uma enorme diferença. Estas são as "submodalidades críticas". O tamanho e o brilho de uma imagem são críticos para muitas pessoas, então fazer suas imagens mentais maiores e mais brilhantes aumenta muito o impacto. Os "sensíveis comuns" são freqüentemente importantes. Por exemplo, mover uma voz interna para mais longe geralmente reduz o seu efeito, enquanto mudar a localização de uma imagem freqüentemente altera por completo o significado.

Embora as submodalidades críticas tenham mais alavancagem para a mudança do que as demais, submodalidades trabalham em conjunto como um sistema:

- *Mudar uma submodalidade pode fazer com que outras mudem.* Mudar uma submodalidade crítica pode provocar uma reorganização espontânea das outras.

- *A consciência pode mudar o sistema.* Estar consciente de submodalidades pode mudar a sua estrutura.

- *Submodalidades críticas mostram efeitos de limiar.* Por exemplo, aumentar o tamanho de uma imagem pode torná-la mais agradável, mas só até certo ponto. Além desse ponto, aumentar o tamanho não terá qualquer efeito ou pode tornar a imagem menos atraente.

- *Medições são relativas ao sistema em si.* Submodalidades são subjetivas, portanto comparações são difíceis de serem realizadas. Quando alguém torna uma imagem maior ou mais brilhante, o faz em termos do quão grande ou brilhante era antes, não em termos absolutos. Medimos a maioria das distinções de submodalidades em termos daquilo que seria normal na vida real, porque essa é a fonte dessas distinções para início de conversa. Assim, uma imagem grande é uma maior do que a real, uma imagem brilhante é uma mais brilhante do que a da vida real e assim por diante. No entanto, sempre verifique se não tiver certeza. Todos têm autoridade sobre suas próprias experiências subjetivas.

- *Mudanças de submodalidades oferecem evidência para outras mudanças.* Quando uma pessoa soluciona um problema, você pode verificar se mudou, checando se as submodalidades do problema foram alteradas.

Linguagem e Submodalidades

Frases de predicados e metáforas não só indicam o sistema representacional que a pessoa está utilizando, como também oferecem dicas quanto às submodalidades envolvidas. Por exemplo: "Tenho uma visão sombria a esse respeito" não apenas lhe diz que a pessoa está usando o sistema visual, mas também que o brilho é crítico para aquela imagem. A submodalidade de brilho influencia como uma pessoa julga a idéia. ("Essa é uma idéia luminosa!") Quando alguém fala de "tomar uma posição firme quanto à situação", está pensando cinestesicamente com uma submodalidade de pressão.

> *A PNL considera a linguagem literalmente – ela é uma janela direta para o processo do pensamento.*

Para estabelecer o ritmo do processo do pensamento de uma pessoa, não use apenas o mesmo sistema representacional, mas também a mesma distinção de submodalidade. Por exemplo:

"Os detalhes são um pouco nebulosos para mim."

"O que precisa saber para torná-los mais claros."

"Você tem que manter a pressão."

"Como você sugere que eu assuma com firmeza aqui?"

"Algo me diz que não está muito certo."

"O que preciso saber para que soe bem?"

A terminologia que as pessoas usam para problemas também é interessante. Algumas falam de "bloqueios" ou "obstáculos". Outras dizem que estão "emperradas". As pessoas falam de serem "sobrepujadas", "de se afogarem em problemas", "serem puxadas em direções diferentes", ou " serem empurradas ao limite". Usar linguagem e intervenção que se equiparam à metáfora da submodalidade é muito eficaz, já que é assim que as pessoas experienciam o problema.

Às vezes pode ser bastante útil traduzir essas submodalidades através de sistemas representacionais. Por exemplo: "Então você se sente emperrado. É definitivamente uma questão pegajosa. Como você se vê emperrado?" Isso dá à pessoa uma nova perspectiva e um novo conjunto de submodalidades visuais para aplicar e que pode trazer novos recursos.

Eliciando Submodalidades

Descobrir quais submodalidades as pessoas estão usando é uma habilidade-chave em PNL e é utilizada em modelagem, trabalho estratégico e análise de contraste de experiências diversas.

Quando você elicia submodalidades, vê as pessoas usando pistas de acesso. Para interpretá-las, pergunte a si mesmo o que a linguagem corporal significaria se a pessoa estivesse respondendo a alguma coisa no mundo exterior e então tome isso como pista de acesso para a submodalidade correspondente em seu mundo interior. Por exemplo, um olhar fixo no horizonte provavelmente significa que sua imagem está longe. As pessoas focalizam seus olhos em uma imagem interna da mesma forma que o fazem com uma imagem externa. Inclinarão a cabeça para o lado e ouvirão na direção de onde seus sons mentais parecem vir. Provavelmente se inclinarão para a frente quando se associam, e para trás quando se dissociam. A linguagem corporal não só lhe diz a respeito do sistema representacional que a pessoa está usando, mas às vezes também pode lhe mostrar quais as distinções de submodalidades críticas que estão fazendo.

Como Eliciar Submodalidades

- *Escolha seu estado.*

O melhor estado para estar é um de fascinação.

- *Estabeleça rapport.*

- *Use linguagem apropriada ao contexto.*

    Submodalidades são experiências do dia-a-dia; portanto, use linguagem e exemplos do dia-a-dia para ajudar as pessoas a verem, ouvirem e sentirem suas submodalidades.

- *Pressuponha a existência de distinções de submodalidades.*

    Não pergunte a alguém: "Há uma imagem?", porque isso gera dúvida.

    Em vez disso, pergunte: "Qual a imagem que você tem?"

    Se a outra pessoa não tiver consciência de uma imagem ou tiver dificuldade em distinguir submodalidades, use o quadro "como se": "Se você pudesse ver uma imagem, como seria?"

    De forma alternativa, poderá acompanhar e liderar dizendo algo como: "Sei que não tem consciência de uma imagem, mas faça de conta que existe uma e, sendo assim, como ela é?"

- *Seja direto.*

    Ajude a pessoa a ver, ouvir e sentir as distinções de submodalidades. Peça a ela que veja o que viu e que ouça o que ouviu. Evite dizer coisas como:

    "Tente criar uma imagem maior". A palavra "tente" elicia dificuldade e esforço.

"Você consegue fazer com que a imagem fique maior?" A resposta a essa pergunta é "Sim" ou "Não", e fim de conversa – a pessoa não precisa empreender qualquer ação! Pressuponha que possa e peça que o faça. ("Por favor, torne a imagem maior.")

- *Mantenha um acompanhamento ativo.*

    A eliciação muda a experiência à medida que a outra pessoa torna-se consciente dela e, assim, as submodalidades podem se deslocar durante a eliciação. Se você for prolixo, se arrisca a que mudem ainda mais. Use tom e ritmo de voz acelerado; não dê tempo à pessoa para que se confunda. A primeira resposta é geralmente a mais precisa.

- *Elicie, não instale.*

    Não sugira distinções de submodalidades e sim dê liberdade ao cliente para que explore sua experiência subjetiva e descubra o que tem. Não pressuponha que será igual à sua.

- *Procure e ouça pistas não-verbais.*

    Pistas de acesso a submodalidades são as mesmas que poderia esperar se a pessoa estivesse realmente vendo, ouvindo e sentindo externamente. Assim, se uma pessoa fitar o horizonte à sua direita, sua imagem mental provavelmente está longe, à sua direita. Se mover sua cabeça para trás, provavelmente estará próxima. Se inclinar a cabeça para a esquerda, o som estará vindo da esquerda.

- *Use sua própria linguagem corporal para ajudar o cliente.*

    Existem padrões universais de linguagem corporal e de tom de voz que você pode usar durante a eliciação. De modo geral, se levantar as sobrancelhas, as pessoas considerarão isso como convite para falar. Se as abaixar e desviar o olhar, parecerá um convite para se calar.

Tonalidade

Um padrão universal de linguagem corporal é relacionado à tonalidade. Se você aumentar a inflexão de sua voz no fim de uma sentença, será geralmente percebido como pergunta.

Quando mantém a voz nivelada, geralmente é percebido como afirmação.

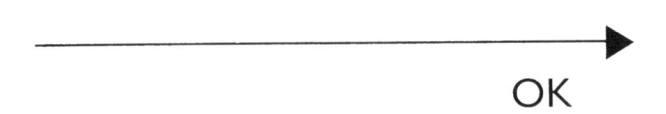

OK

Se reduz o tom de voz no final de uma sentença, geralmente é percebido como um comando ou uma ordem.

Análise de Contraste de Submodalidades

A essência dessa técnica é tomar duas experiências e encontrar as diferenças em suas estruturas de submodalidades. Essas mostrarão as diferenças críticas que dão a essas experiências seus significados.

- Pense em algo em que acredita, uma afirmação absoluta de fato; por exemplo, que você tenha olhos azuis ou cabelos castanhos ou que mora em uma casa.

- Enquanto pensa nisso, que imagens, sons ou sentimentos vêm à sua mente? O conteúdo da imagem não tem a menor importância, só o que importa são as qualidades da imagem. Olhe para a imagem e relacione as submodalidades.

- Ouça quaisquer sons ou vozes e relacione as submodalidades. Quais os sons é irrelevante para este exercício; as qualidades dos sons é que são importantes.

- Agora sinta quaisquer sensações e sentimentos que representem essa crença. Certifique-se de que são sensações e sentimentos que fazem parte de sua representação dessa crença. (O sentimento provavelmente será de certeza ou confiança e é um metassentimento – um sentimento sobre outra coisa). Você pode usar planilha de submodalidades para essas listas.

PLANILHA DE SUBMODALIDADES

	VISUAIS	AUDITIVAS	CINESTÉSICAS
EXPERIÊNCIA UM			
EXPERIÊNCIA DOIS			
DIFERENÇAS CRÍTICAS			

- Agora faça a mesma coisa para algo em que não acredita – por exemplo, que a lua é feita de queijo verde ou que todos os políticos são pessoas honestas e tementes a Deus.

- Mais uma vez, olhe para, ouça e sinta a maneira pela qual você representa essa crença.

- Relacione novamente as submodalidades das imagens, dos sons e dos sentimentos que você tem e que representam essa não-crença.

- Agora compare as duas listas. Haverá diferenças críticas. Uma imagem pode ser associada, e a outra, dissociada, por exemplo. Uma imagem pode estar em uma parte diferente de seu campo visual. Essas diferenças de submodalidades são como você codifica crença em comparação à descrença. Um conjunto de submodalidades significa que você acredita naquela afirmação. O outro conjunto significa que não acredita nela. Quando você avalia aquilo em que acredita e aquilo em que não acredita, são essas as diferenças que procura ouvir, ver e sentir.

Existem algumas aplicações muito interessantes desse material. Você pode usá-lo para mudar crenças. Você pode mudar uma crença limitante, por exemplo, para uma potencializadora. É claro que mudar uma crença não muda nada, mas como crenças agem como permissões, mudar uma crença pode abrir possibilidades em sua vida que até então estavam fechadas.

Você também pode usar essa técnica para facilitar a cura, aproveitando uma ocasião para cura rápida e fácil utilizando essas submodalidades para pensar em uma ferida recente.

A análise de submodalidades é uma técnica poderosa e é importante que qualquer mudança seja ecológica. Verifique a ecologia em primeiro lugar. Se a mudança não for ecológica, não permanecerá. As submodalidades reverterão para o que eram antes, já que submodalidades são um sistema e têm inércia e equilíbrio naturais.

Qualquer mudança de submodalidade tem que ser apoiada em um nível mais elevado, ou não permanecerá.

O *Swish*

O *swish* é uma técnica que utiliza mudanças de submodalidades críticas. Ela muda comportamento ou hábitos indesejáveis ao estabelecer um novo direcionamento. Aquilo que costumava disparar o comportamento antigo incitará um movimento na nova direção. Isso é mais poderoso do que simplesmente mudar o comportamento.

O *swish* pode ser usado em qualquer sistema representacional. Eis os passos para o *swish* visual.

1. *Identifique o problema.*

    Este pode ser um comportamento ou hábito que deseja mudar, ou qualquer situação a que deseje responder com mais recursos.

2. *Identifique a imagem que dispara o problema.*

    Trate esse problema como uma realização. Como saberá quando fazê-lo? Quais as pistas específicas que sempre o precedem? Procure um gatilho visual específico para o problema. Pode ser um gatilho interno (algo que vê em sua mente) ou externo (algo que vê no mundo exterior). Considere esse gatilho como imagem associada.

3. *Identifique duas submodalidades críticas da imagem-pista que lhe conferem impacto.*

    As mais comuns são tamanho e brilho. Se aumentar o tamanho e o brilho da imagem a tornar mais eficaz, serão essas as submodalidades. Essas duas submodalidades precisam ser submodalidades analógicas, como tamanho e brilho, que podem ser continuamente aumentadas ao longo de uma faixa.

4. *Quebre o estado.*

5. *Crie a imagem de uma auto-imagem desejada.*

    Como você se veria se não tivesse esse problema? Que tipo de pessoa seria facilmente capaz de solucionar tal questão ou nem mesmo teria esse problema? Você teria mais escolhas e seria mais capaz. Faça com que essa imagem seja equilibrada e crível e não a conecte a qualquer contexto específico. Certifique-se de que seja ecológica. Ela precisa ser motivadora e muito atraente. Torne-a uma imagem dissociada.

6. *Quebre o estado.*

7. *Coloque as imagens na mesma moldura.*

Volte para a imagem do problema. Torne-a uma imagem grande e brilhante caso essas sejam suas submodalidades. Certifique-se de que seja uma imagem associada. Em um canto da imagem, coloque sua auto-imagem desejada nas submodalidades opostas – como imagem pequena e escura, dissociada.

8. *Faça o "swish" das duas imagens.*

Rapidamente transforme a imagem pequena e escura em grande e brilhante e a expanda até que preencha a moldura. Faça com que a imagem do problema fique escura e encolha-a ao nada. Faça isso muito rapidamente. Ao mesmo tempo, imagine algum som que se encaixe com o movimento (como s-w-i-s-h!)

9. *Quebre o estado visualmente.*

Abra os olhos se os tiver fechado e faça com que o quadro fique em branco. Olhe para uma outra coisa qualquer.

10. *Repita o* swish *e quebre o estado.*

Faça isso pelo menos três vezes, muito rapidamente. Certifique-se de quebrar o estado entre cada *swish* ou estará se arriscando a fazer o *swish* do problema de volta novamente!

11. *Teste e faça ponte ao futuro.*

Tente acessar o problema mais uma vez. O que está diferente? Às vezes, você não conseguirá obter a imagem-pista novamente da mesma forma. Às vezes, você começará a falar a respeito do problema usando o tempo do verbo no passado.

Solução de Problemas

Se o *swish* não funcionar:

- ⊃ Você pode não ter o gatilho correto.
- ⊃ Você pode não ter a submodalidade crítica.
- ⊃ A auto-imagem pode não ser forte ou atraente o suficiente.

Volte e verifique as submodalidades críticas e desenvolva uma auto-imagem que seja congruente.

O *swish* pode ser usado em qualquer sistema representacional. O padrão básico é:

- Encontrar a pista.
- Identificar as submodalidades críticas para essa pista.
- Criar a representação de como você quer ser – o tipo de pessoa que não teria esse problema. Use o mesmo sistema representacional que o da pista do problema.
- Represente a pista nas submodalidades críticas e torne-a associada. Faça com que a auto-representação desejada seja dissociada nas submodalidades opostas.
- Rapidamente substitua a representação da pista pela auto-representação desejada.
- Quebre o estado e repita pelo menos cinco vezes, quebrando o estado entre cada *swish*.
- Teste.

Dissociação Visual / Cinestésica

Aqueles que não se lembram do passado estão condenados a repeti-lo.
George Santayana

Às vezes, não aprendemos com experiências porque não gostamos de revisitá-las. Podem ser dolorosas de serem lembradas – o que significa que as estamos lembrando de uma forma associada. Podem ser de tal forma dolorosas que de maneira alguma queremos nos lembrar delas. Ocasionalmente, são de tal forma ruins que bloqueamos completamente todo o sistema representacional visual para que *jamais* encontremos aquela imagem específica novamente. Então, dizemos que não temos consciência de quaisquer imagens internas. Isso nos protege da dor, mas sacrifica as possibilidades de trabalharmos com um sistema representacional inteiro.

A dissociação visual/cinestésica separa os sentimentos das imagens para que se possa lidar com ambos. Tem sido usada com sucesso para lidar com:

acidentes e ferimentos

fobias

disfunções de estresse pós-traumático

vítimas de guerra traumatizadas
(foi usada em Sarajevo em 1999 para ajudar vítimas de guerra)

abusos emocionais e sexuais.

A técnica pode também ser utilizada para limpar recordações dolorosas no sistema auditivo, mas é usada predominantemente para o sistema visual, já que geralmente é aí que as sinestesias dolorosas se formam.

Essa técnica é difícil de realizar sozinho, já que o evento pode ser muito doloroso e difícil para que você lide com ele sozinho. Os principais passos são:

1. Obter *rapport* com seu cliente e estabelecer o acompanhamento de sua experiência.

2. Estabelecer uma âncora de segurança de "salvamento" que pode ser usada se a experiência for intensa demais.

3. Ajudá-lo a dissociar da imagem e mudar as submodalidades críticas que conferem a ela tanto poder.

4. Desintegrar a recordação através da mudança das submodalidades, ajudando o cliente a observar o evento mais uma vez dissociado, para que possa aprender com a lembrança.

5. Encontrar o recurso certo nessa situação e trazê-lo para essa experiência.

6. Fazer ponte ao futuro.

Ao realizar a dissociação do evento passado e dissolver a sinestesia, você será capaz de ver o evento de uma nova forma e, assim, deixar que fique em paz. Isso não é negação. Você não está negando que o evento tenha acontecido. Sabe o que aconteceu, mas agora é capaz de lidar com a situação e ir adiante. Não é mais um problema em seu presente.

Aprendendo com a Experiência

Eis uma excelente maneira de aprender com experiências dolorosas para que não cometa o mesmo erro novamente. Esse padrão funciona para todos os tipos de experiência desagradável, exceto fobias ou traumas. Para estes, você necessitará do processo de cura rápida de fobia. (*ver a página 123*)

Parte Um

- Recorde-se de um evento desagradável em sua vida.
- Ao fazê-lo, certifique-se de que se vê nessa situação como se na televisão ou em uma tela de cinema.
- Fique fora da experiência.
- Ao assistir o desdobramento dessa recordação a partir desse ponto de vista, observe o que acontecia naquele momento, o que outras pessoas fizeram que tenha contribuído para a situação e como foi impossível para você controlar todos os aspectos da situação.
- Observe o que você fez naquele momento.
- O que estava tentando alcançar?

Volte ao presente. O que pode aprender com esse incidente para que não se repita daquela forma?

Parte Dois

Ao pensar naquela experiência, o que gostaria que tivesse acontecido? Com o benefício da visão retroativa, como deveria ter agido para alcançar aquilo que desejava?

- Imagine-se fazendo isso agora em sua mente. Permaneça dissociado, para que possa se ver agindo na situação em uma tela mental.
- Reviva o incidente em sua imaginação, mas agora se veja fazendo algo de forma diferente e observe como a situação se resolve de uma forma melhor.
- Se estiver satisfeito com isso, imagine-se voltando à situação e vivenciando como deseja agir de forma associada. Esteja de volta à situação, olhando através de seus próprios olhos, agindo da forma pela qual deveria ter agido e obtendo o resultado que desejava.
- Então esvazie sua tela mental.
- Faça isso pelo menos dez vezes, revivendo o evento da forma pela qual você preferiria que tivesse ocorrido e então esvaziando sua tela mental ao final de cada *replay*. (Pode ser rápido.)

Leve o que aprendeu com o incidente para ajudá-lo no futuro. Deixe a dor do incidente no passado. Trate outras más experiências da mesma forma.

Lembre-se delas como incidentes separados. Se veja de volta na situação e aprenda o que puder com ela para que possa evitar incidentes similares no futuro.

Parte Três

- Agora pense em uma situação que foi boa para você.
- Retorne a essa situação agora, vendo através dos próprios olhos e sentindo as boas sensações mais uma vez. Esteja associado à situação.
- Desfrute da recordação.
- Observe o que fez que contribuiu para seu sucesso.
- Exatamente o que fez para que fosse bem-sucedido?

   Em quantas situações como essa você pode pensar? Elas têm algo em comum? Como pode aprender com esses eventos para realizar ainda mais deles no futuro? Há alguma situação iminente da qual possa se beneficiar da mesma forma? O quão bom seria fazer isso consistentemente?

O Processo de Cura Rápida de Fobia/Trauma

Uma fobia é uma resposta presente a uma experiência intensamente traumática do passado. O medo está ancorado no objeto, animal ou situação que o causou inicialmente. A pessoa sabe que a fobia não faz sentido, mas a sensação de ansiedade é de tal forma intensa que se sente compelida a evitar o gatilho.

Fobias são realizações consideráveis. São respostas fortes baseadas em uma única experiência. É possível utilizar a mesma estrutura para obter sensações fortes e boas a respeito de uma pessoa ou um objeto com base em uma única boa experiência de aprendizagem.

Esse processo aplica dissociação V/C a uma fobia ou a um trauma. É descrito aqui do ponto de vista de trabalho com outra pessoa.

1. Estabeleça rapport com seu cliente.
2. Peça que pense em sua fobia de forma *rápida e fugaz*. Isso é para que possa calibrar o estado observando sua fisiologia.
3. Quebre o estado!
4. Estabeleça uma "âncora de segurança". Elicie um forte estado positivo a partir de uma experiência lembrada, na qual tenha se sentido se-

guro e protegido. Ancore isso cinestesicamente no braço do cliente. Diga a ele que se alguma vez tiver que parar o processo e retornar ao estado presente, terá essa âncora. Você pode manter a âncora durante todo o processo ou usá-la apenas quando necessário.

5. Estabeleça a dissociação pedindo ao cliente que se imagine em um cinema ou assistindo à televisão. Ele tem controle total sobre o filme e como se apresenta. Poderá desejar que apareça em preto e branco ou como uma pequena imagem difusa – ele controla as submodalidades críticas da imagem.

6. Peça ao cliente que selecione o rolo de filme ou a fita de vídeo de sua vida que contenha o trauma ou a primeira experiência forte que estabeleceu a fobia. Nem sempre pode ser possível obter a primeira ocorrência da fobia, mas pegue uma que seja intensa e a primeira de que possa se lembrar.

   Ajude o cliente a manter seu estado dissociado. Peça que assista ao filme. Peça a ele que se veja na tela desde um pouco antes do início do incidente (quando ainda estava seguro) até depois de o incidente ter ocorrido (quando estava novamente seguro). Pode ser útil ver o filme em preto e branco em uma tela pequena se tamanho e cor forem submodalidades críticas. Se necessário, dissocie o cliente duplamente – peça que ele *se veja vendo a si mesmo* na tela. Mantenha o estado utilizando a linguagem correta: "Aqui e agora, observando a pessoa na tela lá e naquele momento..."

   Esse passo estará completo quando o cliente puder ver esse incidente na tela sem entrar em um estado de fobia. Observe-o cuidadosamente. Você terá calibrado o estado no passo dois.

7. Quebre o estado.

8. Ajude o cliente a aprender com essa experiência. O que era importante? Houve algo positivo nessa experiência ou com relação a fobia?

9. Diga ao cliente que interrompa o filme no final. Agora, faça com que se associe ao filme naquele ponto e rode-o *rapidamente para trás* até chegar ao início, permanecendo associado durante todo o tempo.

10. Quebre o estado.

11. Repita os passos nove e dez mais duas vezes, para que tenha se associado ao filme rodando rapidamente para trás pelo menos três vezes.

12. Teste e faça ponte ao futuro. Como ele se sente agora? Às vezes é possível e adequado testar a fobia de verdade nesse momento. A fobia deve ter sumido ou ter sido bastante reduzida.

13. Verificação de ecologia. Se a fobia for intensa e tiver afetado muitas áreas da vida do cliente, este poderá ter que repensar como agir em certas circunstâncias sociais. Por exemplo, um medo de espaços abertos pode ter limitado intensamente sua vida social. Precisará dar a ele recursos adicionais para lidar com essas questões ecológicas. Há também considerações reais de segurança. Se o cliente tem fobia de cobras, pode ter perdido a fobia, mas ainda precisa de um respeito adequado por cobras, talvez até medo. O medo é uma resposta natural – cobras podem ser perigosas.

Linhas de Tempo

Uma das aplicações mais fascinantes de submodalidades é a nossa experiência do tempo. O que é tempo? A pergunta tem ocupado as maiores mentes ao longo de toda a história e provavelmente continuará a ocupá-las por algum tempo ainda, até que não haja mais tempo para se degladiar com a questão.

Como experienciamos o tempo? Como lidamos com ele? Quando ouvimos como descrevemos o tempo, parece que o experimentamos como uma linha correndo do passado para o futuro. Falamos de "um longo tempo", "um curto tempo", de "tempo se perdendo no futuro"... Temos o "passado distante" e o futuro "imediato".

Subjetivamente, experimentamos o tempo como distância.

Eliciando uma Linha de Tempo

Podemos não saber o que é o tempo, mas sabemos medi-lo. Imagine o círculo do mostrador de um relógio. Imagine o movimento dos ponteiros ao redor do mostrador a cada dia. Agora imagine pegar esse mostrador com os números nele gravados e desenrolá-lo como um novelo de lã, esticando-o em uma linha que se perde na distância. Agora imagine andar sobre tal linha. Essa é uma das maneiras de considerar como nos movemos através do tempo.

Se você tivesse uma "linha do tempo", onde estaria?

Se tivesse que apontar em direção ao passado, para onde apontaria?

Onde fica o futuro?

Agora ligue os dois locais. *Essa é sua linha do tempo.*

Você pode eliciar as linhas do tempo de outras pessoas com perguntas semelhantes. Observe sua linguagem corporal quando respondem. Podem dizer que não sabem onde está o passado ou futuro, mas elas podem gesticular em uma direção determinada. A maioria das pessoas não tem consciência de sua linha do tempo a não ser que tenham tido treinamento em PNL.

No Tempo e Através do Tempo

Há duas maneiras de se relacionar à sua linha do tempo – "no tempo" e "através do tempo".

Uma linha "no tempo" passa através de seu corpo. Pessoas com linhas "no tempo" estão associadas a suas linhas do tempo no "agora". Freqüentemente o passado estará atrás delas, e o futuro, à sua frente.

Uma linha "através do tempo" está fora de seu corpo. Pessoas com linhas "através do tempo" freqüentemente têm o passado de um lado e o futuro do outro. (Nas culturas ocidentais, o passado é, em geral, à esquerda, e o futuro, à direita, devido à seqüência de leitura e às pistas de acesso.)

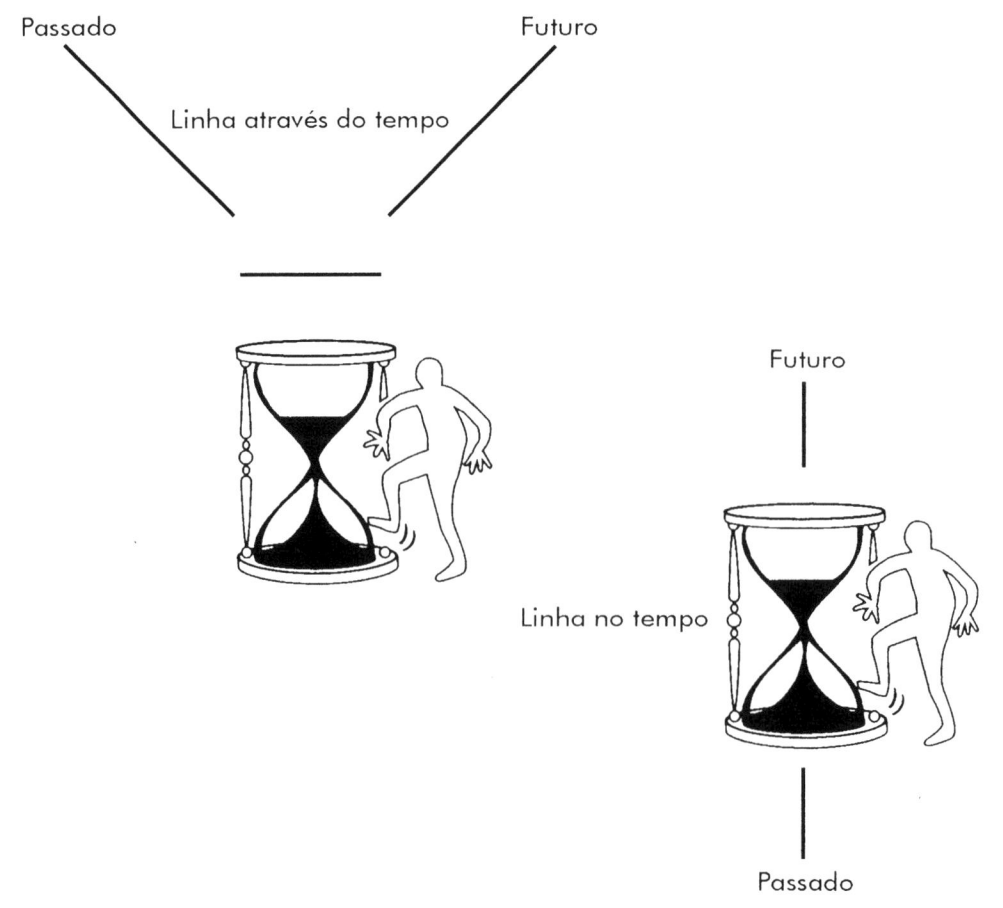

Uma linha "no tempo" ou uma "através do tempo" são escolhas, embora muitas pessoas tendam a usar uma de forma predominante.

Uma vez que tenha consciência de sua linha do tempo e for flexível quanto a como a utiliza, poderá escolher para quais atividades você usa cada uma.

NO TEMPO	ATRAVÉS DO TEMPO
Sua linha do tempo passa através de seu corpo.	Sua linha de tempo passa por fora de seu corpo.
Você está associado no agora.	Você está dissociado do agora.
Você não percebe o tempo passar.	Você percebe o tempo passar.
Você tende a ter recordações associadas.	Você tende a ter recordações dissociadas.
Você tende a não planejar.	Você tende a planejar com antecedência.
Você evita prazos ou não é bom em cumpri-los.	Você tem consciência de prazos e é bom em cumpri-los.

Usando Linhas do Tempo

Intervenções em linhas do tempo são muito úteis para ajudar pessoas a acessarem recursos, criarem futuros compelidores e a organizarem suas vidas.

- *Gestão do tempo.* Uma linha "no tempo" é boa para desfrutar do momento.

  Uma linha "através do tempo" é essencial para planejamento, gestão do tempo e para olhar para o futuro. A ironia de muitos cursos de gestão do tempo é que são elaborados por pessoas "através do tempo" para pessoas "através do tempo". Não fazem qualquer sentido para pessoas predominantemente "no tempo". No entanto, são estas pessoas as que precisam de ferramentas de gestão do tempo. A habilidade essencial para gestão do tempo é ser capaz de planejar através do tempo.

- *Lidar com o passado e acessar recursos.* Pessoas que armazenam o passado às suas costas podem ter dificuldade em acessar recursos de experiências passadas. Qualquer um cujo passado esteja imediatamente à sua frente terá dificuldades em fugir de recordações do passado. Estas literalmente bloquearão sua visão do futuro.

- *Olhar para o futuro.* Um futuro compelidor deve estar à frente da pessoa com grandes imagens brilhantes. Algumas pessoas com uma linha do tempo que tem o futuro atrás delas têm dificuldade em planejar e se automotivar. São como motoristas que olham no retrovisor para ir para frente.

- *Linhas do tempo têm submodalidades críticas.* Recordações e planos são freqüentemente armazenadas na linha do tempo. A distância é, em geral, uma submodalidade crítica. Quanto mais perto a imagem, mais perto estará do presente momento. Às vezes, quanto mais brilhante e maior a imagem, mais próximo estará do momento presente (embora isso possa ocorrer como resultado de perspectiva).

- *Ecologia.* Nosso sentido de tempo é crucial para nossa identidade. Reorganizar linhas do tempo é uma forma poderosa de mudar a realidade de uma pessoa. Sempre que fizer quaisquer mudanças em sua linha do tempo ou na de outra pessoa, certifique-se de que sejam ecológicas.

Estabelecendo uma Linha do Tempo

Linhas do tempo podem ser imaginadas, mas geralmente é mais fácil e mais forte tornar a linha do tempo algo físico, ancorando-a no espaço para que se possa caminhar do passado para o futuro e retornar. Você pode usar essa técnica sempre que precisar pensar sobre experiências passadas ou planejar metas futuras ou ajudar alguém a fazê-lo.

Caminhando pela Linha do Tempo

- Onde está sua linha do tempo? Aponte para o passado. Agora aponte para o futuro. Imagine uma linha ligando os dois pontos.

- Imagine essa linha no chão. Oriente-se de forma que esteja sobre a linha de frente para o futuro. Como esse futuro lhe parece? Até onde parece se estender?

- Olhe para trás em sua linha do tempo em direção ao passado. Como lhe parece? Até onde parece se estender?

- Saia da linha do tempo e olhe diretamente para ela. Agora, você está "através do tempo" em uma metaposição em relação à sua linha do tempo. O que pensa de sua linha do tempo? O que pode aprender dela?

- Volte para sua linha do tempo. Caminhe de volta para o passado, observando recordações poderosas de recursos ao fazê-lo. Pare quando sentir que caminhou o bastante. Agora caminhe para a frente, trazendo essas experiências e esses recursos poderosos do passado com você para o presente, como uma presença do passado. Como se sente?

⊃ Pense em um resultado futuro que deseja. Adentre o futuro no ponto em que deseja tê-lo. Olhe para trás a partir desse ponto futuro para o "agora" e imagine os passos e estágios que teria que atravessar para ir do "então" (agora) para o "agora" (futuro). Volte ao presente com esse conhecimento de como alcançar seu resultado.

Linguagem do Tempo

Você pode descobrir muito a respeito de como as pessoas pensam sobre tempo em conjunto com suas submodalidades críticas, ouvindo sua linguagem. Por exemplo:

"Foi no passado obscuro e distante."

"Ele tem um futuro brilhante."

"Estou olhando para frente e esperando pelas férias."

"Ponha o caso atrás de você."

"O tempo está se esgotando."

"O tempo está do meu lado."

O tempo é de tal forma importante que o usamos para organizar nossa linguagem. Verbos podem estar no passado, presente ou futuro, dependendo de se a ação descrita foi completada, contínua ou estiver por acontecer.

Conjugações de verbos podem ser usadas para colocar um problema no passado; por exemplo: "Isso tem sido um problema, não?"

Observe como isso oferece uma experiência diferente de "Isso é um problema, não é?"

E: "Isso vai ser um problema, não vai?"

Este último é um exemplo de pressuposição inútil porque para responder a pergunta terá que aceitar a pressuposição de que o problema se estenderá no futuro.

Também usamos advérbios e preposições para embaralhar nosso senso de colocação de uma ação no tempo; por exemplo, "antes", "após", "durante", "quando", "até", "simultaneamente", "anteriormente", "subseqüentemente".

Esses termos nos posicionam no tempo e afetam nossa experiência. Por exemplo, observe como as sentenças a seguir o afetam:

"Antes de sair, quero que me ajude."

"Depois que você sair, quero que me ajude."

"Antes de você sair, mas depois que tiver tomado café, quero que me ajude."

Como saber o que fazer primeiro? Você atribui diferentes submodalidades aos eventos, geralmente arranjando-os em seu espaço mental. O mais próxima será o primeiro a ser realizado.

Plano de Ação

1. Às vezes parece que a PNL diz respeito à solução de problemas. Não é verdade. "Problema" é geralmente uma palavra negativa. Significa apenas que há uma diferença entre o que você tem e o que você quer. Quando você não gosta do que tem e deseja se afastar disso, então você tem um problema remediativo. Muitas pessoas pensam que "problema" se refere a problemas remediativos. No entanto, quando você gosta do que tem mas deseja algo melhor, tem uma classe diferente de "problema" – um problema generativo. Problemas generativos são muito melhores de se ter.

   Quando você tem algo bom, ainda poderá torná-lo melhor mudando as submodalidades.

   - Pense em uma recordação agradável. Observe as submodalidades. Você pode torná-la ainda mais agradável?
   - Mude as submodalidades. Observe o efeito.
   - Torne a imagem maior, mais brilhante, mais próxima. Isso torna a recordação mais agradável?
   - Experimente com as submodalidades da recordação até que se torne a mais agradável possível.

2. Encontre sua própria linha do tempo.

   Enquanto observa sua linha do tempo, como ela o ajuda a compreender como você pensa no passado e no futuro?

Por exemplo, alguém que tenha uma linha de tempo passado curta terá que amontoar muitos eventos em um espaço curto e pode ter dificuldades em se lembrar exatamente a quanto tempo algo aconteceu. Alguém com uma linha de tempo futuro curta pode ter dificuldade em olhar para a diante, ou poderá amontoar o futuro em um espaço curto e perder perspectiva. (A extensão de sua linha de tempo futuro não tem qualquer ligação esotérica com quanto tempo você viverá! Se for curta, significará apenas que poderá ter dificuldades em planejar o futuro.)

Sua linha do tempo não foi fixada para sempre quando você nasceu. Você a criou. Pode mudá-la. Busque escolha e flexibilidade – você desejará ser "no tempo" para muitas atividades agradáveis, mas "através do tempo" para o planejamento de atividades no futuro.

Quer seja "no tempo" ou "através do tempo", experimente com ambos como segue:

- Imagine entrar em sua linha do tempo.

- Se for "através do tempo", imagine entrar em sua linha do tempo de forma que passe através do centro de seu corpo. Como é a sensação? Você poderá se sentir mais embasado, mais no momento. Agora saia novamente da linha.

- Se for "no tempo", imagine-se saindo de sua linha do tempo e vendo-a passar por fora de seu corpo. Poderá se sentir um pouco mais objetivo, um pouco mais capaz de adotar uma visão geral. Agora entre nela outra vez.

- Você tem a escolha. Estar "no tempo" ou "através do tempo" são estados e recursos, dependendo daquilo que deseja fazer.

3. Assista ao vídeo do filme *Sociedade dos Poetas Mortos*, estrelado por Robin Williams e Ethan Hawke, mesmo que já o tenha visto. Como o personagem desempenhado por Robin Williams muda o significado da poesia para seus alunos? Como as suas submodalidades alteram o significado da idéia de "poesia" à medida que o filme avança?

4. Ouça sua voz interna. É sua voz? De que direção parece vir? O quão alta é? Como você a tornaria mais agradável para que seja uma alegria ouvi-la? Você fala com você mesmo como se gostasse de você?

Capítulo 8

Estratégias

A PNL utiliza a idéia de uma estratégia de forma muito particular. Não tem seu significado usual de plano bem elaborado de longo prazo. Em PNL, estratégias são como fazemos o que fazemos para alcançar nossos resultados.

Uma estratégia é uma seqüência de representações que levam a um resultado.

A PNL consiste em três elementos:

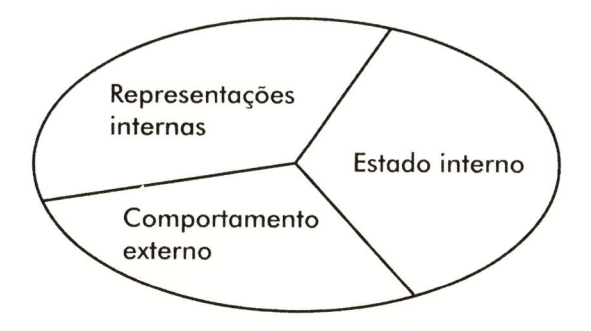

- Representações internas
- Estado interno
- Comportamento externo

Estratégias pertencem ao segmento de representações internas. Combinam sistemas representacionais com resultados. Usamos constantemente nossos sistemas representacionais para pensar e planejar nossas ações. Estratégias são as seqüências de pensamento que utilizamos para alcançar nossos resultados.

Estratégias possuem três ingredientes essenciais:

1. Um resultado.
2. Uma seqüência de sistemas representacionais.
3. As submodalidades dos sistemas representacionais.

Pense em uma estratégia como sendo uma receita de bolo. Você precisa dos ingredientes básicos (sistemas representacionais), da qualidade e quantidade dos ingredientes (submodalidades) e você os usa para obter o saboroso resultado final (o resultado).

A seqüência é crucial em estratégias, da mesma forma que o são na culinária. Você pode saber exatamente quanta farinha usar em uma massa de bolo, mas fará uma enorme diferença se a adicionar antes ou depois de o bolo ir para o forno!

Estratégias acontecem muito rapidamente, com freqüência abaixo de nossa percepção consciente. Formam nossos pensamentos. Podemos usar a mesma estratégia para pensar em muitas coisas diferentes. Por exemplo, todos nós temos uma estratégia de tomada de decisão que usamos para cada decisão, desde as triviais sobre o que iremos vestir hoje até as importantes como uma mudança de carreira.

Existem cinco principais categorias de estratégias:

Estratégias de decisão: como decidimos um curso de ação a partir de várias escolhas.

Estratégias de motivação: como nos motivamos para agir.

Estratégias de realidade: como decidimos o que é real e em que acreditar.

Estratégias de aprendizagem: como aprendemos um material novo.

Estratégias de memória: como nos recordamos.

Estratégias explicam as diferenças entre pessoas. Uma pessoa pode parecer ter uma memória melhor do que a outra, e isso pode ser por estar usando uma estratégia de memória melhor do que a da outra pessoa. Algumas pessoas são muito boas ao tomar decisões enquanto outras não. O que é mais, suas decisões são boas. Com a PNL você pode modelar a estratégia de tomada de decisões de bons líderes e ensiná-la a quem quiser aprender.

Estratégias levam à mudança generativa. Se você der a uma pessoa uma melhor estratégia de tomada de decisões, estará ajudando-a em cada parte de sua vida, não apenas em uma única decisão, por mais importante que possa ser. Quando você ensina uma estratégia de ortografia a uma criança, isso a ajuda a escrever qualquer palavra. Todas as técnicas de PNL podem ser compreendidas em termos de estratégias.

Estratégias sempre funcionam. Sempre alcançam um resultado. Se atingirem um resultado que você não deseja, não culpe a estratégia. Compreenda-a, aperfeiçoe-a ou troque-a por outra que funcione melhor. Estratégias são como números de telefones – uma seqüência que obtém um resultado. Se você discar um número errado, não culpe a pessoa na outra ponta da linha! Verifique o número, assegure-se de ter o número correto e disque novamente.

Usando Estratégias

Trabalhar com estratégias propicia mudanças poderosas e generativas tanto para você quanto para outros, já que lidam com como você faz alguma coisa. Quando você muda de estratégia, muda sua resposta a muitas situações diferentes. Estratégias são usadas para:

- *Modelagem.* Uma grande parte da modelagem envolve descobrir a estratégia mental que a pessoa está utilizando. Essa estratégia, juntamente com as crenças, os valores e a fisiologia da pessoa, lhe dá a estrutura de como ela obtém seus resultados.

- *Mudança de crenças.* Todos nós temos uma estratégia de crenças que usamos para decidir em que acreditar. Mudar o como você seleciona em que acreditar é uma mudança mais poderosa do que mudar qualquer crença isolada.

- *Aprendizagem.* Você pode eliciar e instalar estratégias para aprender assuntos específicos como matemática ou ortografia. Você pode usar estratégias para se lembrar com mais rapidez e facilidade.

- *Vendas.* Todo cliente tem uma estratégia de compra – como ele decide o que e quando comprar. Vendedores podem determinar a estratégia do cliente e apresentar seu produto de uma maneira que se equipare à estratégia de compra dele. Por esse motivo, é melhor não ter uma estratégia de vendas fixa. A estratégia de venda que funciona melhor é a que se equipara à estratégia de compra do cliente.

- *Terapia.* Tudo é resultado de uma estratégia – incluindo nossas limitações, problemas, temores, preocupações e fobias. Eliciando a estratégia de uma pessoa, você pode descobrir como está criando um problema e então mudar a estratégia para eliminar o problema.

- *Motivação.* Todos nós temos uma estratégia de motivação. Algumas não são muito eficazes, especialmente as que envolvem uma incômoda voz interna ou as que mostram quadros brilhantes das terríveis conseqüências de *não* realizar uma tarefa. Há muitas estratégias excelentes de motivação que você pode usar.

- *Estratégias de decisão.* Cada tomada de decisão é feita com uma mesma estratégia. Você pode melhorar a qualidade de cada decisão com uma boa estratégia de decisão.

- *Alimentação saudável.* Todos nós temos uma estratégia sobre como e o que comemos. Mudar essa estratégia pode ser a chave para uma alimentação saudável e perda de peso.

Todas as técnicas de PNL podem ser consideradas como sendo estratégias. Você pode projetar suas próprias técnicas de PNL quando souber trabalhar com estratégias.

O TOTS da PNL

O TOTS é o padrão básico de estratégia da PNL. Todas as estratégias se encaixam em um padrão TOTS.

TOTS significa Teste – Operação – Teste – Saída.

O modelo TOTS da PNL foi derivado pelos criadores da PNL a partir do trabalho de Karl Pribram, George Miller e Eugene Gallanter em seu livro *Plans and the Structure of Behaviour* (Prentice-Hall, 1960).

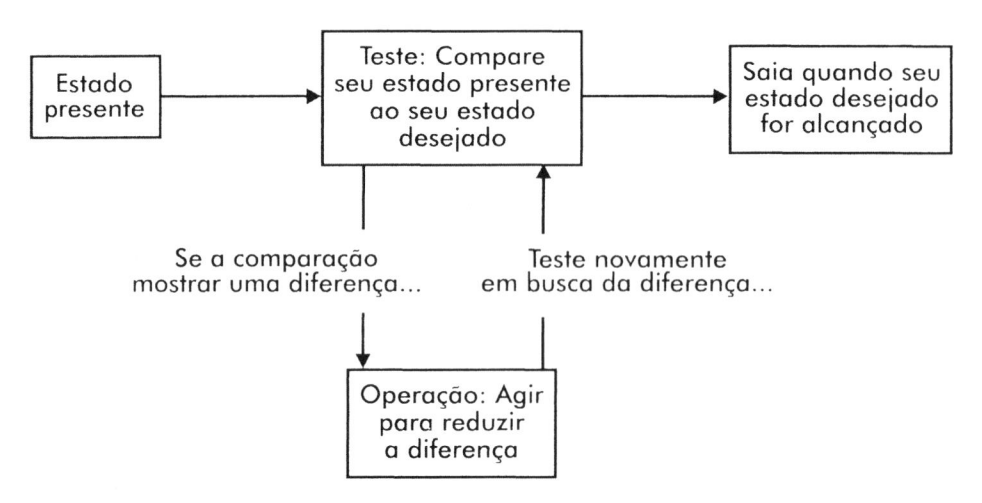

```
┌───────────┐    ┌──────────────────┐    ┌──────────────────┐
│  Estado   │───▶│ Teste: Compare   │───▶│ Saia quando seu  │
│ presente  │    │ seu estado       │    │ estado desejado  │
│           │    │ presente ao seu  │    │ for alcançado    │
│           │    │ estado desejado  │    │                  │
└───────────┘    └──────────────────┘    └──────────────────┘
                         │       ▲
              Se a comparação    Teste novamente
              mostrar uma        em busca da diferença...
              diferença...       │
                         ▼       │
                  ┌──────────────────┐
                  │ Operação: Agir   │
                  │ para reduzir     │
                  │ a diferença      │
                  └──────────────────┘
```

O TOTS da PNL

O TOTS começa com um resultado – o que você está tentando alcançar? Valores também são implícitos – você quer alcançar alguma coisa que é importante para você naquele momento.

O *Teste* é a comparação do estado presente com o estado desejado.

Alcançar um resultado significa reduzir a diferença entre o estado presente e o estado desejado, portanto a *Operação* é a ação que empreendemos para reduzir essa diferença. Operações geram alternativas, coletam dados e alteram o estado presente para aproximá-lo do estado desejado.

Para descobrir quais as operações que uma pessoa utiliza, você tem que fazer perguntas como:

"O que você faz para obter sua meta ou resultado?"

"Que passos e estágios específicos você realiza?"

"Que outras escolhas você tem se não tiver sucesso da primeira vez?"

"Quando você experiencia problemas ou dificuldades inesperados, o que faz?"

O segundo *Teste* é a verificação de se a ação reduziu a diferença entre o estado presente e o estado desejado.

A *Saída* é quando não mais há diferença adicional entre o estado presente e o desejado – a meta foi alcançada.

O TOTS incorpora vários princípios de PNL:

- O comportamento é mais do que um simples estímulo/resposta.

- O comportamento tem um propósito.

- Respondemos a diferenças, não diretamente a resultados e *input*.

- A ação advém de tentativas de reduzir a zero a diferença entre o estado presente e o estado desejado.

- Quanto mais escolha tivermos (operações), mais provável será que alcancemos nossos resultados.

- Cada passo incorpora feedback que nos diz se a operação reduziu a diferença, ou não. O feedback nos dá informações sobre o que fazer em seguida para reduzir a diferença.

- O procedimento de evidência ou feedback final nos diz que o resultado foi alcançado, e então saímos do TOTS.

⊃ Ações complexas consistem em muitos TOTS diferentes, todos trabalhando simultânea e seqüencialmente. Muitas estratégias consistem em TOTS encaixados.

Contrastando Tots

Esta é uma maneira de aplicar a análise contrastante à maneira pela qual você lida com duas situações: uma na qual você atinge seu resultado e uma na qual não o alcança. A primeira utiliza um TOTS ineficaz; a segunda, um TOTS eficaz. Comparando e contrastando os dois, você pode mapear recursos do segundo para o primeiro.

É possível realizar esse exercício sozinho, embora seja mais fácil com a ajuda de outra pessoa.

⊃ Primeiro, pense em uma situação insatisfatória. Esse padrão funciona melhor se envolver outra pessoa com a qual está tendo problemas.

O que você está tentando alcançar aqui? Escreva seu resultado – pelo menos um, talvez mais.

Como você julga se está atingindo aquilo que deseja? Em que sinais você presta atenção? Em que feedback você está prestando atenção? Que ações você está empreendendo para obter o que deseja?

Como você vê a outra pessoa na situação?

⊃ Em segundo lugar, pense em uma situação similar na qual você tenha alcançado o que desejava e a situação transcorreu bem. Pode ser com a mesma pessoa, mas pode ser uma situação inteiramente diferente com uma outra pessoa.

Escreva suas respostas às mesmas perguntas com relação a essa situação.

⊃ Agora compare os dois conjuntos de respostas.

Como você poderia usar os recursos da situação bem-sucedida na situação malsucedida?

Que metas adicionais poderia estabelecer na situação difícil que poderiam fazer uma diferença?

A que novo feedback você prestaria atenção?

Em quantas maneiras diferentes você consegue pensar para obter o que deseja naquela situação?

Como pode pensar na outra pessoa de forma positiva?

⊃ Agora faça uma ponte ao futuro. Imagine a próxima vez em que você enfrentará a mesma pessoa em uma situação difícil. Imagine que terá os recursos que acaba de descobrir. Imagine agir de maneira diferente e observe como a situação pode se resolver de uma forma melhor. Ensaie a situação mentalmente e observe como será diferente.

⊃ Por fim, considere sua resposta na primeira situação. Há algum aspecto de sua vida onde isso poderia ser útil?

Eliciação de Estratégias

Haverá ocasiões nas quais você desejará descobrir a estratégia que outra pessoa está usando, quer para modelá-la porque é boa, quer para mudá-la porque não está obtendo os resultados que aquela pessoa deseja. Os passos são os seguintes:

1. Associe a pessoa à estratégia – ou oferecendo um contexto no qual possa demonstrá-la já, se for apropriada (por exemplo, se for uma estratégia de decisão, peça à pessoa que tome uma decisão sobre alguma coisa trivial, aqui e agora), ou associe-a a um momento passado no qual estava usando a estratégia. Seja o que for que fizer, mantenha-a associada na estratégia com o uso de linguagem no particípio presente. Isso permite filtrar as partes de qualquer estratégia de memória que a pessoa estiver usando para pensar em uma experiência passada da estratégia. Quando a pessoa estiver associada à estratégia, suas pistas de acesso serão para a estratégia, não para se lembrar dela.

2. Peça à pessoa que o guie através de sua estratégia, passo a passo. Use todas as pistas possíveis para mapear sua estratégia – movimentos oculares laterais, posturas, gestos, linguagem corporal e pistas de acesso, respostas verbais diretas e predicados.

3. Faça a distinção entre passos seqüenciais e passos simultâneos. Passos seqüenciais são separados por "então", passos simultâneos, por "e".

4. Preste atenção no processo da estratégia. Não se deixe atrair para o motivo para o qual a estratégia está sendo usada. Isso é conteúdo, e é irrelevante à estratégia. A estratégia é como um trem – os vagões podem carregar qualquer coisa.

5. Use perguntas do TOTS para encontrar os detalhes da estratégia – a pista, operações, testes e ponto de saída. Identifique as submodalidades críticas envolvidas.

Primeiro pergunte pelo resultado: "O que você está tentando alcançar ao fazer isso?"

Depois, pergunte pela pista que inicia a estratégia: "Qual é o primeiro passo nesse processo?"

Continue perguntando pelos passos seguintes: "O que você faz em seguida?"

Pergunte à pessoa como ela se move de um passo para o seguinte: "No que você presta atenção ao passar por esses passos?"

Pergunte pelo ponto de saída: "Como você sabe quando alcançou seu resultado?"

O ponto de saída é normalmente determinado quando uma submodalidade crítica alcança um nível de limiar. Assim, quando a imagem mental se tornar suficientemente brilhante, ou a sensação se tornar forte o suficiente, a pessoa saberá que atingiu seu resultado.

6. Ajude a pessoa repassando constantemente. Repasse os passos que tem até então para lembrá-la; continue perguntando: "E então...?"
7. Quando tiver eliciado a estratégia, experimente-a você mesmo. Faz sentido?
8. Guie a pessoa através da estratégia completa. Faz sentido para ela? Ela está congruente em que é assim que realiza a tarefa?

A eliciação de estratégias é uma das partes que mais exige habilidade na PNL. Você precisa de rapport, da capacidade de fazer perguntas de alta qualidade, ex-cepcional acuidade visual para ver as pistas de acesso e clareza quanto a para onde o processo está indo. É preciso ter a habilidade e a dedicação de qualquer dos lendários detetives, de Sherlock Holmes a Columbo. (Escolha seu estilo – chapéu e capa de chuva são opcionais!)

Notação de Estratégias

Quando você elicia uma estratégia, você desejará uma maneira fácil de anotá-la.

Ao eliciar, faça as seguintes perguntas a si mesmo sobre cada passo da estratégia e então codifique o passo de acordo.

1. *Qual sistema representacional está sendo utilizado?*

   V – visual

   A – auditivo

   C – cinestésico

   O – olfativo

   G – gustativo

2. O passo é interno (ocorre dentro da mente da pessoa) ou externo (relativo a algo no mundo exterior)?

   Use ^{e} para externo e ^{i} para interno. Por exemplo:

   Ve Olhar para algo no mundo externo.

   V^i Ver uma imagem interna.

3. Se o passo for interno, a representação é lembrada ou construída?

   Use $_l$ para lembrada e $_c$ para construída. Por exemplo:

   V^i_l imagem interna lembrada.

   V^i_c imagem interna construída.

Resumo

V	VISUAL
V^i	Visual interno (o que você vê internamente)
V^e	Visual externo (o que você vê externamente)
V^i_l	Visual interno lembrado (imagens lembradas)
V^i_c	Visual interno construído (imagens construídas)
V^d	Visual digital - ver palavras (podem ser construídas ou lembradas, por exemplo, ler um livro)
A	AUDITIVO
A^i	Auditivo interno (o que você ouve internamente)
A^e	Auditivo externo (o que você ouve de fora)
A^i_l	Auditivo interno lembrado (sons lembrados)
A^i_c	Auditivo interno construído (sons construídos, jamais ouvidos)
A^t	Auditivo tonal (sons que você ouve)
A^d	Auditivo digital (palavras que você ouve)
A^d_i	Auditivo de diálogo interno (falar consigo mesmo)
C	CINESTÉSICO
C^i	Cinestésico interno (o que você sente internamente)
C^e	Cinestésico externo (sua consciência corporal externa)
C^i_c	Cinestésico interno construído (o que você imagina sentir)
C^i_l	Cinestésico interno lembrado (o que você lembra ter sentido)
C^+	Cinestésico positivo (sensações agradáveis, confortáveis)
C^-	Cinestésico negativo (sensações desconfortáveis, desagradáveis)
C^m	Sensações sobre o último passo (metassensações)

A mesma notação se aplica aos sistemas Olfativos (O) e Gustativos (G).

Outros Símbolos

→	Leva ao próximo passo.
	(Exemplo: $V^i_l \rightarrow C^-$ Memória visual leva a uma sensação desagradável.)
/	Comparação.
	(Exemplo: A^i_l/A^e comparando um som lembrado com um som externo.)
(?)	Indecisão
—	Simultâneo.
	(Exemplo: $\dfrac{A^i_c}{V^i_l}$ Imagem e som internos simultâneos.)
{ }	Sinestesia.
	(Exemplo: $\{A^i_c \; V^i_l \; A^+\}$ VAC sinestesia positiva.

A notação pode parecer desajeitada, mas como qualquer notação, a intenção positiva por trás dela é a de transmitir o significado o mais precisa e concisamente possível.

Projetando Estratégias

Uma vez que tenha eliciado uma estratégia, você pode reprojetá-la, substituí-la ou aprimorá-la para alcançar um resultado diferente.

Uma estratégia possui três elementos básicos:

1. Um resultado
2. Uma seqüência de sistemas representacionais – operações TOTS
3. Distinções de submodalidades críticas que determinam o ponto de saída dos TOTSs

Não existem estratégias erradas. Estratégias sempre alcançam alguma coisa, embora isso possa não ser o que você deseja. Uma estratégia de decisão toma uma decisão; não há qualquer garantia de que seja uma boa decisão. Para que uma estratégia seja eficaz, ela precisa atender a certas condições:

➲ *Existe uma representação bem-definida do resultado.*

Sem isso, não haverá qualquer evidência clara de quando sair do TOTS.

➲ *Todos os três principais sistemas representacionais (VAC) são utilizados.*

Isto oferece o maior número de escolhas ou operações no TOTS.

◐ *Todos os* loops *têm pontos de saída.*

Sem uma saída bem-definida, a estratégia pode emperrar, e a pessoa agirá de forma aleatória para sair e não utilizará uma operação que a conecte ao resultado.

O limiar de uma submodalidade crítica freqüentemente determina o ponto de saída. Por exemplo, alguém pode ter dificuldade em decidir porque possui um limiar muito elevado para um sentimento positivo que lhe permita sair da estratégia. Poucas de suas decisões geram esse sentimento, portanto toma poucas decisões e, durante a maior parte do tempo, fica indeciso, à deriva.

◐ *A estratégia possui uma verificação externa. Contém representações tanto internas quanto externas.*

Sem uma verificação externa, a estratégia se arrisca a operar unicamente com base em adivinhação ou pressuposições descabidas sobre outras pessoas.

◐ *A estratégia utiliza o número mínimo de passos necessário para alcançar o resultado.*

Então, será eficiente.

◐ *A estratégia utiliza uma seqüência lógica.*

Estratégias eficazes devem ser capazes de ser ensinadas.

Instalando Estratégias

Poderá ser necessário que você instale uma nova estratégia. Se for esse o caso, você vai querer que funcione tão depressa e tão automaticamente quanto a estratégia antiga. Há cinco maneiras principais para instalar estratégias. Para melhores resultados, use uma combinação de todas as cinco.

◐ *Ancoragem*

Estratégias são uma seqüência de representações, portanto você pode usar âncoras para encadear um passo ao seguinte. À medida que for disparando as âncoras, você quer que o cliente atravesse rapidamente os passos da nova estratégia. Você pode usar âncoras espaciais e literalmente mover o cliente para a frente, passo a passo, à medida que ele vai de um passo da estratégia para o próximo. Então é possível "guiá-lo" através da estratégia finalizada cada vez mais rápido.

◐ *Pistas de acesso*

Ao instalar a estratégia, direcione as pistas de acesso do cliente para que sua linguagem corporal seja congruente com o passo e o torne mais fácil de acessar. Por exemplo, se estiver instalando uma voz (diálogo interno) para questionar se um curso de ação é ecológico, peça ao cliente que olhe para baixo e para a esquerda ao empreender aquele passo.

- *Repetição*

    Aprendemos rapidamente quando percebemos ser de nosso próprio interesse fazê-lo, e uma nova estratégia é uma forma poderosa de nos tornarmos eficazes. Ainda assim, é útil guiar o cliente através da nova estratégia várias vezes até que tenha certeza de que funcionará automaticamente e que o cliente não terá de pensar de forma consciente em que passo dar em seguida.

- *Ponte ao futuro e ensaio mental*

    Faça uma ponte ao futuro do cliente na nova estratégia e faça com que a ensaie mentalmente pelo menos três vezes.

- *Metáfora*

    Ofereça uma metáfora que guie o cliente através da estratégia. Você quer que a metáfora ilustre a estratégia e que seja interessante para que o cliente se associe à história.

Estratégia de Criatividade Disney

A estratégia Disney foi modelada por Robert Dilts com base em Walt Disney. É uma boa estratégia geral para pensamento criativo e é eficaz quando utilizada informalmente para sessões em equipe.

Pense no resultado ou na situação que deseja explorar. A estratégia Disney funciona bem em qualquer situação em que você precise formular um plano geral, para, por exemplo, uma apresentação ou um treinamento.

Você precisa ancorar três estados espacialmente: o sonhador, o realista e o crítico. Marque três espaços no chão, um para cada estado, para que possa entrar neles.

- *Posição do sonhador*

    Nesta posição, você cria possibilidades. Você é visionário, vendo o quadro maior. Seja criativo sem restrições.

    A posição do sonhador geralmente usa o sistema representacional visual.

    Pergunte a si mesmo: "O que desejo?"

◯ *Posição do realista*

Nesta posição, você organiza seus planos, avalia aquilo que é realmente possível, pensa de forma construtiva e elabora um plano de ação.

A posição do realista geralmente usa o sistema representacional cinestésico.

Pergunte a si mesmo: "O que farei para tornar esse plano realidade?"

◯ *Posição do crítico*

Esta é a posição onde você testa seu plano. Você está procurando problemas, dificuldades e conseqüências inesperadas. Pense no que pode dar errado, no que está faltando e quais os resultados positivos.

A posição do crítico geralmente usa o sistema representacional auditivo (diálogo interno).

Pergunte a si mesmo: "O que pode dar errado?"

Se não tiver experiências pessoais desses estados, então:

◯ Use o quadro "como se". Como seria ser assim?

◯ Ou pense em um modelo que seja bom no estado e coloque-se em segunda posição com essa pessoa.

Uma vez que tenha decidido as três posições, siga os seguintes passos:

1. Pense em um momento em que você foi muito criativo sem restrições e então entre no local do sonhador. Reviva aquele momento. Isso ancorará espacialmente os recursos do estado sonhador àquele ponto. Saia.

2. Quebre o estado.

3. Pense em um momento no qual você pôs um plano de ação em operação de forma construtiva. Entre na posição do realista e reviva aquele momento. Ancore aqueles recursos ali espacialmente e então saia da posição.

4. Quebre o estado.

5. Pense em um momento no qual você foi capaz de criticar um plano construtivamente, com a intenção de torná-lo mais eficaz. Entre no espaço do crítico e reviva aquele momento. Ancore aqueles recursos ali espacialmente e então saia da posição

6. Quebre o estado.

7. Pegue o resultado que deseja explorar e entre no espaço do sonhador. Entre no estado de sonhador que você ancorou naquele local. Seja criativo quanto ao resultado. Visualize quantas possibilidades puder. Não edite nem avalie; faça um *brainstorming* e busque todas as possibilidades.

8. Em seguida, entre na posição do realista e pense em seus sonhos. Organize as idéias em uma seqüência realista. Como poria esses planos em prática? Como realizaria essas coisas. O que é realista alcançar?

9. Agora entre no espaço do crítico e avalie o plano. Explore o que está faltando e o que é necessário. O que poderia dar errado? Quais as vantagens para você e para outros? É ecológico? A posição do crítico não é uma posição hostil. A intenção positiva do crítico é tornar o plano melhor. O crítico deve criticar o *plano*, não o sonhador nem o realista por terem elaborado o plano.

10. Por fim, volte à posição do sonhador e pense em mais possibilidades à luz das informações que adicionou nas posições do realista e do crítico. Passe pelas três posições em qualquer ordem que lhe pareça certa até que esteja satisfeito.

Esse exercício é um excelente exercício para equipe. Muitas equipes não trabalham bem por terem uma preponderância de um tipo de pensamento. Equipes com muitos sonhadores elaboram planos maravilhosos, mas jamais os acionam. Equipes com muitos realistas agem cedo demais e tentam implementar o plano antes que esteja completo. Equipes com muitos críticos freqüentemente não vão a lugar algum porque nenhum plano é perfeito o suficiente para sua aprovação.

Gerador de Novos Comportamentos

O gerador de novos comportamentos é a estratégia que está no cerne do ensaio mental. Ele o ajuda a melhorar uma habilidade existente ou a aprender uma nova. Pode ser usado para seu próprio desenvolvimento pessoal ou para *coaching* de outros no trabalho ou nos esportes.

Os princípios do gerador de novos comportamentos são:

1. Imaginar sua meta em contexto.

2. Usar ensaio mental dissociado para aprendizagem.

3. Usar ensaio mental associado para prática e aperfeiçoamento.

⊃ **Decida quanto ao que você quer melhorar ou que novo comportamento deseja aprender.**

Você pode querer ter mais recursos em uma determinada situação, ou pode querer melhorar suas habilidades nos esportes ou ao fazer treinamentos ou apresentações.

- O primeiro passo é o diálogo interno (A^i_d). Pergunte-se: "O que desejo fazer de forma diferente? Como eu pareceria e soaria se estivesse fazendo isso exatamente como desejo fazê-lo?"

- Relaxe. Deixe as imagens e os sons emergirem. Olhe para cima e veja (V^i_c) a si mesmo desempenhando a habilidade exatamente como deseja fazê-lo. Se isso for difícil, pense em alguém que faça isso muito bem e olhe e ouça essa pessoa em sua imaginação. Finja que é diretor de seu próprio filme. Você deseja fazer com que esse filme seja o melhor possível. Edite-o até que esteja completamente satisfeito.

- Quando estiver satisfeito, associe-se à imagem. Agora imagine que está efetivamente fazendo o que viu. Olhe para baixo e acesse o sistema cinestésico (C^i). Como se sente? Se não lhe parecer certo, volte para o passo três e faça ajustes adicionais. Se outras pessoas estiverem envolvidas, qual será o efeito sobre elas? Verifique a ecologia.

- Quando estiver satisfeito com seu desempenho de uma perspectiva associada, pense em que pista ou gatilho o lembrará de usar essa nova habilidade no futuro.

- Faça uma ponte ao futuro. Imagine o gatilho disparando. Imagine-se respondendo de sua nova maneira e desfrute da sensação que tem em relação a isso.

Modelagem

A PNL é uma estratégia de aprendizagem acelerada para a detecção e utilização de padrões no mundo.

John Grinder

Trabalhar com estratégias e com o TOTS nos leva naturalmente à modelagem, o processo que criou todas as técnicas da PNL. A modelagem possui um princípio básico:

Se uma pessoa pode fazer alguma coisa, então é possível modelar isso e ensiná-lo a outros.

Um modelo é uma cópia resumida, distorcida e generalizada do original e, portanto, jamais poderá haver um modelo completo. Um modelo não é verdadeiro. Um modelo pode apenas funcionar – ou não. Se funcionar, permite que uma pessoa obtenha a mesma classe de resultados atingida pela pessoa de quem o modelo foi tomado. Você jamais poderá obter *exatamente* os mesmos resultados – porque todo mundo é diferente, cada pessoa reunirá os elementos de sua própria forma singular. A modelagem não cria clones – ela oferece uma oportunidade de ir além de suas limitações atuais.

A modelagem de pessoas excepcionais criou os padrões básicos de PNL. O primeiro modelo da PNL foi o Metamodelo (modelado de Virginia Satir e Fritz Perls e refinado com o uso de idéias da Gramática Transformacional de Chomsky). O segundo modelo foi o dos sistemas representacionais, e o terceiro foi o Modelo Milton (modelado de Milton Erickson). Para que a PNL sobreviva como disciplina, corpo de conhecimento e metodologia, ela precisa continuar a criar mais modelos tirados de todos os campos – esportes, negócios, vendas, educação, consultoria, treinamento, direito, relacionamentos, educação de filhos e saúde.

As possibilidades são ilimitadas. Você pode modelar:

- a manutenção de boa saúde ou a superação de uma doença
- excelentes habilidades em vendas
- habilidades de liderança
- realizações excepcionais em esportes
- professores excelentes
- pensamento estratégico

... e mais.

Um modelo na PNL normalmente consiste em:

- estratégias mentais
- crenças e valores
- fisiologia (comportamento externo)
- contexto no qual a pessoa sendo modelada está operando

O processo completo de modelagem envolve:

Eliciação: a descoberta de padrões da experiência

Codificação: a descrição desses padrões em termos de distinções da PNL, criando novas distinções ou usando as distinções tiradas da pessoa que está sendo modelada

Utilização: a exploração de meios para usar esses padrões

Propagação: a criação de um método de ensino para transferir o modelo a outros

Plano de Ação

1. Certamente existe alguém que você admira e que tenha uma habilidade que você gostaria de ter. Escolha uma simples habilidade interpessoal – talvez a capacidade de imediatamente deixar uma pessoa à vontade, de contar piadas bem ou de obter a confiança de crianças.

2. Engaje em um pouco de modelagem informal. Pergunte à pessoa com a habilidade como ela faz. A maioria das pessoas fica feliz quando perguntada sobre suas realizações, especialmente se para elas pode não ser algo muito especial. Todos nós temos habilidades que não valorizamos como algo incomum porque nos vêm facilmente. No entanto, para outros, essas habilidades podem ser muito especiais, mesmo. Sempre subvalorizamos aquilo que nos é familiar.

   As perguntas de modelagem do TOTS são excelentes para essa modelagem informal – o que inicia uma seqüência, qual seu resultado, o que fazem, no que prestam atenção e o que fazem quando não está funcionando?

3. Você pode tentar isso consigo mesmo, com sua estratégia para comprar roupas.
   - O que acontece primeiro?
   - Você tem uma imagem de você mesmo nessas roupas?
   - Você imagina sua aparência da perspectiva de outra pessoa?
   - Você imagina o que as outras pessoas estão dizendo?
   - O quão importante é a sensação táctil das roupas?
   - Qual é a última coisa que tem que acontecer para que você compre?

4. Como você se motiva?
   - Pense em alguma tarefa que você não escolheria fazer, mas que precisa fazer de qualquer jeito.
   - Há uma voz interna?
   - O que ela diz?
   - Que tonalidade ela usa?
   - Como você vê a tarefa?
   - Você espera até que se sinta suficientemente mal antes de fazê-la, para que isso elimine a sensação ruim? Ou você pensa de forma positiva e sente-se bem após tê-la feito?

   Estratégias de motivação são interessantes, e muitas pessoas são duras consigo mesmas. Elas têm um valentão ou um sargento-mór interno para mandar nelas em vez de um *coach* interno para encorajá-las.

Estratégias de motivação eficazes têm alguns pontos em comum:

- Se houver uma voz interna, ela tem um tom agradável e diz: "Eu posso..." ou: "Eu vou...", não: "Eu devo..." ou: "Eu tenho que..."
- Existe uma imagem da tarefa *finalizada*, ou todas as conseqüências de concluir a tarefa, em vez do processo de *realizar* a tarefa.
- A tarefa é decomposta em pedaços gerenciáveis e não imaginada toda de uma vez.
- Os benefícios de realizá-la são destacados, em vez das desagradáveis conseqüências de não realizá-la.
- A tarefa é ligada a um valor em um nível mais elevado do que o da tarefa em si.

Capítulo 9

Linguagem

Sempre que palavras o impedirem de fazer aquilo que é importante para você – mude as palavras.

Moshe Feldenkreis

A Programação Neurolingüística explora como seus pensamentos (neuro) são afetados por palavras (lingüística), levando à ação (programação).

A linguagem é parte do ser humano: é a base da vida social. Conviver significa nos comunicarmos com outros, e a linguagem nos permite fazer isso. Torna nosso mundo interior visível, audível e tangível a outros. Permite-nos compartilhar um mundo de experiência e comunicar idéias abstratas, compreender e sermos compreendidos.

A linguagem nos dá uma liberdade tremenda, dentro de determinados limites. Não necessariamente limita nossos pensamentos, mas limita a sua expressão para outros, e isso pode levar a mal-entendidos de duas formas. Primeiro, as palavras que usamos podem ser inadequadas para descrever nossos pensamentos, e segundo, outros podem não atribuir o mesmo significado às palavras que nós atribuímos, porque têm vidas diferentes e diferentes experiências. A linguagem é compartilhada, mas o significado é criado individualmente e pode não ser compartilhado. As mesmas palavras podem significar coisas diferentes para pessoas diferentes.

A linguagem comunica eventos e experiências de formas que advêm da construção da própria linguagem, em vez de a partir da experiência que a constrói.

Por exemplo, eu poderia dizer: "Está ventando, e isso faz as folhas caírem das árvores". Estou isolando determinadas correntes de ar e tornando-as a causa da queda das folhas. A causa efetiva é mais complicada. Poderia dizer "Você me entristece." Mais uma vez, estou atribuindo a você a causa única de minha tristeza quando a realidade é muito mais complexa.

Dizemos que consistimos em duas partes: mente e corpo. Essas são duas palavras. Nós nos experimentamos como um só sistema; nem mente nem corpo existem um sem o outro. Palavras dividem o mundo em duas categorias que as próprias palavras impõem. Então, agimos como se essas categorias fossem reais e nos esquecemos de que as criamos.

A linguagem não é real da mesma forma que a experiência o é.

Na verdade, não sabemos o que a realidade é. Até mesmo ao inventarmos a palavra "realidade", supomos alguma coisa a respeito do termo. Dizemos que deve haver muito mais possibilidades de experiência no mundo do que as poucas que percebemos através de nossos sentidos. Estes são receptores de banda estreita de um largo espectro de mensagens possíveis. Podemos apenas especular sobre o que mais é passível de existir lá fora. A não ser que tenhamos o aparelho sensorial para percebê-lo ou possamos construir os instrumentos (ex.: um aparelho de raios-X) para fazê-lo, não existe para nós. Assim, criamos a "nossa" realidade a partir de nossa experiência sensorial. Isso é nosso "território". Isso é o que é real para nós. Então, falamos a respeito.

Palavras levam tempo; elas reduzem a enorme enxurrada de experiência sensorial a um pequeno riacho de palavras. Formam nosso mapa de experiências.

O mapa (palavras) não é o território (experiência sensorial).

Confundir palavras com a experiência que representam leva a três mal-entendidos:

1. *Traduzimos nossa experiência para linguagem e confundimos a linguagem com a experiência quando são apenas um reflexo incompleto. Podemos achar que nossa experiência é construída da mesma maneira que é a linguagem que usa-*

mos para falar a respeito e agir dentro desses limites. Permitimos que as palavras nos limitem. Estas nos barram de escolha, ação e compreensão mais amplas.

2. *Podemos supor erradamente que outros compartilham nossas suposições e assim omitirmos partes vitais de nossa mensagem. Isso confundirá outras pessoas, muito embora não tenhamos a intenção de enganá-las.*

3. *Entendemos mal os outros porque preenchemos as lacunas entre suas palavras com base em nosso mapa da realidade, em vez de descobrirmos o mapa deles. Pensamos, erradamente, que como compartilhamos a mesma linguagem, também compartilhamos a mesma experiência. Podemos, então, chegar a conclusões erradas.*

A linguagem *deleta* parte de nossa experiência. É lenta demais para expressar todas as informações sobre uma experiência, e assim temos que decidir o que selecionar, e isso significa omitirmos muitos aspectos.

A linguagem *generaliza*, ao aplicar regras de exemplos únicos a um contexto muito mais amplo. Precisamos ter cuidado com os exemplos em que nos baseamos para generalizar.

A linguagem *distorce* a experiência – atribui maior peso a alguns elementos e minimiza outros. Ela não reflete a experiência exatamente. Precisamos nos certificar de que pontos importantes não sejam distorcidos a ponto de se tornarem irreconhecíveis.

Na maior parte do tempo, no entanto, temos suficientes antecedentes e significado para que a linguagem seja um mapa extremamente útil. Linguagem compartilhada, contexto compartilhado e bom rapport, todos nos ajudam a nos compreendermos uns aos outros.

A Linguagem Como Sistema Representacional

A linguagem é um sistema representacional em si mesmo. Pensamos em palavras além de em imagens, sons, sensações, sabores e odores. No entanto, a linguagem não é um sistema representacional primário – não é uma experiência primária como outras experiências sensoriais. A linguagem é transmitida por sons.

A linguagem é freqüentemente considerada como o sistema representacional digital, porque palavras são digitais – são ditas ou não; você não pode ter mais ou menos de uma palavra. As pessoas que usam principalmente a linguagem para pensar freqüentemente parecem ser um tanto desprovidas de emoção, porque palavras estão um passo afastadas da experiência sensorial primária.

Podemos usar a linguagem para falarmos de coisas que jamais experimentamos, quer existam, quer não. Por exemplo, posso falar de um saltitante elefante verde, e você pode imaginar um tal animal, muito embora jamais o vá ver a não ser que se pinte um elefante verdadeiro de verde e o coloque em uma cama elástica especialmente reforçada!

Palavras são âncoras para a experiência – induzem estados e refletem idéias e compreensão. A linguagem também pode ser vista como uma metáfora – aponta coisas além de si mesma, como um dedo apontando para a lua, e é sempre a lua que é mais importante que o dedo. Jamais confunda a placa de sinalização com o destino.

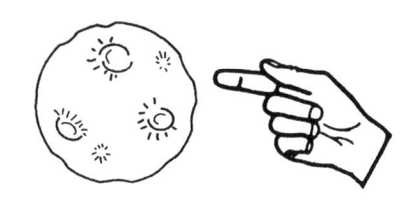

Deleção ou Omissão, Generalização e Distorção

Quando falamos, tomamos a riqueza de nossa experiência sensorial e tentamos transmiti-la com palavras. A experiência se transforma de três formas quando fazemos isso:

Deleção: omitimos certos aspectos.

Generalização: consideramos um exemplo como representativo de uma classe de experiências.

Distorção: atribuímos mais peso a alguns aspectos do que a outros.

Deleção ou Omissão

Não podemos transmitir tudo sobre uma experiência em palavras. Omitimos algumas partes por não termos palavras para expressá-las, outras por pensarmos serem menos importantes e ainda outras porque sequer as notamos no momento. Estou usando a deleção enquanto escrevo – de todas as coisas que poderia dizer sobre a deleção, estou selecionando algumas e descartando outras. Às vezes, deletamos informações cruciais (mas espero que eu não o tenha feito).

A deleção é essencial, caso contrário seríamos sobrepujados pela nossa experiência. Um dos problemas com a *World Wide Web* é que há informações demais. Uma busca descobrirá milhares de respostas possíveis; a *Web* não tem um senso de deleção bom o suficiente para ser verdadeiramente útil. Sem deleção, ficamos parados, atordoados, confusos e paralisados em um mundo rico demais em informações; não sabemos o que fazer primeiro.

A deleção não é nem boa nem ruim em si mesma. Depende daquilo que deletamos. Quando alguém está postulando entediantemente sobre algo trivial, você poderá desejar que a pessoa use um pouco mais de deleção, mas pessoas que usam muita deleção em seu processo de raciocínio tendem a dar grandes saltos de lógica, e pode ser difícil acompanhar sua linha de argumentação. Tais pessoas também podem ser capazes de se concentrar muito bem, no entanto, porque são capazes de eliminar as distrações. Algumas pessoas vão além e deletam tudo que não desejam ouvir!

Para compreender o que seja deleção, olhe para o ponto abaixo. Mantenha o papel a cerca de 15 centímetros de seu rosto. Feche o olho esquerdo e olhe para o ponto com o olho direito apenas. *Continue a olhar diretamente para a frente* e lentamente mova o papel para a sua direita. Após um curto espaço de tempo, o ponto desaparecerá, porque a imagem do ponto está entrando no ponto cego de seu olho direito, onde o nervo óptico entra na retina vindo do cérebro, e essas células não são sensíveis à luz.

●

Deleções são os pontos cegos em nossa experiência.

Generalização

Generalizamos quando consideramos um só exemplo como representativo de todo um grupo. Por exemplo, vemos como nossos pais tratam um ao outro e tomamos isso como modelo de como homens e mulheres convivem. Criamos categorias, classes e pedaços de informações a partir de exemplos únicos e então utilizamos essas mesmas categorias para processar novas informações. Sempre que passamos de exemplos únicos para conclusões gerais, utilizamos a generalização.

A generalização é a base da aprendizagem. Aprendemos regras a partir de exemplos representativos cuidadosamente selecionados e aplicamos esses exemplos para compreendermos novos exemplos. Nossas crenças são generalizações; elas nos dão meios de prever o mundo com base naquilo que experimentamos antes. As regras da matemática são generalizações como também o são leis científicas. Não tratamos nossas crenças com o mesmo rigor utilizado pela ciência na formulação de suas leis. Uma lei científica é considerada o melhor palpite, uma aproximação baseada em conhecimento presente. Novas informações que se encaixem não comprovam a lei, mas a mantêm imutada. Novas informações que não se encaixem significam que a lei deve ser repensada, redefinida ou sucateada em favor de uma melhor. Não formamos nossas crenças dessa forma. Consideramo-las verdadeiras e prestamos atenção a instâncias que as confirmam, mas freqüentemente descartamos a experiência que as desafia.

A generalização é perigosa quando:

- Generalizamos a partir de uma experiência inusitada ou não-representativa e esperamos que instâncias futuras se encaixem nesse padrão.

- Generalizamos corretamente no momento e formulamos uma regra, mas não atentamos para exceções. Exceções não comprovam a regra – elas a derrubam!

Pessoas que generalizam muito podem ser muito seguras de si. Podem ver o mundo em categorias fixas e ser um tanto inflexíveis em seu modo de pensar. Podem ser rápidas em ver princípios gerais por trás de exemplos específicos e ser boas em detecção de padrões.

Distorção

A distorção é como mudamos nossa experiência. Podemos distorcer de muitas maneiras. Podemos florear uma experiência, torná-la maior, menor, mais diluída, mais concentrada; podemos "inflá-la fora de toda proporção", podemos alterar a seqüência de eventos, acrescentar coisas que não aconteceram... Se alguma vez já vislumbrou uma pilha de roupas pelo canto do olho e por um instante pensou se tratar de um animal, você sabe o que é distorção.

Eis outro exemplo de como a distorção funciona na prática. Você chega atrasado para uma reunião de negócios e sabe que seu chefe não gosta disso. Um pouco mais tarde, você o vê olhar em sua direção e falar rapidamente com outro gerente. Você supõe que estão falando de você e que o chefe está fazendo um comentário pouco lisonjeiro sobre sua pontualidade. No dia seguinte, ele lhe dá um projeto muito difícil para gerenciar. Você poderá supor que ele fez isso para puni-lo. Então, você poderá dizer a seus amigos que seu chefe não gosta de você e lhe dá trabalho extra que você não merece. Isso distorceria sua experiência em dois níveis: ao supor que seu chefe estava falando de você e ao supor que ele o estava punindo. Você poderá espalhar uma história longe de ser verdadeira.

A distorção, como a deleção, não é boa nem má. Depende do que e do como você distorce. A distorção pode torná-lo infeliz e paranóico. Também é a base da criatividade, do talento artístico e do pensamento original. Pessoas que distorcem sua experiência mais do que seria comum podem ser pensadores muito criativos. Também podem chegar a conclusões precipitadas, supor motivos com muito pouca evidência e surpreendê-lo com suas interpretações daquilo que você diz.

Eis uma analogia visual da distorção, conhecida como uma figura de Hering. As linhas horizontais parecem tortas, mas na realidade, são retas.

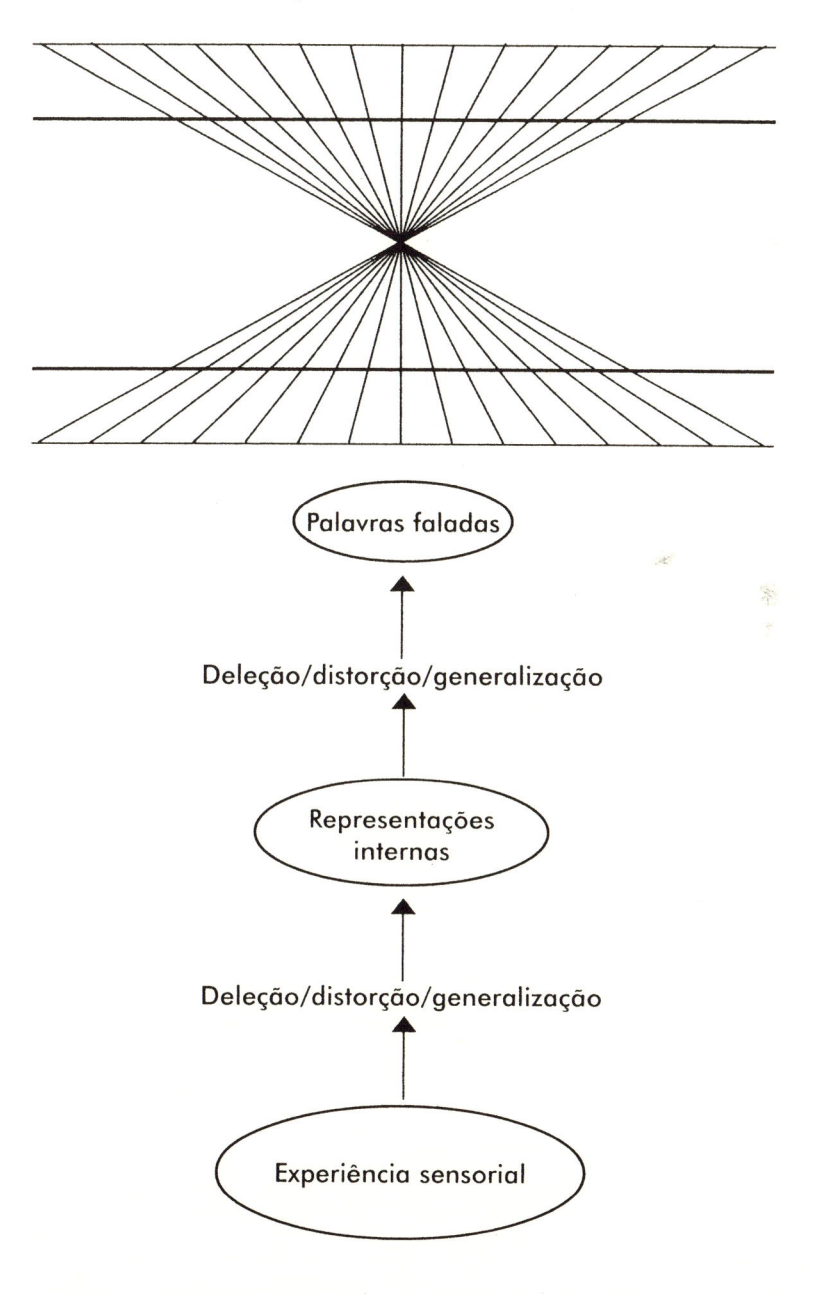

Deleção, generalização e distorção são formas naturais de pensar. Não são erradas, nem devemos tentar impedi-las. São os princípios de modelagem da PNL. Quando vemos um padrão de habilidades, criamos um modelo, deletando, distorcendo e generalizando aquilo que vemos para gerar um modelo que possa ser utilizado. Inevitavelmente, selecionamos, mudamos e impomos padrões.

Precisamos estar conscientes de onde e como aplicamos esses três processos universais e se temos preferência por um deles.

A PNL sugere que deletamos, distorcemos e generalizamos nossa experiência quando a transformamos em representações internas. Então, nossa escolha de palavras para descrever essas experiências deleta, distorce e generaliza tudo mais uma vez.

Estrutura Profunda e Estrutura Superficial

A estrutura profunda é tudo que sabemos sobre uma experiência e é inconsciente. Parte dela é indescritível em palavras – parte será pré-verbal; outras partes terão distinções para as quais não temos palavras descritivas. A partir

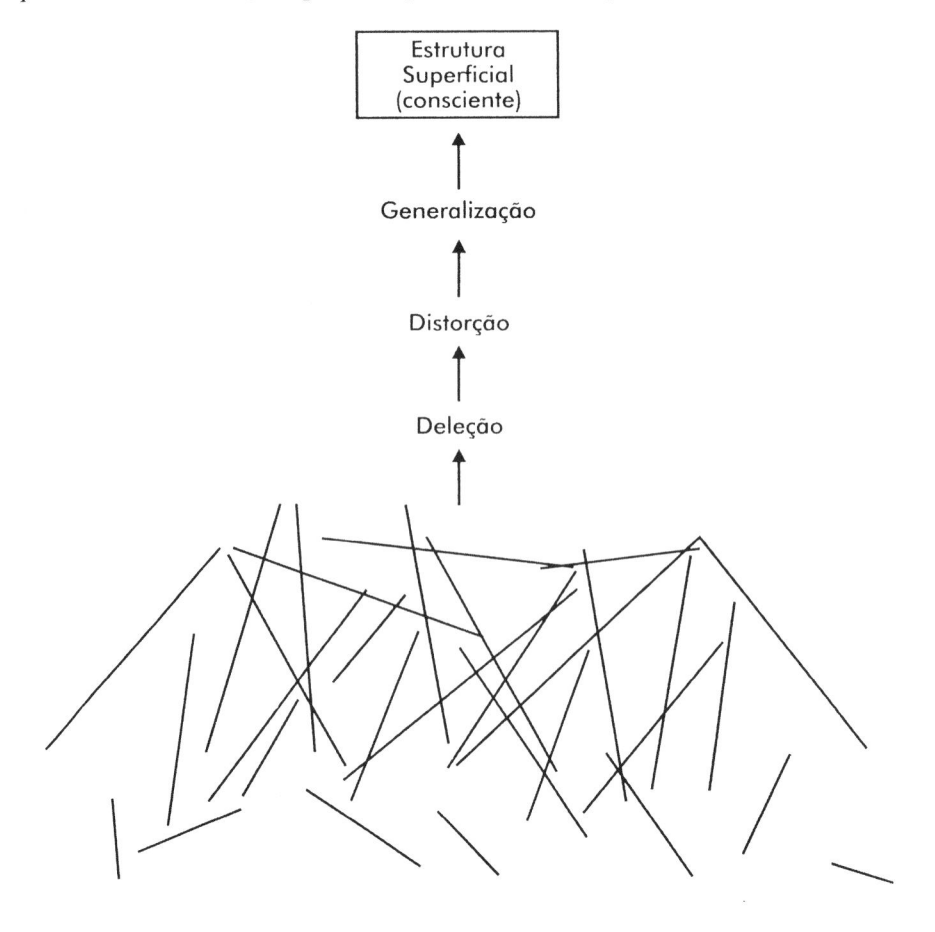

```
        ┌──────────────┐
        │  Estrutura   │
        │ Superficial  │
        │ (consciente) │
        └──────────────┘
               ↑
        Generalização
               ↑
          Distorção
               ↑
           Deleção
               ↑
```

dessa estrutura profunda criamos uma estrutura superficial – transformamos a estrutura profunda em uma forma que podemos comunicar usando palavras, tonalidade e linguagem corporal. Criamos uma estrutura superficial que podemos compreender e comunicar a outros.

A estrutura superficial não pode de maneira alguma conter tudo que existe na estrutura profunda – nós deletamos, distorcemos e generalizamos alguns aspectos.

Às vezes, essa estrutura superfícial é "boa o suficiente" para nossos propósitos. As vezes, não é, e então não seremos bem compreendidos.

Perguntas e Busca ou Pesquisa Transderivacional

Uma das maneiras de evitar mal-entendidos é fazer perguntas que recuperem informações, esclareçam significado e acrescentem escolhas.

Perguntas são poderosas. É impossível não responder a uma pergunta – você precisa pensar em sua experiência mesmo que não tenha uma resposta. Perguntas provocam uma "busca transderivacional". Uma busca ou pesquisa transderivacional é quando você vasculha suas idéias, recordações e experiências em busca de algo que permitirá fazer sentido da pergunta. Nesse sentido, a forma da pergunta estabelece limites à extensão de sua busca.

Perguntas podem ser feitas a partir de diferentes posicionamentos perceptuais. Elas têm um foco e uso diferentes dependendo do posicionamento perceptual a partir do qual você as faz. Podem ser internas (dirigidas a você mesmo) ou externas (dirigidas a outros). Podem ser diretas (buscando a verdade) ou manipuladoras (tentando obter uma resposta específica em prol de seus próprios propósitos). Contêm suposições. Essas podem abrir áreas de experiência ou então fechá-las.

Perguntas podem ser fechadas ou abertas. Perguntas fechadas são projetadas para fechar possibilidades e podem ser respondidas com um simples "sim" ou "não". Perguntas abertas são as que abrem possibilidades e não podem ser respondidas com um simples "sim" ou "não". Perguntas abertas começam com "o que", "quem", "por que", "quando", "onde" e "como":

O quê?

    busca informações

    elicia resultados

Quem?

    busca informações sobre pessoas

Por quê?
    busca justificativas e motivos para ações

    busca valores

    atribui culpa

    busca significado

    procura causas passadas

Quando?
    orienta no tempo

    busca informações limitadas pelo tempo (passado, presente ou futuro)

    pede gatilhos ou pistas para ação

Onde?
    pede informações sobre locais

Como?
    explora o processo

    modela o processo

    elicia estratégias

    pede qualidade e quantidade (Quantos? Quanto?)

O que Perguntas podem Fazer?

- eliciar estados
- obter informações
- oferecer escolhas ou eliminá-las, dependendo da pressuposição
- direcionar atenção e assim criar realidade
- causar uma busca transderivacional
- modelar estratégias
- eliciar recursos
- desafiar suposições
- orientar no tempo, perguntando sobre passado, presente ou futuro
- eliciar resultados
- associar ou dissociar

- oferecer estratégias
- construir (ou quebrar) rapport
- resumir
- eliciar valores

Perguntas sobre Perguntas
- Qual é a pergunta mais útil que posso fazer agora mesmo?
- O que não sei que faria diferença se soubesse?
- Qual a pergunta que posso fazer que mais ajudará meu companheiro?
- Qual a pergunta que me aproximará mais de meu resultado?
- Será que preciso mesmo fazer alguma pergunta?

Capítulo 10

O Metamodelo

Se o pensamento corrompe a linguagem, a linguagem pode também corromper o pensamento.

George Orwell

Comunicamo-nos em palavras, deletando, distorcendo e generalizando a estrutura profunda de nossa experiência para formar uma estrutura superficial falada. O Metamodelo é um conjunto de padrões de linguagem e perguntas que reconectam as deleções, distorções e generalizações à experiência que as gerou. As perguntas do Metamodelo fazem a "engenharia inversa" da linguagem, trabalhando a estrutura superficial para obter *insight* sobre estrutura profunda por trás dela.

O Metamodelo foi o primeiro modelo da PNL a ser desenvolvido. John Grinder e Richard Bandler modelaram as habilidades lingüísticas dos terapeutas Virginia Satir e Fritz Perls. Combinaram isso com as pesquisas de John Grinder em gramática transformacional e publicaram os resultados como o

Metamodelo no livro *The Structure of Magic* Volume I (Science and Behaviour Books, 1975).

O nome "Metamodelo" surgiu porque "meta" significa "acima" ou "além"; portanto o Metamodelo é um modelo de linguagem sobre linguagem, esclarecendo linguagem com o uso da própria linguagem.

O Metamodelo consiste em 13 padrões divididos em três categorias:

Deleções ou Omissões

Informações importantes são omitidas, e isso limita pensamento e ação.

Os padrões de deleção do Metamodelo são:

deleções simples
índice referencial não-especificado
verbos não-especificados
julgamentos
comparações

Generalizações

Um exemplo é considerado como representativo de uma classe de forma que estreita possibilidades.

Os padrões de generalização do Metamodelo são:

operadores modais de necessidade
operadores modais de possibilidade
universais ou quantificadores universais

Distorções

Informações são distorcidas de uma forma que limita a escolha e leva a problemas e dor desnecessários.

Os padrões de distorção do Metamodelo são:

nominalizações
leitura mental
causa e efeito
equivalentes complexos ou equivalência complexa
pressuposições

O Que Faz o Metamodelo?

- Coleta informações.

    Ao desafiar deleções, o Metamodelo recupera informações *importantes que foram omitidas da estrutura superficial.*

- Esclarece significado.

    Oferece uma estrutura sistemática para perguntar: "O que exatamente você quer dizer?" Quando você não compreende o que outra pessoa está querendo dizer, isso é a sua pista para fazer perguntas de Metamodelo.

- Identifica limites.

    Ao desafiar as regras e generalizações que você está aplicando ao seu pensamento, as perguntas do Metamodelo mostram onde você está se limitando e onde poderia ser mais livre e mais criativo.

- Oferece mais escolhas.

    Ao mostrar os limites de linguagem e pensamento, especialmente onde distorções estão limitando o pensamento claro e a ação, o Metamodelo expande seu mapa do mundo. Não dá a resposta certa, ou o mapa certo, mas enriquece o que você tem.

Padrões do Metamodelo: Deleções

Deleções ou omissões simples

Uma deleção simples ocorre quando algo importante é omitido de uma sentença, por exemplo:

"Vá e faça isso."
"Quando vir isso, pegue."
"Aquilo é importante."
"Me sinto mal."
"Não sei nada daquilo."
"Estive fora."
"Não posso."

Você freqüentemente verá as palavras "isso" e "aquilo" em sentenças com deleções simples. É preciso recuperar as informações faltantes com perguntas abertas.

"Vá e faça isso." "Exatamente o que você quer que eu faça?"

"Me sinto mal." "Exatamente em relação a que você se sente mal?"

"Estive fora." "Onde você esteve?"

Questione deleções simples perguntando: "Exatamente o que ou onde ou quando...?"

Índice referencial não-especificado

Um índice referencial é a pessoa ou a coisa que empreende ação ou é afetada por uma ação. Quando isso não é especificado, lhe resta algo que está sendo feito sem que alguém o esteja fazendo. Por exemplo:

"Erros foram cometidos."

"É agradável para nós passear em um jardim."
(Essa forma é o padrão de Metamodelo favorito da família real britânica.)

"Ninguém gosta de mim."

"Eles não se importam."

Procure ouvir palavras como "ele", "ela", "eles", e "nós".

A voz passiva é um bom exemplo desse padrão. Um verbo na voz passiva diz que algo foi feito em vez de uma pessoa ter feito algo. "John me bateu" é um verbo na voz ativa com um índice referencial especificado (John). "Fui atingido" é um verbo na voz passiva sem qualquer índice referencial (ninguém bateu – pelo menos na sentença). A voz passiva remove responsabilidade.

É uma mágica de desaparecimento da lingüística – a pessoa responsável desaparece. Talvez por causa disso seja muito popular em política.

O padrão também é facilmente questionável. Pergunte sobre a pessoa desaparecida.

"Erros foram cometidos." "Quem cometeu os erros?"

"Ele gosta de mim." "Quem gosta de você?"

"Eles não se importam." "Quem, exatamente, não se importa?"

Questione o índice referencial não especificado, perguntando: "Quem, exatamente...?"

Verbos não-especificados

Um verbo não-especificado deleta exatamente como um evento ocorreu.

"Eles estavam pensando."

"Eu o convenci a fazê-lo."

"Impressionei-a bastante."

Questione esse padrão, descobrindo exatamente como o evento ocorreu.

"Eles estavam pensando."

"Exatamente como estavam pensando?"
(A teoria de sistemas representacionais da PNL é uma tentativa de especificar o verbo "pensar".)

"Eu o convenci a fazê-lo." "Exatamente como o convenceu a fazê-lo?"

"Impressionei-a bastante." "Exatamente como você fez isso?"

Questione verbos não-especificados perguntando: "Exatamente como... ?"

Eis uma história que ilustra deleções.

Era uma vez quatro pessoas chamadas Todo Mundo, Alguém, Qualquer Um e Ninguém.

Havia uma tarefa importante a ser realizada e Todo Mundo tinha certeza de que Alguém a faria. Qualquer Um poderia tê-la realizado, mas Ninguém o fez.

Alguém ficou zangado com isso porque na verdade era uma tarefa de Todo Mundo. Todo Mundo pensou que Qualquer Um poderia fazê-la, mas ninguém percebeu que Todo Mundo não a faria.

Todo Mundo culpou Alguém, e Ninguém Acusou Qualquer Um.

Todo Mundo ficou muito aborrecido quando Alguém o acusou de ser preguiçoso. Ninguém queria briga, mas Alguém começou uma. Todo Mundo se machucou; Ninguém pediu desculpas, e seria difícil para Qualquer Um adivinhar o que teria acontecido se Alguém não os tivesse apaziguado.

Padrões de Metamodelo: Comparações

Uma comparação compara uma coisa a outra para avaliá-la, por exemplo:

"Ele é melhor jogador."

"Eu fiz isso mal."

"A PNL é mais eficaz."

"Isso é mais fácil."

"Você é mais gentil."

Procure e ouça palavras como "melhor", "pior", "mais fácil", "bom" e "ruim".

Certifique-se de que exista uma base para comparação. Quando não houver, pergunte a respeito da comparação, por exemplo:

"Ele é melhor jogador." "Melhor do que quem?"

"Eu fiz isso mal." "Mal em comparação a quê?"

"A PNL é mais eficaz." "Mais eficaz do que o quê?"

Comparações podem ser muito importantes. Freqüentemente são usadas para motivar pessoas ao estabelecerem um padrão ao qual aspirar. No entanto, o padrão pode ser pouco realista ou inapropriado.

Às vezes as comparações devem ser internas – por exemplo, você poderá precisar comparar sua posição atual com onde você estava em um estágio anterior para julgar o seu progresso. Às vezes, comparações devem ser externas – quando você se compara a alguém melhor ou pior do que você.

Uma maneira certa de se ficar deprimido e desmotivado é se comparando a um modelo de desempenho inadequado e pouco realista e deletando a base de comparação. Você acabará se sentindo inadequado sem saber exatamente por quê. Muitas pessoas sentem-se profundamente infelizes quando se comparam com fotos de *top models*.

Para se motivar, compare-se a um modelo realista e apropriado.

Para julgar o seu progresso, compare onde você está agora com onde estava antes e avalie até onde chegou.

Quem aprende melhor – um estudante que começa com 80% de acerto e aumenta para 90%, ou alguém que começa com 40% e aumenta para 70%?

Questione comparações perguntando: "Comparado com o quê...?"

Padrões de Metamodelo: Julgamentos

Julgamentos são declarações de opinião expressas como se fossem fatos. A pessoa que julga está faltando, e, freqüentemente, o padrão pelo qual o julgamento é feito também é deletado. Julgamentos são, em geral, denominados "execuções perdidas", porque o executor, ou seja, a pessoa que fez o julgamento, está faltando na sentença. Tudo é dito por alguém; no entanto, às vezes, é muito importante saber quem é esse alguém.

Alguns exemplos:

"Você é insensível."

"Isso não é bom o suficiente."

"Crianças devem ser vistas e não ouvidas."

Esses são todos julgamentos. No entanto, não está claro quem está julgando e com base em que padrão o está fazendo. Você precisa questionar os valores que subjazem esses julgamentos e quem está julgando.

"Você é insensível."
"Quem está dizendo isso e em comparação a qual padrão sou insensível?"

"Isso não é bom o suficiente." "Você acha? Que padrão você está usando para julgar se é bom ou não?"

"Crianças devem ser vistas e não ouvidas." "Isso é um clichê. Quem está dizendo isso e qual a sua experiência para alegar isso?"

Todas as palavras que falamos poderiam ser precedidas pelas palavras "Eu acho que..." ou "Em minha opinião..." Não fazemos isso, mas freqüentemente é óbvio que os julgamentos são nossos.

Julgamentos não necessariamente estão errados, mas alguns flutuam livres de qualquer experiência real ou pensamento coerente e vagam pelas nossas mentes, esperando que algo se junte a eles. Procure ouvir clichês que fluem da língua sem pensamento, especialmente se lidam com como criar filhos, onde os erros de uma geração são o conhecimento especializado da próxima.

Julgamentos sem dono causam problemas.

O preconceito é o resultado de julgamentos impensados. A palavra "preconceito" significa julgar antecipadamente, e então o julgamento é generalizado para incluir classes inteiras de indivíduos. E, assim, todos são tratados de forma igual (porque a linguagem os tornou iguais), quando na realidade são todos pessoas diferentes.

Com freqüência, julgamentos iniciam sua vida como opiniões de pais que nós internalizamos. Pensamos que são nossos, mas quando desafiados podemos nos conscientizar de que são os pensamentos de nossos pais sendo expressos através de nossos lábios, e que jamais demos atenção suficiente à matéria.

Julgamentos também podem ser vistos como generalizações porque são feitos como se fossem aplicáveis igualmente em todos os contextos.

Quando você ouve advérbios como "obviamente", "claramente" e "definitivamente", esses, também demonstram julgamentos, por exemplo:

"Claramente, isso não é verdade."

"Obviamente, ele terá que renunciar."

Essas afirmações podem estar claras e óbvias para quem fala, mas você não tem que aceitar que sejam claras e óbvias para você.

Você poderá questioná-las, dizendo: "Não está claro para mim. Como você sabe que não é verdade?" ou "Não é óbvio para mim. Por que ele terá que renunciar?"

No cerne do julgamento está a suposição de que o ouvinte compartilha o modelo de mundo de quem fala em algum aspecto importante.

Questione julgamentos perguntando: "Quem está fazendo esse julgamento e com base em que padrão?" Um desafio rápido é: "Quem disse?"

Padrões de Metamodelo: Universais

Universais são um padrão de generalização. São palavras como "sempre", "nunca", "todo mundo" e "ninguém" que implicam não haver exceção. Algo que pode ser verdade em um contexto está sendo aplicado em todos os contextos, independentemente de qualquer mudança de tempo, lugar ou pessoa, por exemplo:

"Eu nunca poderei fazê-lo."

"Todo mundo está rindo de mim."

"Tudo está sempre dando errado."

"Você sempre faz isso."

"Nada acontece por aqui."

Você pode questionar um universal de três maneiras:

- *Busque um exemplo contrário.*

    "Todo mundo está rindo de mim." "Você quer dizer que *todo mundo* está rindo de você? Isso não pode ser verdade. Eu não estou e nem aquele homem sentado ali."

    "Sempre faço uma besteira com isso." "O quê? Todas as vezes? Jamais houve uma ocasião em que você não fizesse besteira com isso?"

    Um exemplo contrário deve ser o suficiente para desacreditar a generalização. No entanto, às vezes realmente não há um exemplo contrário que a pessoa possa citar, ou ocasiões em que um só exemplo contrário não é suficiente.

- *Exagere.*

    Cuidado! Certifique-se de que haja rapport *quando fizer isso!*

    "Você sempre faz isso." "Tem razão! Sempre. Jamais houve uma vez, desde quando nos encontramos pela primeira vez, em que não fizesse. Faço isso com todo mundo. E o que é mais, faço de propósito. Procuro ser totalmente previsível e só faço isso para aborrecer..."

    A essência do exagero é levar o padrão ao seu limite e torná-lo ridículo, para que a pessoa que fala seja forçada a negar algum aspecto dele. Como é uma generalização, se negar algum aspecto, ela perderá sua validade.

➲ *Isole e questione o universal. Esta é a maneira mais segura de desafiar.*

"Nada acontece por aqui." "Nada? Nada mesmo? Nunca?"

Julgamentos também podem ser classificados como generalizações quando são afirmados como regra universal, por exemplo:

"Músicos são imorais."

"Homens são agressivos."

"Mulheres gostam de cozinhar."

Questione esses da mesma maneira.

"Todos os homens? Você realmente quer dizer todos os homens? Você já se encontrou com todas as pessoas neste planeta que tenham um cromossomo Y?"

Questione universais:

Pedindo ou dando um exemplo contrário.

Exagerando.

Isolando e questionando o universal.

Paradoxalmente, generalizações estreitam seu mapa do mundo e estabelecem limites porque limitam seu pensamento a um ou dois exemplos a partir dos quais você generaliza e assim perde todas as demais possibilidades ricas.

A generalização pode parecer uma distinção lingüística abstrata, mas alguns tipos de generalização têm mostrado ter um profundo efeito sobre a saúde em estudos realizados pelo Dr. Martin Seligman e seus colegas na Universidade da Pensilvânia. Algumas pessoas generalizam de forma pessimista para explicar aquilo que lhes acontece. Seligman chamou isso de "indefensabilidade aprendida". Pessoas que usam esse estilo supõem que o infortúnio é culpa delas. Elas deletam fatores externos e generalizam, assumindo toda a responsabilidade. Além disso, supõem que não mudará. Generalizam a partir de um evento ruim, pressupondo que a vida sempre será assim. Também generalizam ao pensar que o infortúnio afetará tudo que fizerem. Esse padrão de generalização pessimista leva a uma sensação geral de indefensabilidade e carrega em seu bojo um aumento no risco de doença.

Em um estudo realizado ao longo de 35 anos em Harvard*, a saúde de um grupo pessimista comparada à de um grupo controle mostrou uma deterioração marcante, especialmente observável entre as idades de 40 a 45 anos.

---

*Peterson, C., Seligman, M., e Valliant, G., "Pessimistic explanatory style is a risk factor for physical illness: a thirty-five year longitudinal study", Journal of Personality and Social Psychology 55 (1988), 23-7.

Ambos os grupos começaram saudáveis e em forma e a nenhum outro fator poderia se atribuir a diferença. A ligação era estatisticamente mais forte do que a existente entre o tabagismo e o câncer de pulmão, que é geralmente suposta ser provada além de qualquer dúvida razoável.

A generalização pode ser prejudicial à sua saúde!

Padrões de Metamodelo: Operadores Modais

Operadores modais são uma classe de generalização que estabelece regras. Há dois tipos principais de operadores modais no Metamodelo: operadores modais de possibilidade e operadores modais de necessidade.

Operadores Modais de Possibilidade

Esses são palavras que estabelecem regras quanto ao que é possível: "pode", "não pode", "possível" e "impossível". Definem, do ponto de vista de quem fala, aquilo que é possível. Por exemplo:

"Não posso dizer a eles."

"Simplesmente não pude recusar."

"Não posso relaxar."

"Simplesmente não é possível fazer valer a minha vontade."

Quando alguém diz que *pode* fazer alguma coisa, isso é direto e geralmente não limitador. Você não desafiaria a pessoa em bases lingüísticas, e sim com base em competência. Quando alguém alega que não pode fazer algo, poderá estar se limitando desnecessariamente com base em fracassos passados. Às vezes, alega conhecer o futuro! A verdade é que as pessoas freqüentemente não têm qualquer idéia de se podem ou não fazer alguma coisa a não ser que tenham tentado. Apenas pensam que não podem. Podem estar erradas e podem estar deixando de perceber recursos que têm ou podem adquirir.

Outra possibilidade é que uma pessoa tem uma regra que a proíbe de fazer algo em razão das conseqüências possíveis. No entanto, essa regra pode ser imaginária ou derivada de uma proibição da infância que jamais foi atualizada à luz de sua condição de adulto.

Fritz Perls, fundador da terapia Gestalt e um dos modelos originais da PNL, dizia a clientes: "Não diga 'não posso', diga 'não vou!'" Esse reenquadramento veemente coloca o cliente em causa em vez de em efeito e pressupõe que seja capaz.

A expressão "não posso" é lingüisticamente composta de "poder" e "não" e, portanto, significa que você é capaz de "não fazer". É claro que é fácil não fazer algo. Não requer qualquer esforço.

Operadores modais de possibilidade são questionados de três maneiras:

- Questione a regra generalizada e as conseqüências imaginadas perguntando: "O que aconteceria se você o fizesse?" "De que você tem medo?" seria outra possibilidade.

    "Não posso dizer a eles." "De que você tem medo?"

- Questione a pressuposição de que algo não é possível pressupondo que seja possível e pergunte o que impede a ação.

    "Eu simplesmente *não pude* recusar." "O que o impediu de recusar?"

- Aplique o quadro "como se" para abrir algum pensamento criativo de forma não-ameaçadora.

    "Não posso relaxar." "Suponha que pudesse. Como seria?"

    "Simplesmente *não é possível* fazer valer a minha vontade." "Suponha que fosse possível. Como seria?"

Questione operadores modais de possibilidade perguntando:

"O que aconteceria se o fizesse?" (Desafiando conseqüências imaginadas.)

"O que o impede?" (Desafiando a pressuposição de impossibilidade.)

"Suponha que pudesse..." (Aplicando o quadro "como se".)

Operadores Modais de Necessidade

Esses estabelecem regras quanto ao que é necessário e apropriado. Podem limitá-lo, mas são um tanto mais flexíveis do que operadores modais de possibilidade porque ao menos a ação está no campo da possibilidade. Consistem em palavras como "deveria", e "não deveria", "devo" e "não devo", "tenho que" e "não tenho que".

"Tenho que ir agora."

"Devo fazer melhor."

"Você deveria me ouvir quando lhe digo isso."

Esses podem ser questionados de três maneiras:

- Questione as conseqüências imaginadas da regra perguntando: "O que aconteceria se não o fizesse?"

- Desafie a necessidade perguntando: "Isso é realmente necessário? O que o força a fazer isso?"

⊃ Aplique o quadro "como se" dizendo algo como: "Apenas suponha que não tivesse que fazer isso, como seria?"

Exemplos:

"Tenho que ir agora." "O que o força a isso?"

"Tenho que fazer melhor." "O que aconteceria caso não faça?"

Operadores modais de necessidade também estabelecem regras sobre o que você não deve fazer, por exemplo:

"Você não deveria ficar na rua até tão tarde."

"Eu não devo criar caso."

"Você não deve cometer erros."

Esses podem ser questionados de três maneiras:

⊃ Desafie as conseqüências imaginadas da regra, perguntando: "O que aconteceria se o fizesse?"

⊃ Desafie a necessidade perguntando: "Por que não?" (Atenção: Isso exige mais rapport do que os demais desafios.)

⊃ Aplique o quadro "como se" dizendo algo como: "Apenas suponha que o fizesse, como isso seria?"

"Você não deveria ficar na rua até tão tarde."
"O que aconteceria se ficasse?"

"Eu não devo criar caso." "Por que não?"

Uma vez que as conseqüências, regras e razões por trás de ambos os tipos de operadores modais tenham sido esclarecidos e criticamente avaliados, a pessoa que fala pode decidir se deseja seguir a regra ou não. Existem regras morais e éticas que são mais freqüentemente expressas em operadores morais, mas às vezes nossas regras internas possuem um tom moral não apropriado. Há uma grande diferença entre: "Você não deveria roubar" e: "Você não deveria criar caso". A palavra "deveria" é a mesma, mas a base da regra é diferente.

A pergunta: "O que aconteceria se fizesse?" é a base de toda criatividade e descoberta. É a pergunta que gera curiosidade e exploração. Operadores modais anulam isso tudo e são contrários ao espírito da PNL.

Questione operadores modais, perguntando:

"O que aconteceria se o fizesse/não o fizesse?"
(Desafiando conseqüências imaginadas.)

"Por que não/O que o obriga?"
(Desafiando a pressuposição de impossibilidade.)

"Apenas suponha que fizesse/não fizesse..."
(Aplicando o quadro "como se".)

Operadores modais de necessidade são freqüentemente parte de estratégias de motivação quando aparecem em diálogo interno. Por exemplo:

"Tenho que fazer isso."

"Você deveria fazer isso."

Esses operadores modais não são muito motivadores. Têm uma conotação que faz com que a maioria das pessoas se ressinta porque há um elemento de coação. Às vezes implicam até mesmo um problema:

"Você deve fazer isso..." (mas não pode.)

"Eu tenho que fazer isso..." (mas não vou gostar/terei dificuldades.)

Transformar operadores modais de necessidade em operadores modais de possibilidade é bastante liberador e muito mais motivador.

"Eu tenho que fazer isso" se torna "Eu posso fazer isso".

"Você não deveria fazer isso" se torna "Você poderia não fazer isso".

Padrões de Metamodelo: Nominalizações

Nominalizações são um padrão de distorção. Uma nominalização é resultado de um verbo ser transformado em um substantivo abstrato. É uma das mais amplamente disseminadas e importantes distinções de Metamodelo na nossa língua.

Nominalizações são muito úteis e freqüentemente essenciais, mas como são abstratas ocultam enormes diferenças entre mapas do mundo. Quando um substantivo não pode ser diretamente visto, ouvido, tocado, cheirado ou saboreado, é uma nominalização. Valores geralmente são nominalizações, e assim temos um paradoxo porque as mais abstratas das palavras carregam a maior quantidade de emoção! Pessoas lutam e morrem por aquilo que as nominalizações representam para elas. Isso significa que deverá ter cuidado ao desafiá-las. Da mesma forma, o processo de transformar verbos em substantivos é de tal forma arraigado, que, às vezes, é difícil encontrar palavras para enquadrar uma questão gramatical.

Exemplos de nominalizações:

"Tenho muito temor."

"Quero dar uma boa impressão."

"Minha crença é de que não vai funcionar."

"O estresse é demais para mim."

"Nosso relacionamento está indo morro abaixo."

"O fracasso é assustador."

"Sofro de depressão."

"Tenho péssima memória."

"Temos que fazer uma mudança aqui."

"Mudança" é uma das nominalizações mais interessantes e multifacetadas. Para explicá-la completamente, você precisa explicar o que está mudando (estado presente), seu resultado (estado desejado) e a forma pela qual estará realizando a mudança (verbo de processo).

Para questionar uma nominalização, transforme o substantivo de volta em verbo e expresse o pensamento como processo. Nominalizações somente podem existir porque os índices referenciais foram deletados – quem está fazendo o que a quem. Você precisa recuperar estes para esclarecer por completo uma nominalização.

```
                    ┌─────────────────┐
                    │  Nominalização  │
                    └─────────────────┘
                   ↙         ↓         ↘
┌──────────────┐  ┌──────────────┐  ┌──────────────────┐
│ Verbo – o que│  │ Sujeito –    │  │ Objeto – a quem  │
│ está sendo   │  │ quem está    │  │ isso está sendo  │
│ feito?       │  │ fazendo isso?│  │ feito?           │
└──────────────┘  └──────────────┘  └──────────────────┘
```

Eis algumas perguntas possíveis em resposta às nominalizações anteriores:

"Tenho muito temor." *"Do que você tem medo?"* ou
"Como está assustando a si mesmo?"

"Quero dar uma boa impressão." *"Como você irá impressionar as pessoas da maneira certa e a quem você quer impressionar?"*

"Minha crença é de que não vai funcionar."
"Como acreditar nisso contribuirá para que não funcione?"

"O estresse é demais para mim." *"Como está ficando estressado?"* ou *"Como você está se estressando?"*

"Nosso relacionamento está indo morro abaixo." *"O que está causando problemas na maneira pela qual você está se relacionando?"*

"O fracasso é assustador." "Do que você tem medo de fracassar ao fazer e como você acha que vai fracassar?"

"Sofro de depressão." "Com o que você está deprimido?"

"Tenho péssima memória." "Do que você tem dificuldade de lembrar e como está memorizando?"

"Temos que fazer uma mudança aqui." "Exatamente o que você está planejando mudar, qual o seu resultado e como está planejando mudar?"

Duplas nominalizações são possíveis. Parecem impressionantes ao mesmo tempo em que dizem quase nada. Por exemplo:

Disfunção de aprendizagem.
(Quem não está aprendendo o quê? Como apresenta a disfunção?)

Gestão do conhecimento.
(Quem sabe o quê sobre o quê e como é gerido? E por quem?)

Pensar em nominalizações é rígido e estático.

Tente este pequeno exercício.

- Pense na palavra "comunicação". O que traz à mente?
- Observe seus pensamentos.
- Quais sistemas representacionais estão ativos?
- Observe as submodalidades de seus sistemas representacionais.
- Observe especialmente as qualidades de suas imagens.
- Agora pense na comunicação entre você e outra pessoa.
- Observe as submodalidades desse pensamento.
- Por fim, pense em se comunicar com essa outra pessoa.
- Que imagens, sons e sentimentos você tem?

Como a nominalização é um substantivo estático, as imagens a ela associadas geralmente são paradas. Quando você adicionar outra pessoa a suas imagens mentais (ou seja, você recupera uma das deleções), poderá verificar que as submodalidades mudam mesmo que a nominalização permaneça intacta. Quando a transforma em verbo, o pensamento ganha vida, e as imagens ganham movimento e, às vezes, se tornam mais coloridas.

Pensar com nominalizações pode fazer com que você se sinta indefeso. Se você pensa ter um mau relacionamento, então ficará preso. Quando você pensa na maneira pela qual você está se relacionando com outra pessoa e como poderá mudar aquilo que está fazendo, ganha algum grau de escolha e de controle sobre a situação.

Diagnósticos médicos são nominalizações. São substantivos, mas qualquer enfermidade ou doença é um processo e só muda com o processo de cura.

Gregory Bateson perguntou se "eu" era uma nominalização. Isso vai diretamente ao cerne de sua identidade. Você sente que sua identidade é fixa ou que é um processo continuado?

Padrões de Metamodelo: Leitura Mental

A leitura mental é uma distorção na qual você supõe saber o estado interno de outra pessoa sem qualquer evidência ou calibração sensorial específica. Você projeta seu mapa do mundo em sua mente. Quando faz isso, poderá supor motivos e pensamentos que não existem. Por exemplo:

"Você não gosta de mim."

"Eles pensam que sou um idiota."

"Você só está fazendo isso para me aborrecer."

"Ele está sempre tentando me magoar."

A leitura mental é questionada com a solicitação de evidência sensorial específica.

"Você não gosta de mim." "Como sabe que não gosto de você?"

"Você só está fazendo isso para me aborrecer." "O que o faz pensar assim?"

Tenha boas evidências sensorialmente baseadas antes de atribuir estados, opiniões e atitudes a outros.

A leitura mental também pode funcionar ao contrário – você supõe que outras pessoas sabem o que você quer sem ter que lhes dizer. Isso pode causar muitos problemas porque você as culpará por não responderem da forma pela qual deveriam e elas ficarão perplexas porque você jamais lhes disse exatamente o que quer. Exemplos de leitura mental inversa:

"Se você ligasse para mim, saberia o que eu queria."

"Você deveria saber que não gosto disso."

"Você não vê como me sinto?"

A leitura mental inversa é questionada perguntando como você poderia saber e suscitando a suposição de que você consegue ler a mente das pessoas.

"Se você ligasse para mim, saberia o que eu quero."

"Eu ligo, sim, mas isso me faz leitor de mentes? Por favor, diga-me o que quer."

"Você deveria saber que não gosto disso." "Como deveria saber? Não sei ler mentes."

Fazemos leitura mental o tempo todo e às vezes podemos estar certos, mas por que supor quando podemos verificar?

Questione a leitura mental perguntando:
"O que o faz acreditar nisso? ou "Como exatamente você sabe disso?

Padrões de Metamodelo: Equivalentes Complexos

Equivalentes complexos ou equivalência complexa são duas afirmações ligadas de forma que uma signifique a outra. A palavra "portanto" fica entre uma e outra, embora seja geralmente deletada da estrutura superficial. O nome é derivado da maneira pela qual são ligadas – supõe-se que tenham o mesmo significado (são equivalentes) embora estejam em diferentes níveis neurológicos. Geralmente, um certo comportamento é tido como implicando uma habilidade, um estado ou um valor, por exemplo:

"Ela está sempre atrasada (portanto) ela não se importa." (O comportamento de estar atrasada é tornado equivalente ao estado de não se importar.)

"Ele não me trouxe o que eu queria (assim) ele quer que me sinta infeliz."

"Ele não está olhando para mim (assim) não está prestando qualquer atenção no que digo."

Equivalentes complexos podem ser difíceis de discernir porque a segunda afirmação nem sempre segue imediatamente após a primeira. São uma forma de crença. Nós os usamos o tempo todo para generalizar a partir de comportamentos para um nível neurológico mais elevado. No entanto, podem ser bastante restritivos quando dão um salto de lógica indevido para uma conclusão que seja dolorosa ou limitadora.

| Afirmação A | SIGNIFICA | Afirmação B |

Questionar

Como, exatamente, A significa B?

Questione equivalentes complexos perguntando como as duas afirmações são ligadas.

"Ela está sempre atrasada (portanto) ela não se importa."

"Você acha mesmo que chegar atrasada significa que ela não se importa? Pode significar que sua viagem está difícil."

Você também pode questionar equivalentes complexos dando um exemplo contrário. Isso desafia a generalização no cerne de equivalentes complexos.

"Ele não está olhando para mim (assim) ele não está prestando qualquer atenção ao que estou dizendo."

"Você acha que quando pessoas não olham para você sempre significa que não estão prestando atenção? Tenho certeza de que houve ocasiões em que isso não era verdade."

Você também pode questionar a afirmação invertendo-a e perguntando se é verdade para quem fala.

"Ele não me trouxe o que eu queria (assim) ele quer que eu seja infeliz."

"Isso é sempre verdade? Certamente houve ocasiões em que você não trouxe o que outra pessoa queria, mas isso não significou que você queria que ela ficasse infeliz. Talvez você simplesmente não soubesse o que ela queria."

Use esse desafio com cuidado, pois com muita freqüência uma pessoa está usando o padrão porque em seu mapa do mundo as duas afirmações são equivalentes. Portanto, quando alguém diz que desviar o olhar significa não prestar atenção, o motivo pelo qual acredita nisso é que sua maneira de prestar atenção é olhando. Não consegue compreender outras pessoas prestando atenção de forma diferente. Está impondo seu mapa do mundo a outros e tirando conclusões a respeito. Assim, desafiar sua linguagem é desafiar seu mapa do mundo.

Questione equivalentes complexos perguntando:

"Como isso significa aquilo?"

"Que evidência você tem de que isso significa aquilo?"

"Isso significa aquilo todas as vezes?"

"Houve ocasiões em que isso não significou aquilo?"

"Significa isso para você?"

Padrões de Metamodelo: Causa-Efeito

O padrão causa-efeito é outra distorção. Implica que o comportamento de alguém pode "fazer" outra pessoa responder de determinada maneira. Em outras palavras, automaticamente "causa" a resposta. A suposição de causa e efeito é profundamente arraigada em nossa língua. Conectamos dois eventos dizendo que um foi a "causa" do outro, freqüentemente com base apenas no fato de um ter ocorrido imediatamente antes do outro. A linguagem "faz" com que isso seja fácil.

No mundo dos objetos, tem sentido dizer que uma força agindo sobre um objeto "faz" com que se mova. No entanto, pessoas são mais complexas e afirmar um relacionamento causa-efeito entre uma ação e outra omite a escolha individual e toda a riqueza do relacionamento.

A principal aplicação desse padrão é quando o comportamento de alguém é tido como causador de comportamento desprovido de recursos ou um estado sem recursos em outra pessoa:

"Ela me assusta." (Ela me faz ficar com medo.)

"A notícia me fez ficar aborrecido."

"Não posso evitar, apenas me sinto mal sempre que fazem isso."

"Estou aborrecido por sua causa."

"A voz dele me irrita." (A voz dele me faz ficar irritado.)

Existem três maneiras de questionar tais afirmações de causa-efeito.

- Pergunte exatamente como uma coisa causa a outra. Isso desafia o verbo não-especificado, mas deixa a suposição de causa-efeito e a falta de opção intactas.

    "Ele me fez fazer isso."

    "Exatamente como ele fez com que você fizesse isso?"

- Pergunte sobre escolhas. Questione se a pessoa acredita ter alguma escolha relativa à causa-efeito.

    "Não posso evitar, apenas me sinto mal sempre que fazem isso." "Compreendo que se sinta mal, mas isso precisa ser automático? Você tem escolha quanto a como se sente?"

    "A voz dele me irrita." "Então você sente irritação quando ouve a voz dele. Que outra resposta poderia ter? Gostaria de ter escolha quanto ao que sente?"

- A maneira mais desafiadora de lidar com afirmações de causa-efeito é supor a existência de escolha e perguntar à pessoa por que escolhe se sentir dessa forma. Esse tipo de desafio precisa de um bom rapport. Pode ser uma interrupção de padrão e, sem o acompanhamento adequado, a pessoa pode rejeitar a suposição.

"Ela me assusta." "Por que você escolheu ficar com medo dela?"

"A notícia me deixou aborrecido." "Você escolheu ficar aborrecido por causa da notícia?"

"Não posso evitar. Apenas me sinto mal sempre que fazem isso." "Você escolhe sentir-se mal? Gostaria de escolher outra reação?"

⊃ *Você poderia até mesmo usar o padrão causa-efeito como uma pergunta em si mesmo:*

"Estou aborrecido por sua causa." "Como eu faço com que você fique aborrecido?"

Esse desafio provavelmente confundirá a pessoa que fala por alguns segundos!

Causa-Efeito Inversa

Causa e efeito podem ser aplicados de forma inversa. Aqui, você assume responsabilidade inadequada por ser a causa de estados emocionais e comportamentos de outras pessoas. Uma pessoa não controla o estado emocional de outra.

"Eu fiz com que ele ficasse aborrecido."

"Eu o ajudaria, mas estou muito ocupado."

Às vezes, a palavra "mas" implica causa e efeito ao introduzir um motivo para o efeito.

Questione causa e efeito inversa questionando a ligação ou suposição de que não há escolha.

"Eu fiz com que ele ficasse aborrecido."
"Exatamente como você o aborreceu?" ou "Você fez o que fez, mas mesmo assim ele optou por responder daquela forma."

"Eu o ajudaria, mas estou muito ocupado." "Sei que está ocupado, mas você ainda tem uma escolha quanto a me ajudar ou não."

Se você desafiar o relacionamento causa-efeito na linguagem de outras pessoas, terá que desafiá-lo em sua própria linguagem, também. Você não pode ser a causa única das ações de outra pessoa.

Pensamento causa-efeito pertence ao mundo não-vivo. Um objeto não tem escolha que não a de obedecer às leis de Newton. As pessoas têm escolha. *Não existem leis de Newton obrigatórias para emoções.*

> Questione causa e efeito perguntando o quão exatamente uma coisa causa a outra ou desafie-a substituindo causa-efeito por escolha.

"Como, exatamente, isso causa aquilo?"

"Você está escolhendo esta resposta quando isso acontece. Você gostaria de fazer outra escolha?"

"Como você escolhe responder assim?"

Padrões de Metamodelo: Pressuposições

Pressuposições são provavelmente o padrão de distorção mais básico. Aqui, a pessoa que fala supõe alguma coisa relativa à situação que advém do seu mapa do mundo. No entanto, por ser uma suposição, ela não aparece em qualquer lugar da estrutura superficial da linguagem, mas tem que ser aceita como verdadeira para que as palavras façam sentido. Pressuposições que limitam a liberdade de escolha, de pensamento e de ação precisam ser questionadas. Por exemplo:

"Quantas vezes preciso lhe dizer até que você pare de fazer isso?"
(Eu terei que lhe dizer várias vezes até que você pare.)

"Quando é que você vai passar a agir com responsabilidade?"
(Você não está agindo de forma responsável agora.)

"Você não vai me contar outra mentira, vai?" (Você já me contou mentiras.)

"O quão ruim isso pode ficar?" (Já está ruim.)

"Não tenho certeza de que poderei consertar meu modo de ser."
(Meu modo de ser precisa ser consertado.)

"Quanto você quer me magoar?" (Você deseja me magoar.)

"Não gosto da maneira pela qual você me desconsidera."
(Você me desconsidera.)

"Quando é que você gostaria de discutir o contrato de serviços?"
(Nós discutiremos o contrato de serviços.)

"O quão feliz você ficará quando comprar este carro?"
(Você comprará este carro e ficará feliz.)

Pressuposições são, com freqüência, ardilosamente disfarçadas como perguntas do tipo "por quê". Por exemplo:

"Por que você é tão insensível?" (Você é insensível.)

"Por que você não consegue fazer nada certo?" (Você não faz nada certo.)

"Por que você é tão desajeitado?" (Você é desajeitado.)

Com freqüência, vêm escondidas em outras sentenças que têm palavras como "quando", "desde que" e "se":

"Quando você vai perceber que não gosto disso?"
(Eu não gosto disso, e você ainda não percebeu.)

"Desde que você me abandonou, tenho estado deprimido."

(Você me abandonou e estou deprimido. Há mais do que uma suspeita de padrão de causa-efeito aqui também – a deserção "causou" a depressão?)

"Se você continuar a ignorar isso, haverá problemas."
(Você ignorou isso, o que significa que você já sabia disso e nada fez a respeito.)

Existem três maneiras de questionar pressuposições:

- Apresente a pressuposição diretamente e pergunte à pessoa se realmente quer dizer isso.

    "O quanto você deseja me magoar."
    "Você pensa que quero magoá-lo?"

    "O quão ruim isso pode ficar?" "Você acha que isso está ruim?"

- Apresente a pressuposição e desafie-a.

    "Quando você vai agir de forma responsável?" "Você está supondo que não estou agindo de forma responsável. É isso que você pensa? Acho que estou agindo de forma responsável."

    "Você não vai me contar outra mentira, vai?" "Você está supondo que eu já lhe contei uma mentira. É nisso que você acredita? Não tenho mentido para você."

- Você também pode aceitar a pressuposição e desafiar as deleções e generalizações implícitas.

    "Por que você não sai mais?"
    "O quanto mais você gostaria que eu saísse?"

    "Por que você não consegue fazer nada certo?" "O que tenho que fazer para que esteja certo?"

O aspecto insidioso das pressuposições é que se você as aceitar inadvertidamente, estará em desvantagem – elas formam um limite invisível em torno de toda a conversa subseqüente.

Questione pressupcsições trazendo-as à luz.

"O que o leva a crer...?"

Todos nós fazemos pressuposições quando falamos, mas quando estas limitam nossas escolhas e/ou causam mágoa, precisam ser desafiadas.

O Metamodelo: Resumo

Deleções

Deleção ou Omissão Simples

Faltam informações.

Exemplo: "Isso é importante."

Questionamento: Recupere as informações fazendo perguntas abertas: "O que, exatamente, é importante?"

Índice Referencial Não-Especificado

Algo aconteceu, mas não está claro quem o fez e quem foi afetado.

Exemplo: "Erros foram cometidos."

Questionamento: Recupere as informações. "Quem fez o quê a quem?" "Exatamente que erros foram cometido e por quem?"

Verbo Não-Especificado

Algo foi feito, mas não está claro como foi feito.

Exemplo: "Eu falhei."

Questionamento: Descubra exatamente como a ação foi realizada. "Exatamente como você falhou?"

Comparação

Uma comparação está sendo feita, mas o padrão utilizado não está claro.

Exemplo: "Eu fiz aquilo muito mal."

Questionamento: Descubra a base e o padrão da comparação. "Malcomparado com o quê?"

Julgamento

Algo está sendo julgado, mas não está claro quem está fazendo o julgamento e qual o padrão que está sendo usado.

Exemplo: "Obviamente, isso não é bom o suficiente."

Questionamento: Descubra quem está fazendo o julgamento e qual o padrão que está sendo utilizado. "Quem disse que isso não é bom o suficiente e com base em qual *padrão*?"

Generalizações

Universais

Palavras como "nunca", "todo mundo" e "ninguém" são usadas como se não houvesse exceções.

Exemplo: "Sempre tenho razão."

Questionamento: Isole e questione o universal. "Sempre?"

Exagere. "Sim, você sempre tem razão; você jamais cometeu um erro, nunca em toda sua vida."

Dê um exemplo contrário. "Já houve uma ocasião em que você tenha cometido um erro?"

Operadores Modais de Necessidade

Palavras como "deveria" e "não deveria", "deve" e "não deve" implicam uma regra necessária.

Exemplo: "Você não deveria achar que isso é difícil."

Questionamento: Desafie as conseqüências imaginadas. "O que aconteceria se eu achasse difícil?"

Desafie a regra. "Por que não? Pode ser que ache?"

Aplique o quadro "como se". "Apenas suponha que ache. E aí...?"

Operadores Modais de Possibilidade

Palavras como "pode", "não pode", "capaz" e "incapaz" estabelecem regras sobre o que é possível.

Exemplo: "Não posso dizer a ele."

Questionamento: Questione a regra generalizada e as conseqüências imaginadas. "O que aconteceria se dissesse?"

Questione a impossibilidade presumida. "O que o impede?"

Aplique o quadro "como se". "Apenas suponha que pudesse, como seria?"

Distorções

Equivalentes Complexos

Duas afirmações são tidas como significando a mesma coisa, embora estejam em diferentes níveis neurológicos.

Exemplo: "Ela está sempre atrasada (assim) ela não se importa."

Questionamento: Questione a equivalência. "Exatamente como o atraso dela significa que ela não se importa?"

Dê um exemplo contrário. "John se atrasou, mas ele é claramente comprometido, não é?"

Inverta. A pessoa que fala pensa que funciona ao contrário? "Então você pensa que alguém que não se importa estará sempre atrasado?"

Pergunte se isso se aplica à pessoa que fala. "Se você não se importasse, estaria sempre atrasado?"

Nominalização

Um processo se transformou em um substantivo.

Exemplo: "Tenho medo do fracasso."

Questionamento: Transforme o substantivo em verbo e expresse o pensamento como um processo. "Do que tem medo de fracassar fazendo?"

Leitura Mental

O estado interno de outra pessoa é suposto sem evidência.

Exemplo: "Ele não gosta de mim."

Questionamento: Peça evidências. "Como sabe que ele não gosta de você?"

Leitura Mental Inversa

Supõe-se que outros podem (e devem) ler sua mente e agir de acordo.

Exemplo: "Se você se importasse comigo, saberia o que quero."

Questionamento: Pergunte como deveria saber. "Como iria saber? Não sei ler mentes."

Causa-Efeito

Supõe-se que o comportamento de uma pessoa automaticamente causa o estado emocional ou o comportamento de outra.

Exemplo: "Ele faz com que me sinta mal."

Questionamento: Pergunte exatamente como uma coisa causa a outra. "Exatamente como você pensa que ele o faz sentir-se mal?"

Explore a possibilidade e a escolha. "Então você se sente mal quando ele está por perto. Como gostaria de se sentir? Gostaria de ter uma escolha quanto a como se sentir?"

Suponha que a pessoa escolheu sentir-se assim. "Por que você escolheu se sentir mal quando ele está por perto?"

Causa-Efeito Inversa

Responsabilidade descabida é suposta para os estados e comportamento de outros.

Exemplo: "Eu fiz com que ele se sentisse mal."

Questionamento: Pergunte exatamente como uma coisa causa a outra. *"Como, exatamente, você pensa que fez com que ele se sentisse mal?"*

Explore a possibilidade de escolha. "Então você fez o que fez. Você acha que ele tinha escolha quanto a como se sentir?"

Suponha que a pessoa escolheu sentir-se dessa forma. "Por que você pensa que ele escolheu responder dessa maneira?"

Pressuposição

Uma suposição descabida e limitadora é implícita, mas não abertamente afirmada.

Exemplo: "Por que você não consegue fazer nada certo?"

Questionamento: Apresente a pressuposição diretamente. *"Você pensa que não faço nada certo?"*

Apresente a pressuposição e desafie-a. "Você pensa que não posso fazer nada certo? Pois acho que posso."

Aceite a pressuposição e desafie as deleções e as generalizações.

"O que lhe faz pensar que não posso fazer nada certo?" "Posso fazer algumas coisas certo, por exemplo..."

Uma única sentença pode conter múltiplos padrões, e alguns padrões podem ser classificados sob outro título. Por exemplo, nominalizações são às vezes classificadas como deleções, e julgamentos, como distorções.

Usando o Metamodelo

O Metamodelo é uma ferramenta poderosa para coletar informações, possibilitar escolhas e esclarecer significados. Eis algumas instruções de operação para ajudá-lo a obter os melhores resultados.

Comece com você mesmo.

Comece usando o Metamodelo para seu próprio diálogo interno. Observe os padrões que usa. Observe como você cria sua própria realidade interna com as palavras que diz a si mesmo. À medida que começar a dar mais atenção ao seu diálogo interno, ele se tornará um recurso útil em vez de uma distração ou uma limitação. O Metamodelo lhe dará uma clareza interna que o ajudará a ser mais eficaz e bem-sucedido, seja o que for que você fizer.

Use o Metamodelo no que disser em voz alta, também. Se não for claro em sua própria mente no que disser, como outras pessoas o compreenderão? Observe seus padrões habituais. Poderá então começar a se corrigir e expressar suas afirmações e perguntas de maneiras mais claras e com mais recursos. Você então automaticamente se tornará um comunicador melhor.

Use perguntas de Metamodelo com rapport.

Perguntas de Metamodelo podem ser ouvidas como sendo intrusivas, agressivas e desafiadoras, especialmente se você começar a fazer perguntas como: "Exatamente o que você está querendo dizer?", sem suavizar a sua voz.

Sem rapport, o Metamodelo pode causar Metacaos e Metaconfusão. Suavize seus desafios com um tom de voz mais baixo e enquadrando o desafio de forma aceitável, por exemplo:

*"Estou perplexo com o que você acaba de dizer.
Exatamente o que quis dizer...?"*

"Estou imaginando o que você quis dizer com isso..."

"Isso é interessante. Posso lhe fazer uma pergunta sobre isso...?"

Respeite o contexto e a ecologia

Usar padrões de Metamodelo não é crime! Todo mundo os usa o tempo todo. (Todo mundo? O tempo todo?) Deletamos informações quando falamos porque supomos um contexto compartilhado e, portanto, suposições e conhecimento compartilhados. Faça perguntas de Metamodelo quando forem necessárias, não porque pode fazê-las.

Você não precisa desafiar padrões de Metamodelo

Use uma estratégia em três partes:

- ⇒ Reconheça o padrão.
- ⇒ Decida se precisa fazer uma pergunta ou fazer um desafio.
- ⇒ Formate uma pergunta e faça-a.

Seja claro quanto a seu objetivo ou resultado quando usar o Metamodelo.

O que deseja alcançar? Perguntas de Metamodelo são a melhor maneira de alcançar isso? Você está certo quanto ao que a outra pessoa disse? Você precisa de mais informações?

Perguntas de Metamodelo não são um fim em si mesmas, são um meio de alcançar seu resultado ou para ajudar outros a alcançarem seus resultados.

Você não precisa ser capaz de citar todos os padrões para usar o Metamodelo.

À medida que se tornar mais familiarizado com o Metamodelo, você poderá ouvir padrões que precisa desafiar, mas pode não ser capaz de citá-los. Os nomes são a parte menos importante do Metamodelo. A parte mais importante é saber quando precisa recuperar informações, esclarecer significado ou possibilitar escolhas. Ouça seu próprio discurso e o discurso de outros com cuidado e você treinará sua intuição para reconhecer padrões. Quando estiver familiarizado com os padrões, verá que seus nomes se tornam óbvios.

Respeite o equilíbrio entre tarefa e relacionamento.

Quando uma conversa se baseia em um relacionamento, o Metamodelo é muito menos apropriado. Por exemplo: "Eu realmente gosto da maneira pela qual você fez isso". "Especificamente como você gostou e exatamente do que gostou?"

Quanto mais orientada para tarefas for sua conversa, mais apropriado será o Metamodelo. Quando você precisar ser absolutamente claro em relação a qualquer comunicação e quando tiver de coletar informações de alta qualidade, aja como se nada soubesse. Enquadre a conversa dizendo que poderá fazer perguntas ingênuas, mas realmente deseja se certificar de que compreendeu. Isso é especialmente importante quando estiver fazendo consultoria de negócios, já que gerentes podem esquecer que você não conhece o negócio tão bem quanto eles.

Desenvolva uma estratégia de saber quando fazer perguntas.

Identifique quando não sabe e precisa de esclarecimento. Você pode se tornar consciente disso porque suas imagens internas estão incompletas ou pouco claras. Talvez o som da voz da pessoa não pareça correto. Talvez você tenha uma certa sensação. Essa é a sua pista para fazer uma pergunta de Metamodelo.

Desenvolva uma estratégia para saber quais padrões de Metamodelo desafiar.

Quais os mais importantes padrões a serem desafiados? Que perguntas o levarão ao cerne da questão?

- Procure ouvir a ênfase de tonalidade. Quaisquer padrões de Metamodelo enfatizados pelo tom da pessoa que fala provavelmente são importantes.

- Procure ouvir repetição. Padrões recorrentes serão importantes.

- Desafie pressuposições e causa e efeito em primeiro lugar. São freqüentemente os mais importantes.

- Em seguida, desafie a leitura mental, operadores modais e equivalentes complexos.

- Depois, desafie universais, comparativos, nominalizações e julgamentos.

- Por fim, desafie deleções simples, verbos não-especificados e índices referenciais não-epecificados. Geralmente, são os menos importantes. Desafiar deleções normalmente não vai muito longe a não ser que tenham sido deletadas informações das quais você precisa para concluir a tarefa.

Não deixe que o Metamodelo o leve a um pensamento inflexível – não é necessário especificar tudo em seus mínimos detalhes. Lembre-se da história dos três filósofos que compartilhavam uma cabine em um trem, viajando pelo campo escocês a caminho de uma conferência em Edimburgo.

Olhando pela janela, o primeiro filósofo disse: "Vejam, há vacas na Escócia."

"Sejamos mais precisos, por favor", disse o segundo filósofo. "Há vacas pretas e brancas na Escócia."

"Huuum", resmungou o terceiro filósofo, "para sermos exatos, na verdade há vacas pretas e brancas de um lado na Escócia".

Plano de Ação

1. Uma forma fácil de se familiarizar com deleções importantes é procurar ouvir uma sentença na voz passiva. "Algo foi feito" é passivo. Não há quem fez. "Alguém fez alguma coisa" é ativo. Há um sujeito. Ouça programas de atualidades (especialmente sobre política) e maravilhe-se com as mágicas de desaparecimento. Muitas coisas terão acontecido, mas as pessoas que as fizeram terão miraculosamente desaparecido (pelo menos da estrutura superficial da sentença).

2. Descubra sua hierarquia pessoal de operadores modais de necessidade.
   - Pense em algo que deseja fazer.

- *Agora, diga a si mesmo: "Eu **deveria** fazer isso." Observe como você se sente em relação às imagens, sons e sensações internas que gera.*
- *Então, diga a si mesmo: "Eu **tenho** que fazer isso." Observe sua resposta.*
- *Em seguida, diga a si mesmo: "**Preciso** fazer isso." Mais uma vez, observe as submodalidades associadas a essas palavras.*
- *Então, diga a si mesmo: "Eu **devo** fazer isso." Novamente, observe suas submodalidades.*
- *Por fim, diga a si mesmo: "Eu **posso** fazer isso." Como se sente? É importante o suficiente para que **queira** fazer?*
- *Qual sentença lhe pareceu a mais forte?*

Procure ouvir esses operadores modais de necessidade em suas conversas e em seu diálogo interno. Dão as pistas para onde você está se limitando. Cada vez que ouvir um, questione-o.

3. Da próxima vez que ouvir alguém falando sobre uma doença, procure ouvir as palavras que a pessoa usa. Nós rotineiramente dizemos "estou com um resfriado" ou "tenho dor de cabeça", mas a doença é um processo que está ocorrendo em nossos corpos. A maioria dos sintomas de uma doença são as tentativas de nossos corpos para se curarem (por exemplo, náuseas, dores de cabeça, febre, inflamações). Não podemos "ter" uma doença. Quando você pensar em um diagnóstico como nominalização, poderá saber que tem o poder de influenciá-lo. Não precisa esperar que vá embora.

4. Teste de pressuposição.

    Leia este conto uma vez e depois veja as 12 afirmações abaixo.

    Com base nas informações contidas na história:

    Se achar que uma afirmação é verdadeira, marque-a com um tique.

    Se achar que é falsa, marque-a com uma cruz.

    Se não tiver certeza ou achar que não há informações suficientes na história para permitir que decida, marque-a com um ponto de interrogação.

    Marque todas as afirmações antes de verificar seus resultados.

    Um homem chegou em casa tarde vindo do trabalho e não conseguia encontrar sua chave. Tocou a campainha, e sua mulher atendeu. O homem iniciou uma discussão com outro homem e houve uma briga. A polícia foi chamada, mas chegou tarde demais.

    Afirmações possíveis sobre a história:

    O homem esqueceu a sua chave.

    O homem estava trabalhando.

    Estava escuro quando o homem chegou em casa.

    Sua mulher o aguardava.

O homem estava zangado com sua mulher.

Sua mulher não deixou que entrasse em casa.

Em determinado momento havia três pessoas na casa, o homem, sua mulher e outro homem.

O homem discutia com o outro homem sobre sua mulher.

A mulher tinha um amante.

Dois homens brigaram.

Alguém na casa chamou a polícia.

A discussão terminou antes de a polícia chegar.

Não olhe as respostas até ter pensado nas perguntas!

Respostas:

Falso. Ele poderia não ter sua chave para início de conversa.

Verdadeiro (provavelmente).

Falso. O homem poderia estar no turno da noite.

Não necessariamente nesse momento.

Informações insuficientes.

Falso. Não é especificado se o homem entrou ou não na casa.

Falso. Havia pelo menos três pessoas como descrito, mas poderia haver mais. Também não é dito que estavam dentro da casa.

Não necessariamente. A história não diz isso.

Não necessariamente.

Não necessariamente. Não é dito quem brigou. Podem ter sido os dois homens, mas a mulher poderia estar envolvida também.

Talvez não. Um vizinho pode ter chamado a polícia ao ouvir o barulho.

Não necessariamente. Não é dito para que a polícia chegou tarde demais.

Eis um cenário possível:

O homem chega do trabalho. Ele combinou encontrar com sua amante em sua casa porque acredita que sua mulher está fora. Ele procura sua chave e se lembra de que a deu a sua amante para que ela pudesse entrar na casa primeiro. Ele espera que ela atenda a porta, mas sua mulher chegou em casa cedo, descobriu o caso e está esperando por ele. Ela não o deixa entrar, e sua gritaria através da porta fechada incomoda um vizinho, que vem investigar. O vizinho e o homem brigam, e outro vizinho chama a polícia. O homem foge, e a polícia chega dez minutos depois.

Quanto mais vaga a linguagem, mais inferimos a partir dela, com base em nossas expectativas. Quanto mais deleções houver em uma sentença, mais teremos que inferir, e maior a possibilidade de fazermos uma suposição descabida.

5. Familiarize-se com o sinal que o avisa de que precisa de mais informações. Da próxima vez que alguém o estiver instruindo, como saberá quando fazer uma pergunta?

Suas imagens mentais são difusas ou maldefinidas?

Há um sinal de alarme que dispara em sua mente?

Você tem uma sensação de curiosidade?

Esse sinal é um bom amigo para ter. Significa que você sabe que não sabe. Agora você tem uma chance de fazer uma pergunta de Metamodelo e até mesmo de saber qual o padrão que você está desafiando.

Capítulo 11

O Modelo Milton

A Mente Inconsciente

A PNL utiliza a palavra "inconsciente" para significar qualquer coisa que não está na consciência do momento presente. A mente inconsciente é composta de todos aqueles processos mentais que continuam sem nosso conhecimento. A frase "mente inconsciente" é uma nominalização. O inconsciente não é uma coisa, e sim um processo. Ele lida com todas as profundas funções de sustentação da vida e com todos os processos de pensamento que irrompem na mente consciente como bolhas estourando na superfície de um lago. A mente consciente é aquilo de que temos consciência, mas, como o mar, ela tem profundezas ocultas que a sustentam.

Tendemos a pensar que o pensamento é inteiramente consciente, mas raramente nos engajamos em pensamento consciente. Em vez disso, nos tornamos conscientes de pensamentos que são resultado do processo inconsciente. Isso é facilmente provado. Se o pensar fosse inteiramente consciente, você poderia interrompê-lo quando quisesse. Tente. Não conseguirá.

O processo de pensamento é inconsciente.
Percebemos os resultados de forma consciente.

Percebemos apenas uma parte muito pequena de nosso processo de pensamento, a parte que tem prioridade suficientemente alta para romper a superfície da consciência. Algumas experiências neurológicas sugerem, no entanto, que estamos potencialmente conscientes de tudo que já nos aconteceu e que essas memórias podem ser disparadas em determinadas circunstâncias. Você provavelmente já teve a experiência de repentinamente lembrar algo de anos atrás que você não só havia esquecido, mas tinha esquecido de ter esquecido. No entanto, sua mente inconsciente o lembrou do fato. Âncoras podem trazer de volta estados e recordações de muito tempo atrás e é estranho que, à medida que envelhecemos, recordações antigas passem a ser as mais vívidas.

A mente inconsciente contém tanto nossos pensamentos, sonhos e aspirações mais valorizados quanto os mais desprezados. A psicologia freudiana tem o subconsciente, ou "id" repleto de material reprimido, mas em PNL é denominado "inconsciente" em vez de "subconsciente" para evitar a implicação de que é "sub", embaixo de e de alguma forma inferior ou perigoso. É visto como um tesouro de experiências, recordações e habilidades.

Todas as nossas habilidades ocorrem em competência inconsciente. A mente consciente quase não possui habilidades. Pode apenas lidar com sete mais ou menos dois pedaços ou blocos de informações de uma vez. A mente inconsciente pode processar muito mais.

Toda mudança ocorre no nível inconsciente.
Todos percebemos a mudança conscientemente quando estamos prontos.

O inconsciente parece ser o reino da emoção – é difícil sentirmos emoções de forma consciente. A parte límbica do cérebro, uma das partes mais antigas da cadeia da evolução, é o centro das emoções.

O inconsciente utiliza comunicação indireta em vez de comunicação direta. Ele responde a símbolos e metáforas mais do que à linguagem, expressando-se de formas indiretas, divertidas e com trocadilhos. Como não usa linguagem diretamente, não processa negativos. Assim, "Não faça 'X'" e "Faça 'X'" são a mesma coisa para o inconsciente, porque 'X' é representado em ambos. É por isso que objetivos expressos no negativo não funcionam bem. Conscientemente, queremos evitar algo, mas no nível inconsciente aquilo que queremos evitar é conscientemente tido como idéia e, portanto, continua a influenciar nosso pensamento.

De algumas maneiras, o inconsciente é como um amigo e servente fiel e poderoso, trabalhando nos bastidores para apoiá-lo. Ele merece respeito.

Ganhe rapport com seu inconsciente cuidando de seu corpo e prestando atenção aos *insights* e às mensagens que ele lhe dá. Sintomas, dor, bloqueios e intuições são todos mensagens que lhe dizem que você precisa agir.

Uma vida saudável tem um equilíbrio entre consciente e inconsciente, como uma bela obra de arte. Para viver com graça e equilíbrio você precisa transformar o poder e a energia do inconsciente com a mente consciente para que lhe dê suporte e lhe nutra.

Transe

Como acessamos os recursos do inconsciente? Através do estado de transe. O transe é um estado de consciência com um foco interno de atenção. Quanto mais você focaliza o mundo interior de seus próprios pensamentos e sentimentos, menos atenção dá ao mundo externo. Quanto mais profundamente você entrar em transe, mais profundamente irá internamente, até que, no limite do transe, você adormece. Assim, o transe não é um estado de tudo ou nada. Ao passarmos pelo dia, prestamos atenção no mundo interno ou no externo, dependendo de nossas atividades e humor. Entramos e saímos de transe.

O transe é um tipo de estado conhecido como *"downtime"* em PNL.

Downtime é quando você está predominantemente prestando atenção no mundo interno.

Uptime é quando você está predominantemente prestando atenção no mundo externo.

O sono é o *downtime* extremo – o mundo externo não mais existe para você, e o mundo interno dos sonhos parece ser completamente real.

A consciência normal acordada é uma mistura sem costuras de *uptimes* e *downtimes*.

Uptime e *downtime* não são nem bons nem ruins em si mesmos, depende do que estiver fazendo. Atravessar a rua, dar uma palestra, calibrar a fisiologia e praticar um esporte são todas atividades *uptime* (especialmente atravessar a rua!) Planejar, trabalhar resultados, fantasiar, jogar xadrez, meditar e relaxar são principalmente atividades *downtime*.

O transe é também uma espécie de estado hipnótico. "Hipnose" significa sono. Uma pessoa que está em transe pode parecer estar dormindo para o mundo externo, mas a experiência subjetiva de alguém em transe é um estado rico e criativo de consciência interna.

Pessoas em transe estão mais acordadas para si mesmas.

A versão popular de hipnose, com uma figura parecida com um mago dominando um cliente indefeso é pura ficção. A hipnose não pode controlar ninguém e não pode obrigar uma pessoa a fazer algo que vá contra sua moral e seus valores importantes. A maior habilidade do hipnotizador de palco é a de selecionar as pessoas que desejam subir ao palco e entreter o restante da platéia.

Transe e hipnose ajudam pessoas a aprender sobre si mesmas e a se expressarem melhor.

Indicações de Transe

O transe possui vários marcadores fisiológicos. Os mais comuns são:

- *Relaxamento muscular*

    Pessoas em transe geralmente se movem muito pouco. Seus movimentos podem ser mais lentos do que o normal e ter uma qualidade fluída. Também são capazes de ficar imóveis por longos períodos. Às vezes isso resulta em catalepsia, estado em que os músculos estão equilibrados, e a pessoa pode manter a mesma posição do corpo por longos períodos sem se cansar, porque não estão tentando mantê-la conscientemente.

- *Qualidade de voz mais profunda.*

    Como os músculos da garganta estão relaxados, a voz terá um timbre mais profundo.

- *Relaxamento dos músculos faciais.*

    As linhas da face se suavizarão à medida que os músculos se relaxarem. As linhas da testa não serão tão pronunciadas, e os músculos sob os olhos se relaxarão.

- *Pulso e respiração mais lentos.*

    À medida que os músculos se tornam mais relaxados, o batimento cardíaco e o pulso diminuem. Isso pode ser visível ao observarmos a artéria carótida no pescoço. A respiração também se tornará mais lenta.

- *Mudança de acesso visual.*

    Uma pessoa em transe está dando atenção a experiência interna, e assim seus olhos provavelmente ficarão desfocados ou fechados.

- *Reflexos mais lentos ou perda dos reflexos.*

    Os reflexos de engolir e piscar ficam mais lentos, e a pessoa engolirá e piscará (se seus olhos estiverem abertos) muito menos do que o normal. Provavelmente também demonstrará menos o reflexo de susto (tensão muscular no pescoço, ombros e mãos, respiração mais rápida) em resposta a um barulho forte.

- *Uma sensação subjetiva de conforto.*

    O transe geralmente é um estado preguiçoso, relaxado.

    Além dos sinais visíveis do transe, há também sinais fisiológicos que podem ser medidos com equipamento adequado.

- O neurotransmissor cerebral acetilcolina domina em vez da norepinefrina.

- Um eletroencefalograma (EEG) mostrará ondas teta dominantes. Ondas cerebrais são divididas em quatro classes: beta (pensamento ativo); alfa (relaxamento); teta (transe); e delta (sono).

Também pode ocorrer o seguinte durante um transe:

Amnésia: Esquecimento do que ocorreu durante o transe.

Anestesia: Deleção de dor e desconforto.

Alucinação Positiva: (ver algo que não está lá) ou negativa (não ver algo que está lá).

Catalepsia: Tensão muscular equilibrada, com o corpo podendo manter a mesma posição por longos períodos sem desconforto.

Regressão: Volta no tempo e se comportando e sentindo de maneira mais infantil.

Desorientação no tempo: Experiência de tempo passando muito mais depressa ou mais lentamente do que o normal.

Essas reações são às vezes consideradas como sendo fenômenos hipnóticos especiais, mas podem ser observadas todos os dias, e você provavelmente as experimenta regularmente.

Amnésia simplesmente significa que você esquece. Isso ocorre, com freqüência, quando imergimos profundamente em uma experiência e então não nos lembramos dos detalhes quando emergimos. Para nos lembrarmos, precisamos voltar àquele estado alterado.

Anestesia ocorre freqüentemente quando um atleta se contunde e não percebe porque está envolvido no jogo. A contusão só dói depois. A dor desaparece quando estamos profundamente entretidos em uma atividade. Para onde vai?

Nós temos alucinações quando nuvens se tornam rostos. Temos alucinações negativas quando não podemos encontrar as chaves do carro que estão na mesa bem a nossa frente. Podemos olhar diretamente para elas e não vê-las. Não fomos hipnotizados, estamos apenas sujeitos a um transe normal do dia-a-dia.

Catalepsia pode ser vista quando uma pessoa está profundamente envolvida assistindo à televisão. Pode esticar a mão para pegar uma bebida e depois esquecê-la porque está entretida com a ação na tela. Sua mão permanecerá parada a meio caminho de sua boca. Então, repentinamente "acordará" e tomará um gole.

Regressão ocorre sempre que agimos de forma infantil sob influência de forte emoção.

A distorção de tempo é uma ocorrência do dia-a-dia. Situações entediantes parecem se estender infinitamente. Experiências excitantes e agradáveis parecem terminar cedo demais. Jogar um *game* de computador é quase sempre uma experiência que distorce o tempo. Passam-se horas no que parece minutos.

Transe Diário

Entramos e saímos de transe ao longo do dia. Estamos em transe leve sempre que focalizamos nossa atenção para dentro e damos mais atenção a nosso mundo interno do que ao externo. Às vezes, voltamos ao presente com um susto e percebemos que estivemos entregues a devaneios.

O transe é um estado excelente para muitas atividades – meditar, relaxar, fantasiar e planejar. É geralmente um estado repousante e relaxante. Também entramos numa espécie de transe quando estamos com o "piloto automático" ligado, fazendo coisas do dia-a-dia, nos vestindo, tomando café da manhã e indo para o trabalho.

Podemos realizar atividades complexas enquanto estamos em transe. Nosso inconsciente cuida de nós. Mesmo assim, é preocupante pensar que enquanto você dirige pelas ruas de uma grande cidade, muitos de seus colegas motoristas estão em transe.

Também podemos ser sugados para transes do dia-a-dia que não são tão agradáveis e úteis. Algo acontece, ficamos aborrecidos e desdobramos as conseqüências em uma série de fantasias que nos deixa ainda mais aborrecidos. O gatilho pode ser qualquer coisa, qualquer ofensa real ou imaginária. Nosso mau estado resultante pode não dizer tanto respeito ao que aconteceu quanto a nossos pensamentos sobre o que aconteceu ou poderá acontecer. Podemos entrar em transe e reagir a nossos pensamentos e sentimentos internos, não ao mundo real.

Esses transes do dia-a-dia podem ser cansativos e, na pior hipótese, obsessivos. A preocupação é um bom exemplo de transe do dia-a-dia desprovido de recursos. Preocupamo-nos com *nossa própria imaginação* com relação ao que poderia ter acontecido, não com *que efetivamente aconteceu* (geralmente, nada!) Esses transes do dia-a-dia sem recursos são às vezes chamados de "fugas".

Você sabe que entrou em uma de suas fugas habituais quando sente que não está no controle. Você não está obtendo o que quer e parece que outros são culpados. Você está preso em seus próprios pensamentos e sentimentos e é difícil adotar uma terceira posição. Sua imaginação o suga de volta como areia movediça, e tudo parece terrivelmente familiar.

É difícil sair de uma dessas fugas uma vez que tenha começado. É melhor estar consciente das âncoras que o levam a elas e então fazer, logo de início, a escolha de não entrar ali.

Também entramos em uma espécie de transe quando estamos feridos ou em choque. Sentimo-nos atordoados ou confusos e incapazes de nos concentrar. Nossas mentes estão tentando processar a situação, e nosso pensamento consciente está disperso e desfocado. Se você tiver sofrido um choque, a melhor coisa a fazer é deixar que sua mente divague, deixar que seu inconsciente ordene as informações e você encontrará uma resposta sem ter que pensar nisso conscientemente.

Linguagem de Transe ou Linguagem Hipnótica

O Modelo Milton é um conjunto de padrões de linguagem utilizado para induzir transes ou um estado alterado de consciência e utilizar recursos do inconsciente para realizar mudanças desejáveis e solucionar problemas difíceis. Foi modelado por Richard Bandler e John Grinder a partir de Milton Erickson em 1974 por sugestão de Gregory Bateson. Os resultados foram publicados em dois livros – *Patterns of the Hypnotic Techniques of Milton H. Erickson, M.D., Volume 1* (1975) e *Volume 2* (1977), ambos publicados pela Meta Publications.

Milton Erickson

Milton Erickson (1901-1980) foi um terapeuta excepcional, tendo sido pioneiro na abordagem à hipnoterapia que ainda leva o seu nome (hipnoterapia ericksoniana) e é praticada em todo o mundo. Embora confinado a uma cadeira de rodas durante a parte final de sua vida, Erickson continuou a ser extremamente ativo e animado, atendendo muitos clientes, escrevendo, viajando, ensinando e dando seminários. Sempre foi generoso com seu tempo e seu conhecimento.

A abordagem de Erickson foi muito mais permissiva do que os estilos anteriores de hipnoterapia. Ele usou um método naturalista e flexível para a indução de transe que trabalhava *com* o cliente, não *no* cliente. Variava sempre sua abordagem, dependendo do problema e da personalidade individuais do cliente. Esse estilo coloca exigências maiores sobre os terapeutas; não podem usar o mesmo roteiro para todos.

Erickson coletava informações sobre o cliente através de perguntas e observação para descobrir o que queriam e que tipo de pessoa eram. Então saberia a melhor maneira de induzir o transe para aquela pessoa e podia trabalhar com ela em seus próprios termos.

Erickson não reconhecia a resistência; usava tudo que o cliente dizia e fazia para ajudá-lo a acessar recursos. "Resistência", dizia, "é apenas o resultado de não ser suficientemente flexível como terapeuta". Acreditava que todos podiam entrar em transe. Desde então, demonstrou-se que embora algumas pessoas o façam com mais facilidade que outras, entrar em transe é uma habilidade que se torna mais fácil com a prática. Resultados estatísticos que alegam mostrar que algumas pessoas não podem ser hipnotizadas apenas comprovam que algumas pessoas não podem ser hipnotizadas pelos métodos abordados *naquele estudo*.

Erickson sempre se encontrava com os clientes no modelo de mundo deles, e acreditava que já possuíam todos os recursos de que necessitavam, apenas não sabiam como acessá-los. Via seu trabalho como uma maneira de colocá-los em contato com seus recursos e dar a eles mais escolhas. Supunha que, se lhes fosse oferecida uma escolha melhor, optariam por ela. As pessoas fazem as melhores escolhas que podem, dado o que sabem no momento. A abordagem de Erickson é agora amplamente aceita como sendo a mais eficaz para hipnoterapia.

Erickson era extremamente pragmático; não estava interessado em classificação e diagnóstico, e sim em obter a mudança desejada pelo cliente. Sua linguagem hipnótica era habilidosa e multinível. Era excelente em metáforas e ia ao cerne do problema do cliente. Era também um observador arguto sendo capaz de calibrar mudanças muito pequenas na fisiologia do cliente e de entendê-las.

As idéias, os valores, as crenças e as habilidades de Erickson tiveram um profundo efeito na maneira pela qual a PNL se desenvolveu. Os seminários originais da PNL foram construídos em torno da hipnose utilizando os padrões de linguagem de Erickson.

O Modelo Milton e o Metamodelo

Os padrões do Modelo Milton foram modelados com base nos que Erickson utilizou com seus clientes. O Modelo Milton foi o segundo modelo da PNL a ser publicado após o Metamodelo. Reequilibrou a PNL que, à época, pesava em direção a perguntas específicas do Metamodelo e um elaborado trabalho consciente de objetivos. O Modelo Milton tornou possível o trabalho com transe e estados alterados, parte essencial do trabalho com a experiência subjetiva:

O METAMODELO	O MODELO MILTON
Segmenta a linguagem para baixo, tornando-a mais específica.	Segmenta a linguagem para cima, tornando-a mais geral.
Move-se da estrutura profunda para a estrutura superficial, desafiando deleções, distorções e generalizações.	Move-se da estrutura superficial para a estrutura profunda, gerando deleções, distorções e generalizações.
Preocupa-se com trazer experiência e significado para o consciente.	Preocupa-se com recursos inconscientes.
Lida com os resultados de uma busca transderivacional.	Provoca uma busca transderivacional.
Lida com meios precisos.	Lida com compreensões gerais.
Acessa a compreensão consciente.	Acessa recursos inconscientes.

De algumas maneiras, o Modelo Milton é o espelho do Metamodelo. O Metamodelo mergulha na vaga estrutura superficial para encontrar a estrutura profunda e a experiência sensorial por trás dela. O Modelo Milton *deliberadamente* gera estrutura superficial vaga para dar ao ouvinte a maior quantidade de escolha possível na escolha de uma estrutura profunda e experiência sensorial que se equipare às palavras. Assim, os padrões do Modelo Milton acompanham a realidade do ouvinte. São vagos o suficiente para significar seja o que for que se deseja que signifiquem.

Todos os padrões do Metamodelo são usados no Modelo Milton, ao contrário:

No Metamodelo você desafia deleções, distorções e generalizações para tornar sua linguagem mais clara.

No Modelo Milton, você usa deleções, distorções e generalizações para tornar sua linguagem vaga, para que o cliente tenha liberdade para acessar seus próprios recursos inconscientes. Padrões do Modelo Milton levam os clientes a fazerem uma busca transderivacional para encontrar o significado correto para eles.

Os padrões de linguagem do Modelo Milton são usados para:

- acompanhar e conduzir o cliente a um estado alterado no qual terá acesso a mais recursos.
- distrair a mente consciente.
- acessar recursos inconscientes.

Padrões do Modelo Milton

Todos os padrões do Metamodelo podem ser usados para induzir transe e provocar uma busca transderivacional.

Deleções

Deleção simples

"Você pode aprender confortavelmente..."

A deleção permite ao cliente pensar em o que e como é mais apropriado aprender.

Índice referencial não-especificado

"Haverá pessoas que significaram muito para você e que lhe ensinaram muito..."

O cliente sabe quem são e pensará nelas.

Verbo não-especificado

"À medida que fizer sentido disso de sua própria maneira..."

Isso permite ao cliente compreender da maneira que melhor lhe convém.

Comparação

"Você se sente mais relaxado..."

Essa forma de palavras permite que o cliente relaxe no ritmo que melhor lhe convém.

Julgamento

"É bom recordar todas as vezes em que foi bem-sucedido..."

Isso torna mais fácil para o cliente recordar aqueles momentos.

Distorções

Equivalentes complexos

"À medida que fecha os olhos, você se torna mais confortável..."

Fechar os olhos torna-se equivalente a ficar mais confortável.

Leitura mental

"Você é facilmente capaz de fazer sentido disso à medida que se torna mais curioso sobre exatamente o que você irá aprender..."

Isso sugere uma curiosidade natural que ajudará o cliente.

Nominalização

"À medida que se aprofunda no *relaxamento* e seu *conforto* aumenta, a *facilidade* de sua *aprendizagem* pode se tornar uma *fonte de deleite*..."

Essas nominalizações são de tal forma multinível que levam a mente consciente a uma série de buscas transderivacionais. Não têm qualquer informação específica, assim o cliente faz sentido delas da forma que melhor lhe convier.

Causa-efeito

"Ao respirar profundamente e com facilidade, cada respiração o deixará cada vez mais relaxado..."

Causa-efeito liga o que está acontecendo naturalmente (acompanhando) com o resultado que você deseja (conduzindo). A causa-efeito é a transição entre o acompanhamento e a condução.

Pressuposição

"Não sei se você se sentirá mais relaxado antes ou depois que fechar os olhos..."

Isso pressupõe o resultado (fechar os olhos).

Outras pressuposições são: "Você quer aprender alguma coisa diferente agora?" (Você aprendeu alguma coisa.) "Não entre em transe ainda..." (Você entrará em transe.)

Generalizações

Universais

"Tudo que sabe está disponível a você em algum lugar de seu inconsciente..."

Usando universais, o Modelo Milton impede quaisquer limites auto-impostos.

Operadores modais de necessidade

"Você não *deveria* se limitar se deseja ser o melhor que puder... Você *deve* agarrar a oportunidade..."

Operadores modais são usados para sugerir regras potencializadoras para ação.

Operadores modais de possibilidade

"Você pode se tornar mais bem-sucedido... Você é capaz de ir mais fundo em sua experiência..."

Esses operadores modais estabelecem um quadro permissivo de *empowerment*.

Utilizando o Modelo Milton

Existem três fases no Modelo Milton:

1. Acompanhar a experiência da pessoa e levá-la a um estado alterado (transe).
2. Distrair a mente consciente.
3. Acessar recursos inconscientes.

Acompanhar a Experiência da Pessoa...

A maneira mais fácil de acompanhar é descrever a experiência sensorial contínua da pessoa, o que está ouvindo, vendo e sentindo. *Você descreve o que tem que estar lá*, retratando tudo em termos habilidosamente vagos. Ao fazê-lo, você começa a conduzir chamando a atenção da pessoa para sua experiência interna para que entre em transe mais completamente. Use um tom suave que mantenha a pessoa em um estado relaxado e de paz. Também é útil falar no ritmo de sua respiração.

Ao sentar-se ali... confortavelmente na cadeira... *e ao* ver o jogo de luz na parede... *e* ouvir minha voz... você pode se permitir relaxar cada vez mais... *enquanto* começa a imaginar...

Observe palavras como "e", "enquanto" e "ao". Elas ligam os pensamentos suavemente um ao outro, oferecendo uma experiência sensorial ininterrupta. Também implicam causa e efeito fraca. Você pode sugerir padrões mais fortes de causa e efeito que levam ao transe com palavras que implicam tempo, como "quando", "durante", "antes" e "desde". Por exemplo:

Antes de entrar em um estado relaxado, *e ao* se tornar mais e mais confortável, apenas acomode-se em sua cadeira e *comece* a pensar em algo sobre o qual gostaria de aprender mais... *e quando* estiver pronto...

Distraindo a Mente Consciente

A segunda fase do Modelo Milton utiliza uma linguagem complexa multinível e ambígua para engajar a mente consciente em buscas transderivacionais. Há uma série de padrões para realizar isso.

Ambigüidade fonológica

Usar palavras diferentes que tem o som parecido, por exemplo, *"here/hear** minhas palavras e à medida que sua mente começar a *"wander/wonder..."*** Outros exemplos são *"in security/insecurity"****, *"right/rite/write"***** e, é claro, a ambigüidade fonológica favorita de vendas: *"Buy/by now******, já deve saber o que quer..."

Ambigüidade sintática

Aqui, uma palavra é usada e o contexto não torna claro qual a sua função. Essa forma de ambigüidade geralmente consiste em um verbo, mais *ing* ("ando")^{NT}, de forma que pode ser algo diferente de um verbo. Por exemplo:

"Desafiando padrões de Metamodelo..."
(Você os desafia, ou eles o desafiam?)

"Fascinando pessoas em seu entorno..."
(Você as fascina ou elas lhe são fascinantes?)

Ambigüidade de escopo

Esse padrão obscurece o quanto de uma sentença é referido por uma de suas frases, por exemplo:

"Falando com você como pessoa inteligente..."
(Quem é a pessoa inteligente, eu ou você, ou ambos?)

"Jovens homens e mulheres..."
(São as mulheres ou os homens que são jovens? Ou ambos?)

"Clientes que pensam que nossos garçons são mal-educados devem falar com o gerente..." (Visto no restaurante de um hotel).

Ambigüidade de pontuação

Essas ambigüidades são criadas ao se fundirem duas sentenças separadas em uma só podem levar muito tempo para entender no mundo real você provavelmente não as perceberia.

Outro exemplo: "Há muitas coisas que não sei se você pode aprender isso hoje..."

Duplo vínculo

Essas oferecem uma escolha, mas dentro de um conjunto predeterminado de opções. Seja o que for que você escolher, estará coberto. Por exemplo:

"Você pode querer aprender algo agora ou mais tarde, ou nunca, não importa..."

---

*Aqui/ouça; **divagar/imaginar; ***em segurança/insegurança; ****certo/rito/escrever; *****Compre/agora
N.T.: Não faz sentido em português.

"Não sei se você quer fechar os olhos ou mantê-los abertos. Pode fazer qualquer das duas coisas para entrar em transe..."

Além de todos esses padrões, todos os padrões de deleções, distorções e generalizações do Metamodelo são ambíguos e manterão a mente consciente completamente ocupada em buscas transderivacionais.

Acessando Recursos Inconscientes

Os Padrões do Modelo Milton são projetados para oferecer muitas escolhas ao cliente. Também dão ao cliente sugestões para acesso a recursos inconscientes que não serão interpretadas como ordens. O cliente pode escolher se e como o fará.

Postulados conversacionais

Esta é uma forma de pergunta que convida a uma resposta "sim" ou "não" na superfície, mas que pode ser entendida como um comando em um nível mais profundo. Evita dar instrução direta e oferece uma escolha de resposta. Por Exemplo:

"Você pode imaginar isso?"

"Você sabe relaxar?"

"Você sabe que horas são?"

Perguntas finais

Uma pergunta final é uma que é acrescentada ao final de uma afirmação, de forma que convida à concordância. Se fizer várias seguidas, elas estabelecerão o que se chama de um "conjunto de sim", no qual a pessoa que responde se acostuma a concordar, e isso faz com que seja mais fácil concordar com a sugestão seguinte. Por exemplo:

"Você pode relaxar, não pode?"

"Isso foi fácil, não foi?"

"Essas perguntas finais são fáceis de usar, não são?"

"Você seria capaz de usá-las com facilidade, não seria?"

Perguntas finais também podem ser utilizadas para confundir e distrair a mente consciente e orientar a pessoa de modo diferente no tempo. Por exemplo:

"Você pode mudar isso, não pôde?"

"Você esteve em transe, não está?"

"Isso é um problema, não foi?"

Perguntas embutidas

São perguntas indiretas que surgem no fluxo da conversa. A outra pessoa responde internamente como se a pergunta tivesse sido feita de forma direta. Por exemplo:

"Eu fico imaginando se você sabe *o que o está incomodando?*"

"Não sei se você vai me dizer *quando foi a última vez em que aprendeu algo com facilidade...*"

Comandos embutidos

Comandos também podem ser embutidos em uma sentença mais longa:

"Não sei se você *entrará em transe* dentro de poucos momentos..."

"*Fique confortável.* As pessoas *aprendem facilmente como relaxar e a acessar recursos inconscientes...*"

Perguntas e comandos embutidos precisam ser destacados do restante da sentença de alguma forma, caso contrário não terão qualquer impacto. Use "marcação analógica" para indicar comandos ou perguntas embutidas:

- Aumentando ou diminuindo o tom de voz para aquela parte da sentença.
- Fazendo uma ligeira pausa após ter dado o comando ou feito a pergunta.
- Alterando seu tom de voz, tornando-o mais grave ou agudo para a parte da sentença que você quer destacar.
- E-s-t-i-c-a-n-d-o ou comprimindo as palavras que deseja destacar.
- Abaixando um pouco seu tom de voz no final de um comando ou elevando-o no final de uma pergunta.
- Usando uma âncora visual como um gesto para destacar as palavras.

Estes são os equivalentes *a pôr palavras em itálico* para chamar a atenção especial da mente inconsciente do cliente.

Citações

Esse padrão freqüentemente oferece uma sugestão ou idéia como se viesse de outra pessoa e, portanto, você não tem responsabilidade por ela. Por exemplo:

"Milton Erickson costumava dizer que *todo mundo podia entrar em transe...*"

"Minha amiga Elizabeth foi capaz de *aprender vários idiomas em transe...*"

"Minha irmã certa vez encontrou uma pessoa que havia viajado para a Índia onde um homem santo lhe contou esta história..."

Metáfora

Histórias, analogias e parábolas são a melhor forma de acessar recursos inconscientes, e Erickson era mestre em contar histórias que não só engajavam o cliente, mas também continham a chave para a solução de seus problemas e, então, à medida que a história se resolvia, o cliente era capaz de trazer os recursos sugeridos na história para sua própria situação.

Um uso simples da metáfora no Modelo Milton é o que se chama de "violação restricional", onde objetos são creditados com poderes que não possuem. Isso é usado extensivamente em contos de fadas e lendas, por exemplo:

"As paredes têm ouvidos..."

"Veja como o tempo voa..."

"Fique quieto e deixe que a sala lhe conte seus segredos..."

Política, Vendas e Propaganda

O Modelo Milton tem suas raízes na terapia. Quando um cliente visita um hipnoterapeuta, está admitindo que não tem recursos conscientes para resolver o problema. Em transe, com a ajuda do terapeuta, pode encontrar os recursos de que necessita. Mas os padrões de linguagem do Modelo Milton não se restringem ao consultório do hipnoterapeuta. São a linguagem natural da política, da propaganda e de vendas.

Entrevistas com políticos são uma batalha entre o entrevistador que tenta usar o Metamodelo e o político que tenta se ater ao Modelo Milton. Freqüentemente o político não pode ser específico porque não sabe as respostas, mas precisa ser específico o suficiente para satisfazer o entrevistador e vago o suficiente para permitir espaço de manobra.

Se você deseja bons exemplos de linguagem vaga do Modelo Milton, é só olhar e ouvir propaganda. Anunciantes não sabem quem lerá suas ofertas e, portanto, têm que torná-las relevantes para o maior número de pessoas possível.

Vendedores também utilizam padrões do Modelo Milton. Às vezes, os padrões lhes são ensinados para ajudá-los a aumentar as vendas – como se o cliente tivesse que ser colocado em transe para que compre um produto para início de conversa! Padrões do Modelo Milton são parte importante da mensagem de vendas. No entanto, acredito ser bastante dúbio e antiético utilizá-los para tentar confundir o cliente e manipulá-lo para uma situação ganha-perde. Vender diz respeito a descobrir os valores do cliente e apresentar os benefícios do produto ou serviço, não é a respeito de tentar enganar o cliente. Como sempre, o conhecimento exige responsabilidade.

Plano de Ação

1. Assista a um programa de atualidades na televisão. Observe os padrões de linguagem da pessoa que está sendo entrevistada ao alcançar um equilíbrio entre dar detalhes suficientes ao mesmo tempo em que mantém suas opções abertas.

2. Assista ao filme *Holy Smoke* no vídeo, mesmo que já o tenha visto. Observe como a linguagem utilizada pela personagem representada por Kate Winslet a respeito de seu grupo é repleta de padrões do Modelo Milton.

3. Faça um pequeno pêndulo atando uma arruela de metal à ponta de um barbante.

    Amarre a ponta ao seu polegar e apoie seu cotovelo na mesa para que a arruela esteja livre para balançar em qualquer direção sobre a mesa. Esse arranjo é conhecido como pêndulo de Chevreul.

    Mantenha sua mão firme e deixe que a arruela pare de oscilar. Agora imagine a arruela balançando da direita para a esquerda. Não a faça balançar, apenas imagine-a se movendo. A maioria das pessoas verifica que ela logo começa a oscilar naquela direção. Agora imagine que esteja balançando para a frente e para trás. Você verificará que dentro de aproximadamente um minuto, a arruela terá mudado a direção de sua oscilação. Agora imagine que a arruela esteja parada novamente. Ela deve parar após alguns momentos.

    O que está acontecendo? Você não está movendo a arruela conscientemente, e assim seu inconsciente está produzindo micromovimentos musculares que fazem o pêndulo oscilar.

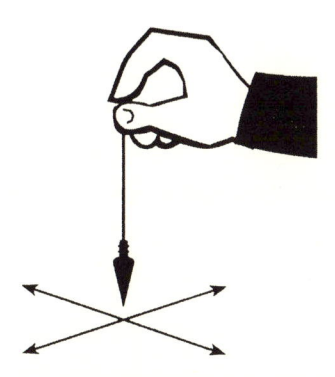

    Você está produzindo um resultado físico verdadeiro em seus músculos apenas com o pensamento. Como poderia acessar esse substancial poder com mais freqüência? Suponha que estivesse constantemente enviando mensagens positivas a si mesmo, e se visualizando como pessoa poderosa e valorosa? Adivinhe que tipos de resultados sua mente inconsciente provavelmente manifestaria no mundo externo?

4. O *uptime* precisa de um equilíbrio de *downtime*. Alguns minutos de relaxamento e transe durante um dia de trabalho podem nos tornar mais criativos. Se você ainda não reserva uma pequena quantidade de tempo a cada dia para relaxar, talvez através da meditação, então considere fazer do próximo exercício parte de seu dia. Você pode realizá-lo sempre que sentir necessidade de relaxar e de recarregar suas baterias mentais, ou quando quiser que sua mente inconsciente revolva um problema ou surja com algumas idéias.

   ⮞ Faça-se confortável, sentado em uma cadeira com os dois pés firmes no chão, ou deitado de costas. Não cruze as pernas ou os pés. Decida de antemão quanto tempo vai levar relaxando. Decida que voltará ao presente depois de passado certo tempo ou coloque um despertador para acordá-lo. Decida se vai relaxar ou se deseja que seu inconsciente seja criativo em um transe. Se quiser algumas idéias, então pense na situação para a qual deseja respostas antes de começar a entrar em transe.

   ⮞ Respire fundo algumas vezes, prenda a respiração um pouco e expire duas vezes mais tempo do que levou para inspirar.

   ⮞ Comece por descrever três coisas que pode ver; por exemplo: "Enquanto estou aqui sentado, posso ver o padrão do papel de parede, posso ver o tapete no chão e a luz do sol entrando pela janela." Então descreva três coisas que pode ouvir; por exemplo: "Posso ouvir os sons dos carros na rua lá fora, posso ouvir o som de minha respiração e posso ouvir a voz da pessoa falando na sala ao lado". Por fim, descreva três coisas que pode sentir; por exemplo: "Posso sentir o peso de meus pés no chão, o calor de minhas mãos e a pressão da cadeira contra as minhas costas".

   ⮞ Então descreva duas coisas que pode ver, duas que pode ouvir e duas que pode sentir. Isso estabelece o ritmo de sua experiência presente.

   ⮞ Depois descreva uma coisa que pode ver, uma que pode ouvir e uma que pode sentir.

   ⮞ Agora feche os olhos e veja o quão preto você pode fazer seu campo visual ficar. Concentre-se em torná-lo o mas preto possível.

   ⮞ Sinta a parte de seu corpo que está mais confortável e imagine aquela sensação como se fosse calor se espalhando lentamente por todo seu corpo. Sinta aquele calor e aquele conforto se espalhando pelo seu corpo e relaxe.

   ⮞ Deixe que sua mente vagueie/imagine da maneira que quiser até que você decida voltar ao momento presente ou seu despertador o trouxer de volta. Não importa se adormecer por alguns minutos. Se tiver dificuldade em dormir à noite, então esse é um meio excelente de superar esse problema.

5. Anote seus transes do dia-a-dia que não são produtivos. Observe quando você começa a sentir-se negativo como resultado de sua própria imaginação ou quando a sensação negativa for mais extrema do que a situação real justificaria.

> O que dispara isso? Uma vez conhecendo os gatilhos, haverá um momento de escolha quando poderá se perguntar: "Eu realmente quero entrar nesse transe negativo – *de novo?*
>
> O que acontece nesses transes negativos? O que você vê, ouve e sente internamente que suscita essas emoções? Uma vez que reconheça que está em uma dessas fugas, terá um precioso momento de escolha quando poderá decidir ficar ou sair.
>
> Volte ao presente e observe como isso é mais agradável e produtivo do que afundar-se na areia movediça da fuga negativa.

Capítulo 12

Metáfora

A realidade é um clichê do qual fugimos pela metáfora.
Wallace Stevens

Wallace Stevens usou a metáfora para descrever a metáfora. Jamais poderemos descrever o mundo diretamente; portanto, de certa forma toda linguagem é uma metáfora – ela aponta algo além de si mesma. No entanto, algumas metáforas fogem mais da realidade do que outras ou, para colocar de uma forma diferente, algumas comunicações são mais diretas do que outras. Quanto menos direta, mais metafórica. Isso não quer dizer que a metáfora não possa transmitir significado. Ela é especialmente boa para transmitir significados múltiplos ou ambíguos. Uma boa metáfora pode valer mil palavras e várias imagens. Ser capaz de usar metáforas é uma base da boa comunicação e redação, do bom treinamento, ensino e da boa terapia. A palavra "metáfora" vem de uma raiz grega que significa "levar além". A metáfora nos leva além de um significado e abre a nossa mente para muitos significados possíveis.

Em PNL, a metáfora abrange figuras de linguagem, histórias, comparações, símiles e parábolas. A metáfora é um passo para o lado; ela "segmenta para o lado" em termos de PNL. Metáforas não entram em maiores detalhes (segmentar para baixo). Não entram em classes mais gerais ou aspectos mais amplos (segmentar para cima). Comparam um aspecto a outro para iluminar. Uma metáfora é como um holofote dirigido a um objeto, fazendo com que pareça ser de cor diferente, ou transpor uma partitura para outra escala ao mesmo tempo tornando-a mais elaborada. A melodia é a mesma, mas a expressão é diferente. Uma metáfora pode ser como uma lufada de ar fresco em uma sala de aula abafada.

Metáforas do Dia-a-Dia

Metáforas fazem uma comparação. Segmentam para o lado para iluminar um objeto, para mostrar que é como outra coisa. Paradoxalmente, ao fazerem uma comparação, tornam o significado original mais claro. Precisamos de comparação para compreendermos.

Toque as costas de sua mão com um dedo. Você obterá algumas informações sobre como são as costas de sua mão. Agora mova seu dedo ao longo das costas de sua mão. Você obtém muito mais informações a partir das diferenças. Precisamos da diferença para compreendermos qualquer coisa, e a diferença deve envolver uma comparação.

Metáforas estão por todo lado em nosso entorno. Boas metáforas do dia-a-dia passam para a linguagem comum como clichês. Por exemplo: "Ele caiu como uma jaca madura" ou "Está chovendo canivetes". Se pensar nessas duas metáforas, verá que são ridículas, no entanto claramente fazem sentido em algum nível porque as pessoas dizem isso o tempo todo.

Metáforas também surgem nas histórias. Histórias são importantes. São nossa herança. Em sociedades sem linguagem escrita, as histórias são como a sabedoria, a ciência, a lei e as idéias políticas e econômicas, são passadas adiante.

Numa empresa, a cultura é elaborada a partir de histórias – histórias sobre os gerentes e os diretores, histórias sobre como a empresa foi fundada, como chegou onde está hoje. Há também as histórias contadas na hora do cafezinho, as histórias que os gerentes seniores jamais ouvem mas que afetam profundamente como as pessoas respondem a eles e como trabalham. Se um consultor quiser compreender uma empresa, precisa ouvir as histórias contadas pelos funcionários. Verdadeiras ou não, elas definem a cultura.

Organizações inteiras têm metáforas de identidade. Claramente, uma organização que se vê como "um negócio familiar" fará negócios de forma diferente e tratará seus funcionários de forma diferente de uma organização que pensa em si mesma como uma "implacável máquina de luta" ou "uma organização que aprende".

O mundo financeiro está encharcado de metáforas. Falamos de "fluxo de caixa", "ativos líquidos", "ativos imobilizados" e "congelamento de recursos". O dinheiro parece ser como água de muitas formas. (Por que está sempre se esvaindo por entre nossos dedos?) Há também o dinheiro "sujo", que é "lavado".

O mundo de vendas tem tantas metáforas quanto há canhões nas muralhas de uma fortaleza. Muitas organizações utilizam metáforas de guerra – tomar o mercado e derrotar a concorrência. Alguns profissionais de vendas se "armam" com a mais recente tecnologia, enquanto outros falam de cortejar o cliente, de seduzi-lo.

A saúde e a medicina também estão repletas de metáforas – a guerra contra o câncer, lutar contra o resfriado comum, erradicar germes e assim por diante. Nosso sistema imunológico é comparado a uma sofisticada máquina de matar.

Também temos metáforas que descrevem como nos sentimos, freqüentemente chamadas de "linguagem orgânica". Por exemplo:

"Ele está se queimando naquele emprego."

"Você me dá náuseas."

"Ele é como uma dor no pescoço."

"Apoie-se sobre seus próprios pés."

"Mostre um pouco de espinha dorsal, tá?!"

"Aquilo foi difícil de engolir."

"Está partindo meu coração."

"Você está dando nos meus nervos."

Nenhuma dessas metáforas são literalmente verdadeiras, mas são espantosamente sugestivas, e muitas podem ter algum efeito em algum nível. Sabemos de pessoas com postura curvada que não "lutam por si mesmas" e algumas situações podem lhes causar náuseas. Deepak Chopra tem um ditame interessante em seus livros sobre a saúde: "Seu sistema imunológico está bisbilhotando seu diálogo interno." Isso em si é uma metáfora evocativa e sugere que podemos nos convencer a ficarmos doentes ou saudáveis. Na verdade, não é surpreendente, porque esperamos totalmente que médicos, terapeutas e psiquiatras o façam.

Assim, metáforas não são boas nem más, mas têm conseqüências relativas a como nos relacionamos com o mundo, com outras pessoas e com nosso próprio corpo. Uma metáfora que confere *empowerment* o ajudará. Uma metáfora tóxica o enfraquecerá. As histórias que contamos e como as contamos, a nós mesmos e a outros, afetam profundamente nossas vidas. Elas criam nossa realidade.

Tipos de Metáfora

Há muitos tipos de metáfora, e uma metáfora pode se encaixar em mais de uma categoria. Todas são úteis para a boa comunicação, e bons treinadores e professores precisam ser capazes de usá-las todas.

A comparação ou analogia

- Esse é o tipo mais simples de metáfora. Você essencialmente diz: "Isso é como aquilo." Por exemplo, "Treinar é como ser ator" ou "Vejo o que está querendo dizer". (Compreender é como ver.) Essas metáforas são amplamente disseminadas e enriquecem nossa linguagem.

    Em um contexto mais amplo, você também pode usar uma comparação como tema, referindo-se a ela algumas vezes e ampliando-a com outros elementos da mesma metáfora. Por exemplo, consultoria é como o trabalho de um detetive. Que tipo de detetive você quer ser? Qual é o crime? Quais são as pistas?

    Esse tipo de metáfora é denominado "metáfora organizadora".

Metáforas de aprendizagem geral

- Essas comunicam um ponto geral que você quer estabelecer de forma mais eficaz do que a de dizer diretamente. Podem ser curtas e grossas ou extensas e relaxadas. Por exemplo:

    Tínhamos um inspetor na escola. Era um homem inflexível. Jamais permitia que agíssemos fora das regras da escola. Sempre que havia alguma dúvida, ele dizia: "Mostre-me uma regra que diz que podem fazer isso."

    Nós respondíamos: "Tudo bem, mostre-nos uma regra que diz que não podemos."

    Fábulas, morais, mitos e contos de fadas são todos exemplos de metáforas de aprendizagem geral.

Metáforas cognitivas

- Essas oferecem uma seqüência de idéias que ajudam a criar novas distinções. Vejamos a história de Chuang Tzu, o sábio chinês que viveu por volta de 300 a.C., conversando com seu amigo Hui Tzu:

Após uma discussão, Hui Tzu disse: "Suas palavras são inúteis!"

Chuang Tzu retrucou: "Mas você precisa compreender o inútil antes que possa falar daquilo que é útil. A Terra é vasta, embora um homem não utilize mais dela do que a área em que coloca seus pés. Se, no entanto, você fosse cavar e remover a terra em torno de seus pés até chegar ao Submundo, o homem ainda poderia fazer uso dela?"

"Não, seria inútil", respondeu Hui Tzu.

"Então é óbvio", disse Chuang Tzu, "que o inútil tem sua utilidade".

Metáforas emocionais

⊃ A principal finalidade desse tipo de metáfora é eliciar um estado emocional no ouvinte, embora todas as metáforas façam isso até certo ponto. Essas metáforas podem funcionar de uma de duas formas. Você pode contar uma história de maneira tal que faça o ouvinte *se identificar* com uma situação descrita e, assim, sentir a emoção que ela geraria, ou então pode descrever uma situação, e o ouvinte se emocionará *com* o que está sendo descrito. Por exemplo:

Estava com pressa ontem e tinha que pôr um pacote realmente importante no correio. Fui aos correios e entrei na fila. A mulher à minha frente era muito lerda e não conseguia encontrar seus documentos e começou a esvaziar sua bolsa. Você tem idéia de como é estar tão perto e ao mesmo tempo tão longe quando está com pressa? Tive que esperar e esperar, e meu carro estava no parquímetro...

Você pode utilizar uma combinação de metáforas cognitivas e emocionais para ensinar estratégias. Você faz isso repetindo uma série de metáforas que têm a mesma seqüência de estados. Por exemplo, para estabelecer uma estratégia para ir de frustração para curiosidade:

Frustração: Ofereça uma metáfora que elicie frustração (por exemplo, o citado acima sobre a fila dos correios).

Equanimidade: Ofereça uma metáfora que elicie equanimidade e uma que estabeleça motivação distanciada de frustração (por exemplo, o estresse fazer mal à saúde) ou próxima à equanimidade (por exemplo, a alegria de sentir-se bem).

Curiosidade: Ofereça uma metáfora que elicie curiosidade juntamente com uma que mostre como a curiosidade é um bom recurso em situações difíceis. Ofereça diferentes metáforas que eliciem esses estados na mesma ordem no decurso do treinamento.

Essas metáforas ou passos da estratégia podem ser explícitos ou encobertos.

Metáforas ligadas

⮑ Aqui, você oferece várias metáforas aparentemente não-relacionadas que têm todas algo em comum – uma distinção ou informação que deseja transmitir ou enfatizar. Por exemplo, uma viajem de avião, subir em um elevador, ver um formigueiro e o primeiro pouso na lua, todos dizem respeito a obter uma perspectiva de cima.

Metáforas Isométricas

Uma metáfora isométrica é uma história que segue o mesmo esboço que um problema. Ela se move em direção a uma conclusão desejada e contém recursos que podem ser mapeados para o problema. Quanto mais oblíqua a metáfora, mais poderosa provavelmente será. Esses tipos de metáfora são sempre direcionados para algum resultado e são principalmente usados em aconselhamento, terapia ou treinamento.

Milton Erickson elaborava metáforas isométricas e as contava a seus clientes enquanto estavam em transe. Os clientes encontravam os recursos de que precisavam nas histórias e começavam a resolver seus problemas, freqüentemente sem fazer a conexão entre as histórias e o problema.

Para criar uma metáfora isométrica:

1. *Identifique o problema do estado presente.*

    Observe que pessoas estão presentes, qual o contexto e quaisquer locais ou objetos importantes.

    Observe quaisquer submodalidades importantes que descrevam as pessoas ou os objetos.

    Observe o que está acontecendo na situação-problema.

2. *Identifique o estado desejado.*

    Observe que pessoas estão presentes, qual o contexto e quaisquer locais ou objetos importantes.

    Observe quaisquer submodalidades importantes que descrevam as pessoas ou os objetos.

    Observe o que está acontecendo na situação desejada.

3. *Quais os relacionamentos cruciais entre os elementos da história?*

    Em uma metáfora isométrica, você pode mudar todos os elementos desde que mantenha os relacionamentos-chave entre elementos significativos. É como transpor uma partitura musical para outra escala.

4. *Segmente para o lado a partir da situação-problema.*

   De que a situação lhe lembra?

   Mude o contexto.

   Substitua quaisquer pessoas e objetos significativos por pessoas e objetos diferentes.

   Mantenha quaisquer submodalidades importantes na história.

   Desenvolva uma linha de narrativa que leve do presente para o estado desejado.

   Faça com que a linha narrativa seja paralela aos relacionamentos originais entre os elementos do estado presente e o estado desejado.

   (Às vezes, é mais fácil trabalhar de frente para trás a partir do estado desejado. Que passos seriam necessários para chegar lá?)

Você pode utilizar suas próprias experiências como base para a história, ou quaisquer livros, filmes novelas de televisão, parábolas, piadas ou lendas mitológicas.

Quando contar a história, deixe o ouvinte relaxar. Dê à história a maior quantidade possível de detalhes específicos a sentidos para que se torne empolgante. Procure fazer com que o ouvinte se engaje e participe, para que queira saber como a história termina. Uma metáfora isométrica não funcionará a não ser que o ouvinte seja atraído para o enredo da história.

Uma metáfora eficaz deve engajar o ouvinte.

Como você pode fazer com que suas metáforas sejam eficazes?

- ⮕ Use predicados sensoriais, não linguagem digital. Você quer que o ouvinte veja, ouça e sinta a história em sua mente. Você deve engajar os sistemas representacionais dele.

- ⮕ Use suspense. O ouvinte desejará saber o que acontece a seguir e esperará uma solução satisfatória para a história.

- ⮕ Encoraje o ouvinte a se identificar com um personagem para que seja levado pela história.

- ⮕ Use piadas e humor que estabeleçam as expectativas do ouvinte e então mude subitamente de significado de forma inesperada e incongruente.

Duas Histórias

Em seu livro *Steps to an Ecology of Mind*, Gregory Bateson relata o caso do homem que queria saber a respeito da mente, o que realmente era e se computadores algum dia seriam tão inteligentes quanto os humanos. Ele digitou a pergunta a seguir no computador mais poderoso da época (que ocupava um andar inteiro do departamento da universidade): "Você computa que algum dia pensará como um ser humano?"

A máquina roncou e resmungou ao começar a analisar seus próprios hábitos computacionais. Por fim, imprimiu sua resposta. O homem foi correndo, empolgado, e encontrou essas palavras ordenadamente impressas: "Isso me lembra uma história..."

Eis outro exemplo de metáfora da obra de Chuang Tzu, o sábio chinês.

O Nadador e o Arqueiro

Um bom nadador adquiriu sua habilidade através da prática repetida. Isso significa que se esqueceu da água.

Se um homem pode nadar embaixo d'água, pode jamais ter visto um barco antes e mesmo assim saberia como manejá-lo. Isso é porque ele vê a água como terra firme e considera o soçobrar do barco como consideraria a capotagem de uma carroça.

Tudo pode estar soçobrando e capotando ao mesmo tempo bem diante dele e não pode atingi-lo e afetar o que está por dentro, então onde poderia ir e não estar à vontade?

Quando está apostando fichas em um concurso de arco e flecha, você atira com habilidade. Quando está apostando fivelas de cinto elaboradas, você se preocupa com sua pontaria. E quando está apostando ouro de verdade, seus nervos viram frangalhos. Sua habilidade é a mesma em todos os três casos, mas por um prêmio significar mais para você do que o outro, você permite que considerações exteriores pesem em sua mente. Aquele que olha demais para o exterior se torna desajeitado no interior.

Plano de Ação

1. Se tivesse que descrever sua vida no momento como um livro, uma série de TV, uma peça ou um filme:

   Seria uma comédia, uma tragédia, uma comédia de humor negro, uma obra de suspense, uma farsa?

   Qual seria o título? Pesadelo na Rua Elm? Caçadores da Arca Perdida? Missão Impossível? Harry Potter e a Taça de Fogo?

   Quais as implicações do título que você escolheu?

   Por que escolheu esse título?

   Quais as similaridades que você viu entre o título e sua situação no momento?

   Como termina o filme ou o livro?

Que recursos o protagonista possui que lhe permitem resolver seu problema?

Você pensa que esse recurso específico pode ajudá-lo também?

Como poderia desenvolver esse recurso?

Que filme, série de TV, livro ou peça gostaria de ter como vida no momento? Por quê?

2. Pense em seu trabalho e complete essas sentenças:

   "Não precisa ser .... para trabalhar aqui, mas ajuda."

   "Trabalhar no meu ramo de negócios é como .... porque ...."

   Quais as implicações de sua metáfora?

   O que ela sugere sobre o tipo de trabalho que você faz e o tipo de organização para a qual trabalha?

   Qual o melhor aspecto dessa metáfora?

   Qual o pior aspecto dessa metáfora?

   Que recurso você poderia utilizar para lidar com o pior aspecto?

3. Pense em um problema que tem no momento.

   Vá a um de seus livros favoritos – livro de negócios, romance, história de suspense, de auto-ajuda, de autodesenvolvimento, não importa. Faça com que seja um livro do qual goste de ler.

   Feche os olhos e abra em uma página aleatoriamente.

   Mantendo seus olhos fechados, aponte com um dedo para um lugar no meio da página em que abriu o livro.

   Agora, abra os olhos e leia a sentença para a qual está apontando, talvez continuando até a próxima sentença para completar o sentido.

   Como essas palavras se relacionam com seu problema?

   Que recursos sugerem?

   Você pode não obter uma resposta imediata, mas mantenha as palavras em mente e algo irá se sugerir.

Capítulo 13

Redação

O talento é a capacidade de tomar cuidados infinitos.

Oscar Wilde

A PNL dá muita atenção à comunicação frente a frente. No entanto, o Metamodelo, o Modelo Milton e os princípios de metáfora, todos se aplicam à palavra escrita além de à palavra falada, na verdade até mais, porque, ao escrever, você não pode transmitir as nuances de seu significado com linguagem corporal e tom de voz. Tudo que tem são as palavras. Da mesma forma, a comunicação frente a frente ocorre em tempo real – se você for malcompreendido ou frasear algo de forma errada, poderá corrigi-lo imediatamente, coisa que não pode fazer quando se comunica por escrito.

A comunicação escrita pode afetar milhares de pessoas através de livros e artigos. Empresas enviam incontáveis páginas escritas – relatórios, memorandos e e-mails. Quando essas páginas não são claras, são ambíguas ou simplesmente difíceis de ler, os custos podem ser altos.

A redação clara não é um luxo, não é difícil e não exige anos de ensino para alcançar.

Redação Clara

Eis aqui oito regras simples a serem seguidas para que sua redação seja de fácil leitura, um prazer para se ler, clara e compreensível.

1. *Conheça seu resultado.*

    Para se assegurar de que sua redação obtenha a resposta que deseja, você primeiro tem que saber qual é. O que você deseja alcançar com sua redação? O que deseja que o leitor obtenha dela? Quando tiver acabado de escrever, coloque-se em segunda posição com o leitor, leia o que escreveu e veja se a mensagem foi, de fato, transmitida. Lembre-se da pressuposição da PNL de que "o significado da comunicação é a resposta que ela obtém".

2. *Cuide do básico.*

    Verifique sua ortografia e sua pontuação. Erros são embaraçosos e prejudicam sua credibilidade junto ao leitor. Não dependa de um processador de texto para verificar esses itens. Ele tem apenas inteligência artificial. Você tem inteligência real.

3. *Use substantivos e verbos preferencialmente a adjetivos e advérbios.*

    São quase sempre mais fortes. Advérbios (palavras que descrevem verbos) e adjetivos (palavras que descrevem substantivos) podem ser úteis, mas use-os com parcimônia.

4. *Cuidado com as nominalizações.*

    São fracas, porque não são sensorialmente específicas. Ler um parágrafo cheio de nominalizações é como andar através de gelatina. Somente use muitas nominalizações se quiser colocar o leitor em transe.

5. *Use detalhes específicos a sentidos quando possível.*

    Ilustre pontos abstratos com metáforas concretas. Faça com que as metáforas sejam clara e relevantes. Às vezes, você pode se referir a elas ao desenvolver um ponto (metáforas organizadoras).

6. *Equipare seus substantivos e verbos.*

    Isso reduzirá ambigüidades. Se estiver em dúvida sobre algo, leia em voz alta para outra pessoa. Se ainda estiver em dúvida, mude. (Recenmente, li um anúncio que dizia: "Suas preocupações o estão matando? Deixe-nos ajudar".)

7. *Rastreie seus verbos.*

   Os verbos mais fortes são os que envolvem fazer algo.

   Os segundos mais fortes envolvem diálogo – dizer, falar.

   Os seguintes envolvem pensar ou sentir.

   Mais fracos ainda são as formas passivas dos verbos – ter algo feito a alguém ou a alguma coisa. Fique alerta para todas as formas passivas de verbos nas quais o sujeito é deletado, e apenas a ação permanece. Por exemplo: "A casa foi comprada."

   O mais fraco de todos é o verbo "ser" ou "estar" (como em "estar interessado", por exemplo). Revise sua redação e coloque um verbo mais forte onde for apropriado.

8. *Verifique a forma pela qual você dispõe a redação.*

   Parágrafos longos em fonte pequena são difíceis de se ler. Evite sentenças longas, com muitos períodos e subperíodos, palavra após palavra pelo simples prazer de fazê-lo, como se a tecla de ponto não estivesse funcionando, às vezes com idéias aninhadas em outras como bonecas russas em uma feira de Moscou, já que são difíceis de entender, não são?

   A maneira mais clara de dispor uma redação informacional é a indutiva. Comece com os pontos principais e então proceda para os segmentos menores. Imagine uma pirâmide com umas poucas idéias boas no topo e depois mais e mais idéias subsidiárias. Comece pelo topo, não pela base.

O Índice de Nevoeiro

O índice de nevoeiro é uma maneira bem-estabelecida de medir a clareza de um texto. Ele trabalha com base no princípio de que sentenças longas e palavras compridas tornam o texto mais difícil de ser entendido.

Para calcular o índice de nevoeiro de sua redação:

- Tome uma seção típica de cerca de 100 palavras.

- Conte o número de palavras, sem considerar nomes próprios e contando palavras hifenizadas como uma só.

- Conte o número de sentenças e divida-o pelo número de palavras para obter o número médio de palavras por sentença. Chame esse número de "X".

◯ Conte o número de palavras de três sílabas ou mais. Chame o número de "Y". Não conte palavras que tenham três sílabas que mudam parte da fala (por exemplo, plurais ou tempos de verbo, assim, a palavra "*realizações*" não contaria porque a terceira sílaba é devida ao tempo do verbo).

◯ O índice de nevoeiro é o número médio de palavras por sentença ("X"), mais o número de palavras de três sílabas ou mais por 100 palavras ("Y"), multiplicados por dois quintos:

Índice de nevoeiro = (X + Y) x 0,4.

A redação clara tem um índice de nevoeiro entre nove e 12. Nos tablóides pode chegar a cinco. Procure mantê-lo abaixo de dez.

Linguagem Digital

Linguagem digital é a linguagem com poucas ou nenhuma palavra sensorial. Soa mais significativa do que na realidade é. Ela gera textos difíceis de se ler, soa extremamente impressionante e o coloca em transe. É muito fácil de elaborar usando nominalizações.

O Gerador Metassemântico (GMS)

Eis um procedimento para a elaboração de linguagem digital totalmente funcional. É conhecido como gerador metassemântico (abreviado GMS). É totalmente recursivo, porque foi usado para dar nome a si mesmo. Também é conhecido como gerador de jargão sem significado.

qualidade	tático	cultura
organizacional	lingüístico	operação
modular	sistêmico	modelo
desenvolvimental	comunidade	objetivo
estratégico	funcional	*throughput*
meta	computacional	projeto
posicional	ambiental	programação
intensificado	autêntico	deslocamento
adversarial	semântico	gerador
neuro	marginal	produtividade

Para utilizar o gerador metassemântico, selecione uma palavra da coluna um e uma da coluna dois e coloque-as em qualquer ordem depois de uma das palavras da coluna três. Agora você tem um conceito de som erudito que significa seja lá o que for que você deseja que signifique.

Linguagem Sensorial

Suas palavras em uma página podem detonar fogos de artifício lingüísticos que espoucam com significados múltiplos na mente de seu leitor. Mas para que as idéias vivam, devem ser descritas na linguagem dos vivos, na linguagem dos sentidos. Quando você descreve algo de forma que o leitor possa ver, ouvir ou tocar, então você está usando linguagem sensorial. Quando usa abstrações como "compreender", "pensar", "educação", "interessar", não está. Alguma linguagem não-sensorial se faz necessário, dependendo do assunto, mas não deixe que predomine.

Na ficção, a regra de ouro é: "Mostre, não conte." Deixe que o leitor veja, ouça e sinta a sua história. Esse princípio se aplica à não-ficção sempre que possível.

Leia os dois parágrafos seguintes e observe as suas reações:

> *A educação é repleta de empolgação para as escolas primárias de hoje. Seja qual forem as condições do tempo, crianças com idade entre cinco e 15 anos estão demonstrando grande interesse em estudos de TI. Suas dedicação e concentração são dignas de muitos adultos. Na escola primária Mount Ararat, elas ganharam um prêmio especial por seus projetos de TI em uma competição nacional.*
>
> *A fronte de Peter se enruga enquanto olha para a tela do computador. Aqui na escola primária Mount Ararat, os raios de sol que irrompem pelas janelas mostram os grãos de poeira dançando no ar da velha sala de aula onde Peter e seus amigos estão abrindo mão de seu intervalo para aperfeiçoar um programa de computador no qual estão trabalhando. Já ganharam um prêmio que reside na prateleira do meio de sua sala e estão claramente pretendendo ganhar outro.*

O primeiro parágrafo não utiliza quaisquer palavras sensoriais, o segundo utiliza descrições sensoriais mais imediatas. A linguagem sensorial ajuda a engajar os leitores porque os faz criar imagens, sons e sensações específicos. Evoca uma resposta. A Linguagem não-sensorial não elicia resposta tão forte. Abstrações demais têm probabilidade de colocar o leitor em transe. Ele "acordará" no final da página sem ter absorvido coisa alguma. Leia o que segue para saborear aquilo que abstrações demais podem fazer:

> *A tendência de autores que escrevem sobre educação mostrarem tolerância pela ambigüidade das abstrações nos apresenta muitas charadas fascinantes. Tais abstrações nada acrescentam à premência do texto e suscitam indecisão, nebulosidade e falta de clareza.*

São produto da preguiça de pensamento. Nominalizações dão margem a circunlocuções e a certa arbitrariedade na realização estilística que são facilmente observáveis por um leitor de discernimento.

Contagem de abstrações: 20 em um parágrafo de 68 palavras!

Esse parágrafo realmente faz sentido de certa forma, mas por quanto tempo você lutaria com ele para fazer com que entregasse seus segredos?

Agora, em vez daquilo, tente isto:

É um enigma porque autores educacionais fazem redação tão abstrata. A redação abstrata é como atravessar fusos horários – advém de passar tempo demais nas nuvens e tempo insuficiente com os pés no chão. Em demasia, faz com que o mundo fique nublado e nos faz dormir em momentos estranhos quando deveríamos estar acordados. Mantenha a redação clara e específica!

Seis abstrações em 60 palavras: "enigma", "redação" (três vezes), "atravessar fusos horários", "dormir". Uma é necessária (redação), as outras três você pode sentir, embora não sejam tangíveis. Isso não fez mais sentido?

Metáforas são um meio excelente de usar linguagem sensorial.

Podem ser metáforas longas, pequenas histórias, experiências ou exemplos, ou metáforas curtas que podem dar significado de maneiras inusitadas e às vezes engraçadas. Por exemplo:

"Uma uivante nevasca de caspa cobria seu colarinho."

"Era tão branco quanto a luz das estrelas brilhando sobre a neve."

"A luz vazava como água gelada por trás da janela."

Mantenha um equilíbrio entre metáfora e descrição direta. Use metáforas como sal e pimenta na comida. Eles adicionam sabor, mas se os puser demais, estragam a comida.

Evite jargões a não ser que sejam absolutamente necessários.

Jargões são sempre não-sensoriais porque têm que encapsular idéias complexas em poucas palavras. A intenção positiva dos jargões ou da linguagem técnica é permitir que pessoas que compartilham os mesmos conhecimentos básicos se refiram a conceitos de forma rápida e fácil. Sem a experiência necessária para preencher as inevitáveis deleções, o jargão nada significa ou, o que é pior, confunde.

Palavras de jargão são âncoras de grupo. O jargão também cria rapport de grupo e pode criar uma barreira a quem é de fora. Grupos freqüentemente sujeitam recém-chegados a "cerimônias de iniciação" com o jargão.

A PNL tem mais do que seu justo quinhão de jargões, portanto desenvolva maneiras de se referir aos conceitos de PNL que sejam facilmente compreendidos por pessoas não treinadas em PNL. A PNL diz respeito a experiência subjetiva. Todos sabem disso no seu íntimo, portanto a PNL deve ser clara sem jargões.

A PNL deve ser compreensível para uma criança de 11 anos!

Plano de Ação

1. Da próxima vez que escrever alguma coisa, seja uma carta, um relatório de negócios, um conto ou um artigo:

   Calcule o índice de nevoeiro. Está abaixo de 10?

   Conte os substantivos abstratos (nominalizações). Você pode eliminar algum deles com palavras ou metáforas baseadas em sentidos?

   Observe o comprimento de suas sentenças. Vinte palavras devem ser o máximo absoluto a não ser que haja boas razões em contrário. A maioria das sentenças deve ter menos do que 18 palavras.

   Faça uma busca pelas palavras "é" e "são". Isso lhe dirá se o verbo "ser" está excessivamente representado. Essas palavras são parte de um verbo mais complexo? Se não forem, refraseie tantas quantas puder.

2. Pegue um artigo ou conto de que gosta e faça um pouco de modelagem informal.

   Como o autor estruturou a obra?

   Quais as metáforas utilizadas?

   Há uma metáfora organizadora?

   O texto foi escrito predominantemente na primeira posição (experiência pessoal), na segunda (falando de outros) ou na terceira (objetivo e geral)?

Capítulo 14

Compreensão

O Filtro da Experiência

Como é possível que duas pessoas possam falar e ir embora cada uma com uma idéia diferente sobre a conversa? Como duas pessoas podem ter a mesma experiência e mesmo assim discutir quanto ao que aconteceu? O que significa quando uma pessoa concorda com você? Com o que está concordando? As respostas residem em como organizamos e damos significado à nossa experiência.

Imagine-se em uma reunião com várias pessoas. Todas estão contribuindo. O que você acompanha? No que você presta atenção? Do que se lembra?

Nossa atenção é limitada. Temos que selecionar dentre todas as experiências sensoriais disponíveis. Fazemos isso com base em crenças, valores, estado de consciência, saúde física, preocupações e hora do dia. Então interpretamos essa seleção. Algumas dessas interpretações serão baseadas em nossa própria experiência anterior; algumas serão interpretações culturais. Por exemplo, quando alguém boceja, você poderá achar que está entendiado. Poderá tirar conclusões disso. Poderá considerar que a pessoa é mal-educada e ficar aborrecido com ela. Você poderá se sentir desconfortável porque não está prendendo sua atenção. Poderá então fazer uma inferência quanto a que tipo de pessoa você é e que tipo de pessoa ela é. Poderá ficar zangado, deprimido ou desalentado. Poderá esperar um pedido de desculpas. Poderá concluir que a pessoa simplesmente estava cansada. Poderá optar por descartar o incidente inteiramente. Todos os seus pensamentos e suas ações seguiriam a partir de sua interpretação da ação original. Você reage a seu significado, não ao que a outra pessoa pretendia – *porque você não sabe a intenção dela*. Você não pode saber seu processo de raciocínio; ele está trancafiado por trás de seus olhos.

O significado é criado pela pessoa que experimenta o evento. Interpretamos tudo de maneira pessoal.

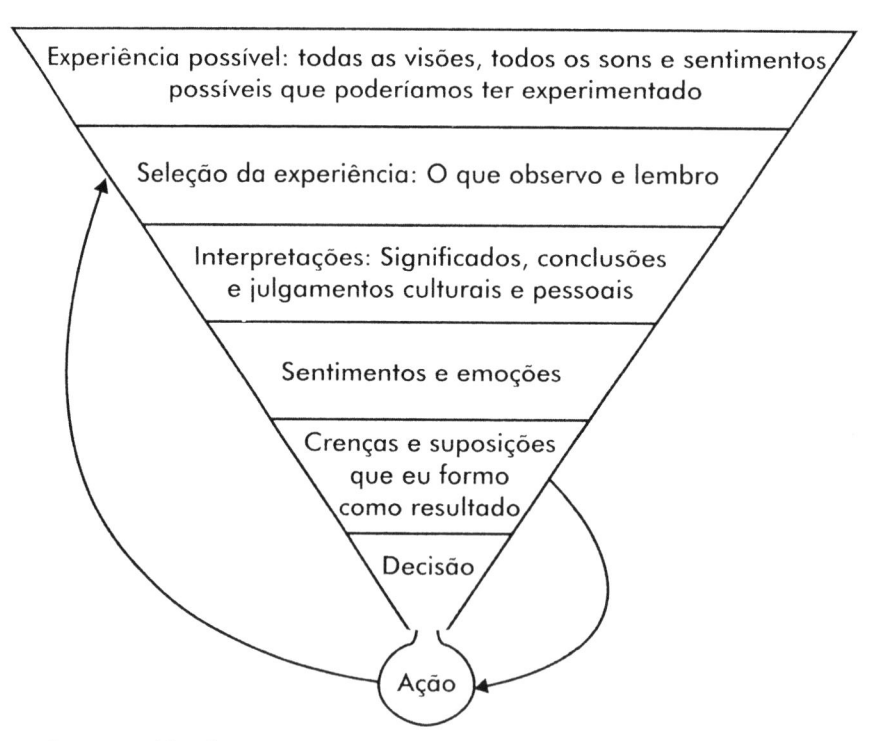

```
Experiência possível: todas as visões, todos os sons e sentimentos
possíveis que poderíamos ter experimentado

Seleção da experiência: O que observo e lembro

Interpretações: Significados, conclusões
e julgamentos culturais e pessoais

Sentimentos e emoções

Crenças e suposições
que eu formo
como resultado

Decisão

Ação
```

O filtro da experiência

O processo todo é como um filtro para extrair um pouco de significado de muita experiência sensorial. Há uma quantidade enorme de informações possíveis em qualquer situação. Disso tudo, selecionamos, fazemos interpretações, sentimos emoção, formamos ou reforçamos crenças e fazemos suposições. Por fim, agimos com base no resultado de todo esse processo.

Essa cadeia de eventos é interessante por três motivos:

1. Somente o primeiro e último passos são visíveis e audíveis a outros. O restante ocorre na privacidade de nossas cabeças. Ninguém sabe o que está acontecendo lá dentro a não ser que queiramos dizer.

2. Há muitas experiências possíveis, mas apenas uma ação resultante. Muitas informações são perdidas ou descartadas pelo caminho. É como um monte de pó de café entrando na parte de cima da máquina para que uma gota de café saia na outra ponta!

3. Nossas ações freqüentemente reforçam nossas crenças e nos fazem restringir aquilo que observamos no topo do funil. O funil então se torna um túnel. O que observamos confirma nossas crenças, e nossas crenças influenciam aquilo que observamos. Por exemplo, se eu decidir que meu companheiro bocejador é mal-educado, estarei alerta para instâncias adicionais de sua falta de educação. Se eu concluir que ele bocejou porque eu o entediava, poderei tentar manter sua atenção com mais afinco do que o usual. Se eu tiver a crença de que não sou uma pessoa interessante, aquele bocejo constituirá mais ainda uma evidência para confirmar minha crença. E tudo isso porque meu companheiro foi dormir muito tarde na noite anterior!

Existem três maneiras de evitar mal-entendidos, especialmente quando nos sentimos magoados por nossa interpretação do que outra pessoa fez ou disse:

- Rastreie seu próprio raciocínio e questione se chegou a uma conclusão razoável com base no que viu e ouviu. Volte filtro acima para verificar se a experiência sensorial se conecta à conclusão a que chegou.

- Em segundo lugar, torne seu próprio raciocínio claro. Diga à outra pessoa o que observou e as conclusões a que chegou como resultado. Também pode ser apropriado dizer a ela seus sentimentos quanto a isso. Descreva seu progresso pelo túnel para que ela possa compreender como você chegou à sua conclusão.

- Em terceiro lugar, peça à pessoa que explique o raciocínio dela. Peça que descreva como chegou à conclusão. Isso verifica o funil de experiência dela para compreender como chegou à sua conclusão. Considere se pode aprender alguma coisa a partir da visão da pessoa.

Você tem que ser flexível para ver diferentes significados e compreender o ponto de vista de outra pessoa. Isso envolve ser capaz (em termos de PNL) de "segmentar para cima" – para ver os elementos comuns a dois exemplos diferentes.

Segmentação [*Chunking*]

Segmentação é um termo vindo do mundo dos computadores, que significa organizar informações em grupos. Um grupo consiste em pedaços, blocos ou segmentos de informações (*"chunks"*), todos com algo em comum. Você decide exatamente o que têm em comum.

Por exemplo, o que os números 1, 7, 253, 11 e 23 têm em comum? Há várias respostas, incluindo "Quem se importa?", também:

Todos aparecem em meu número de telefone.
A soma deles é o número de minha casa.
São todos números primos.

Há muitas respostas possíveis e apenas a última não é uma associação pessoal.

Em PNL, os princípios que você usa para formar segmentos definirão como você agrupa informações e quais as categorias que utiliza. Nossa mente consciente parece ser capaz de lidar com cerca de cinco a nove blocos ou pedaços de informações de uma só vez. George Miller foi quem primeiro passou à frente essa idéia em seu trabalho clássico, *The Magic Number Seven, Plus or Minus Two*, publicado em 1956.

O que é um pedaço de informação? Pode ser simples ou complexo, dependendo de como você o agrupa. Pode ser uma palavra, uma sentença ou um parágrafo. Cinco a nove blocos de informações podem ser muito ricos e detalhados se usarmos categorias e relacionamentos bem-definidos, ricos e detalhados. O quanto você recorda depende de como agrupa informações em blocos.

A segmentação também define os relacionamentos entre pedaços de informações. Algo não é geral, específico, grande ou pequeno por si só, apenas em relação a outro bloco que pode contê-lo ou que ele pode conter.

Você precisa segmentar ou agrupar informações para reter tanto qualidade quanto quantidade. Como você agrupa determina o quão rapidamente passa da incompetência consciente para a competência consciente e por fim para a competência inconsciente. A aprendizagem envolve não só a coleta de informações, mas também a criação de distinções e categorias para organizá-las.

Ser capaz de agrupar informações em categorias ricas significa ser capaz de ver e aplicar padrões. O discernimento de padrões depende das conexões que fizer entre pedaços de informações e as similaridades e diferenças que vê. Você aumenta o número de blocos de informações por segmento, transformando padrões em segmentos.

Portanto, a capacidade de lembrar e pensar de forma criativa está relacionada número de padrões diferentes e significativos que você pode encontrar entre pedaços de informações. Os pedaços não têm qualquer significado até que sejam organizados e conectados uns aos outros. Nada tem qualquer significado isoladamente.

A maioria das pessoas tem um nível de agrupamento preferido. Algumas gostam de sintetizar – construir grupos maiores a partir dos detalhes. Elas compreendem as partes em primeiro lugar e depois o todo. Outros gostam de analisar – gostam de começar pelos segmentos maiores e depois abordar as partes menores. Compreendem primeiro o todo e depois as partes.

Segmentação para Cima

A segmentação para cima se move do específico para o geral. Você começa pelas partes menores e se move para cima em direção às maiores.

Você pode segmentar para cima da parte para o todo (por exemplo, do cabelo para a cabeça).

Você pode segmentar para cima de um exemplo para a classe que contenha o exemplo (por exemplo, do carro para o meio de transporte).

Para segmentar para cima da parte para o todo, pergunte:
"De que todo isto é parte?"

Para segmentar para cima de um exemplo para uma classe, pergunte:
"De que classe isto é um exemplo?"

Para segmentar para cima partindo de um resultado, pergunte:
"Se obtive este resultado, o que isso obteria para mim?"

Para segmentar para cima partindo de um comportamento, pergunte:
"Qual a intenção por trás deste comportamento?"

A segmentação para cima da parte para o todo chama-se síntese; ajuda você a compreender o todo vendo como é constituído de partes e como as partes se relacionam.

Quando você segmenta para cima, obtém uma categoria ou um objeto que contém o segmento menor mas que também contém outros exemplos ou outras partes daquela categoria ou daquele objeto. Portanto, segmentar para cima é uma forma de criar escolhas mais amplas e mais espaço mental.

Segmentação para Baixo

Mover do geral para o específico é chamado de segmentar para baixo.

Você pode segmentar para baixo do todo para uma parte (por exemplo, do carro para o motor).

Você pode segmentar para baixo de uma classe para um membro específico daquela classe (por exemplo, do pensamento para o pensamento visual).

Para segmentar para baixo do todo para a parte, pergunte:
"O que é parte deste todo?"

Para segmentar para baixo de uma classe para um exemplo, pergunte:
"O que é um exemplo desta classe?"

Para segmentar para baixo a partir de um resultado, pergunte:
"O que me impede de alcançar este resultado?"

Para segmentar para baixo a partir de uma intenção, pergunte:
"Que outro comportamento também satisfaria esta intenção?"

Segmentar para baixo do todo para a parte é análise. A análise ajuda a compreender as partes relacionado-as ao todo.

Segmentar para baixo ajuda você a ser mais específico e preciso.

Segmentação para o Lado

Você segmenta para o lado indo de um membro de uma classe para outro membro da mesma classe, ou de uma parte do todo para outra parte do mesmo todo. Por exemplo, do ônibus para o táxi (ambos meios de transporte público) ou do bolso para o colarinho (ambos partes de uma camisa).

Segmentar para o lado é um tanto semelhante à livre associação. Quando você associa livremente, cria conexões entre dois objetos aparentemente não-relacionados, por exemplo, de Ford para Bush (ambos presidentes dos EUA) ou de arbusto para bicicleta (ambas coisas que existem em meu quintal).

Você tem que segmentar para cima para poder segmentar para o lado porque tem que concordar com o nível superior antes de encontrar outro exemplo ou parte daquela categoria.

Por exemplo, você poderia segmentar para o lado de barramento para porta serial (ambos dispositivos de um computador) ou de ônibus para bonde (ambos meios de transporte), ou de bonde para conde (ambas palavras de cinco letras na língua portuguesa).

Você poderia segmentar para o lado de mecha para repartido (ambos parte de um penteado), ou de fechadura para dobradiça (ambas partes de uma porta), ou de fechadura para alarme anti-roubo (ambos dispositivos de segurança).

Agora fica fácil ver como mal-entendidos podem ocorrer. A não ser que duas pessoas tenham concordado com a mesma segmentação para cima, podem ir em direções completamente diferentes a partir de qualquer ponto de partida. As coisas pioram se vocês pensarem que têm a mesma segmentação para cima, mas na verdade não têm.

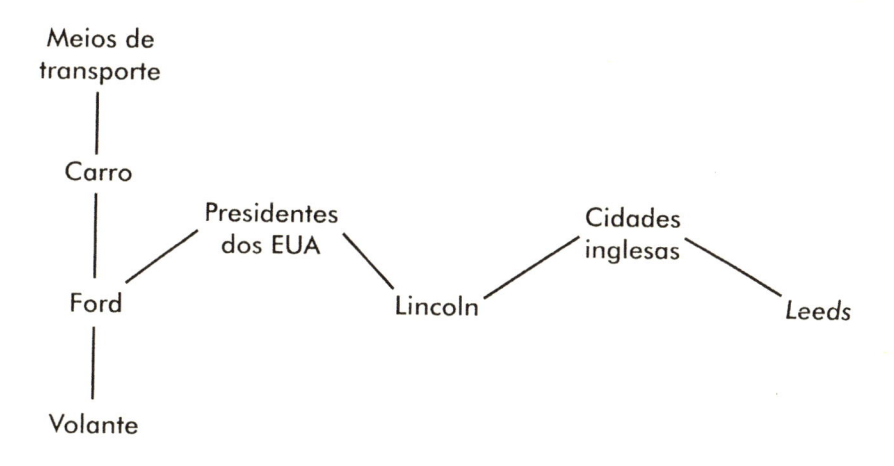

```
Meios de
transporte
   │
   │
 Carro
   │         Presidentes              Cidades
   │        /  dos EUA  \            / inglesas \
 Ford                    Lincoln                  Leeds
   │
   │
 Volante
```

Segmentando para cima, para baixo, para o lado

Muitos mal-entendidos do dia-a-dia ocorrem porque as pessoas segmentam ou agrupam para cima de formas diferentes com regras diferentes e supõem que todo mundo faz a mesma coisa com as mesmas regras. Quando as regras não forem explícitas, criarão confusão.

Linguagem de Segmentação

O Modelo Milton é um exemplo de segmentação de linguagem para cima; vai do específico para o geral.

O Metamodelo segmenta linguagem para baixo: vai do geral para o específico.

A metáfora é um exemplo de segmentação de linguagem para o lado: compara uma experiência a outra através da metáfora, símile ou analogia.

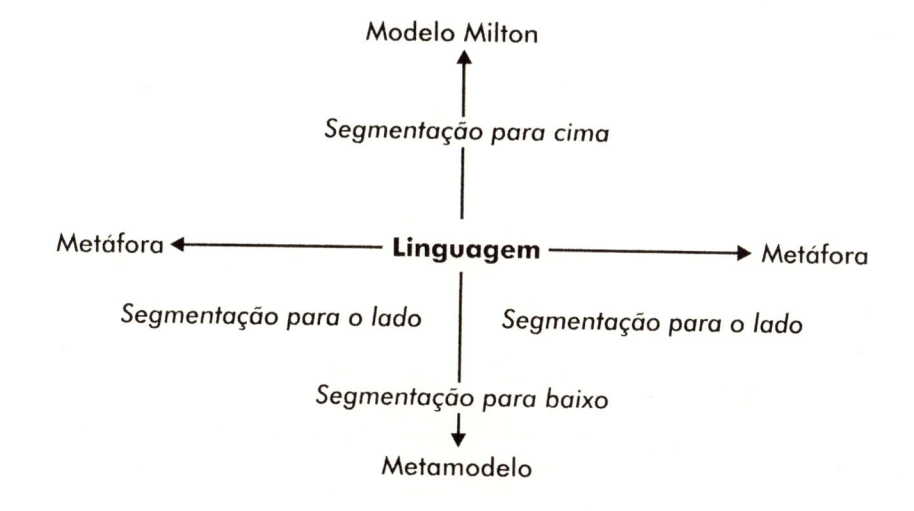

```
                    Modelo Milton
                         ↑
                         │
              Segmentação para cima
                         │
Metáfora ←───────── Linguagem ─────────→ Metáfora
                         │
  Segmentação para o lado │ Segmentação para o lado
                         │
              Segmentação para baixo
                         ↓
                    Metamodelo
```

Negociação e Mediação

Todos nós vemos o mundo de forma diferente. Todos temos diferentes experiências de vida e, portanto, atribuímos diferentes significados ao que acontece. Todos estamos perseguindo nossos resultados e freqüentemente entramos em conflito com outros que perseguem os seus resultados. No entanto, todos temos que conviver. Assim, quando duas pessoas desejam coisas diferentes, elas negociam, se engajam em uma busca conjunta por uma solução que esperam satisfaça a ambas, em contrapartida a uma composição, que deixará ambas insatisfeitas mas que não obstante pode ser o melhor resultado oferecido. A negociação apara as arestas de nossos resultados à medida que nos movemos pelo mundo de outras pessoas e de seus resultados. A negociação é central para a boa comunicação.

Uma negociação ou mediação é uma busca conjunta por uma solução. Você negocia quando defende seu caso; você media quando facilita a busca por uma solução entre outras partes. Na negociação, seu objetivo é obter o que deseja de outros, dando-lhes o que querem. Na mediação, seu resultado é que as outras partes cheguem a um acordo e obtenham o que desejam.

Sem um acordo para buscar um acordo, tanto a negociação quanto a mediação são inúteis. São mais bem conduzidas como um jogo de soma não-zero; em outras palavras, alguém não precisa perder para que outra pessoa ganhe. Ganhar e perder não se anulam dando zero. Ambos podem ganhar.

Eis algumas diretrizes para negociação.

Antes da Negociação

- *Estabeleça seu próprio resultado.*

    Esteja claro quando aos seus limites máximos e mínimos para um acordo.

    Estabeleça seu MAPAN (Melhor Alternativa Para Acordo Negociado), em outras palavras o que você fará se não houver acordo. Nem tudo é negociável.

- *Estabeleça a evidência para o seu resultado.*

    De que evidências específicas você necessita para saber que alcançou seu resultado? É de longo ou curto prazo?

- *Prepare um estado com recursos.*

    A qualidade de suas habilidades de negociação depende de seu estado no momento. Use suas habilidades de ancoragem e controle de estado para estabelecer e manter uma boa fisiologia e um estado com recursos.

Durante a Negociação

- *Mantenha um estado com recursos.*

    Use âncoras e mantenha uma fisiologia com recursos. Se a negociação parecer estar indo mal, atente para seu estado em primeiro lugar.

- *Estabeleça e mantenha rapport.*

    Use equiparação corporal e de voz se for apropriado. Faça o acompanhamento das crenças, dos valores e da identidade da outra pessoa. Diferencie entre compreendê-la e concordar com ela. Rapport não significa que você tenha que concordar com a outra pessoa em questão alguma, apenas que respeita e reconhece a posição dela.

- *Use posições perceptuais diferentes.*

    Seja claro quanto à sua primeira posição. Use a segunda posição para obter compreensão e a terceira posição para rastrear o relacionamento e o curso da negociação.

- *Faça perguntas e busque compreensão.*

    Compreender a posição da outra pessoa lhe dá uma melhor chance de encontrar uma solução.

- *Segmente para cima para uma área de entendimento comum e acordo no nível mais elevado que for necessário.*

    Essa é uma habilidade-chave em negociação. Você segmenta para cima partindo dos pontos específicos do desentendimento para algo com o qual ambos possam concordar. A não ser que ambos possam encontrar uma área compartilhada de entendimento, a negociação está fadada ao fracasso.

- *Segmente para baixo partindo do entendimento comum e acordo para questões específicas.*

    Uma vez que tenham essa área compartilhada de entendimento, você pode segmentar para baixo, para questões menores à luz daquele entendimento comum e acordo.

- *Busque um acordo congruente.*

    Um acordo que não é congruente é buscar problemas. Técnicas de vendas manipulativas e estratégias de negociação com agendas ocultas não funcionarão a longo prazo. Elas obtêm um acordo incongruente que contém as sementes de sua queda. É muito melhor ter um entendimento compartilhado do que um acordo superficial.

Após a Negociação

```
    Segmentar              Acordo              Segmentar
    para cima           Compartilhado          para baixo
        ↑                                          ↓
┌─────────────────┐                      ┌─────────────────┐
│ Desentendimentos│                      │     Acordos     │
│   Específicos   │                      │   Específicos   │
└─────────────────┘                      └─────────────────┘
```

- *Estabeleça um procedimento de evidência independente das partes envolvidas.*

    Como saberá que o acordo é eficaz? Você poderá precisar de uma terceira parte independente que represente uma terceira posição ou um "corretor honesto" para verificar se o acordo está funcionando.

- *Faça ponte ao futuro do acordo.*

    Ensaie o acordo a que chegou mentalmente. Imagine como irá funcionar. Pense em todas as coisas que podem dar errado e como poderia lidar com elas sob o acordo.

Habilidades de Negociação

- Estabeleça um quadro de resultado claro. Vá em direção a um acordo em vez de se distanciar de problemas.

- Se possível, escolha a disposição da sala e onde as pessoas irão sentar. Devem sentar em ângulo em vez de diametralmente opostas. A maneira pela qual as pessoas sentam é uma metáfora espacial sobre como se relacionam.

- Procure enquadrar a negociação como um problema compartilhado. Ancore-a em frente a ambas as partes. Melhor ainda, escreva-a em um *flipchart* ou projete-a para que ambas as partes estejam diante dela. Isso dará uma sensação de estarem "enfrentando" um problema compartilhado.

- Seja claro quanto ao que é relevante. Qualquer contribuição poderá ser desafiada com uma referência ao resultado acordado como meio de evitar engodos e manter a reunião nos trilhos. Esse desafio pode ser ancorado a um gesto.

⮕ Use o *backtracking* para resumir o progresso, manter rapport e testar concordância.

⮕ Use o condicional para explorar possibilidades: "*Se* tal e tal acontecesse, *então* o que faríamos..."

⮕ Abra possibilidades perguntando: "O que teria que acontecer para que tal e tal fosse possível...?"

⮕ Não faça uma contraproposta imediatamente após a outra pessoa ter feito uma proposta. Esse é o momento em que estará menos interessada em sua oferta. Discuta a proposta antes.

⮕ Use perguntas em vez de declarações. É melhor que a outra pessoa descubra o ponto fraco de seu argumento por si mesma através de suas perguntas do que você tentar convencê-la diretamente.

⮕ Sinalize explicitamente suas perguntas e comentários ("Posso fazer uma pergunta sobre isso?" ou "Gostaria de levantar essa questão...") para focar a atenção nesse detalhe.

⮕ Dê um motivo forte pela sua posição em vez de muitos motivos fracos. Um caso é tão forte quanto seu elo mais fraco.

⮕ Banque o advogado do diabo para obter um acordo congruente ("Na verdade não estou totalmente certo quanto a se concordamos com isso...")

Backtracking

Uma das maneiras pelas quais negociações dão errado é quando uma das partes interpreta mal as palavras da outra pessoa. Dão a elas significado do seu próprio modelo de mundo em vez de tentar saber o que elas significam no modelo de mundo da outra pessoa.

Uma das maneiras pela qual isso acontece é quando você parafraseia. A paráfrase utiliza suas próprias palavras em substituição às palavras da outra pessoa. Suas palavras podem ser uma reafirmação adequada para você, mas podem não significar a mesma coisa para a outra pessoa.

Você pode evitar muitos desses tipos de mal-entendido realizando o *backtracking*. Este é a habilidade de reafirmar pontos-chave utilizando as palavras da outra pessoa e freqüentemente equiparando seu tom de voz e sua linguagem corporal. Acompanha a outra pessoa, sendo uma habilidade extremamente útil em negociações para:

resumir

desenvolver *rapport*

oferecer evidências tangíveis de que está ouvindo

trabalhar em prol de um acordo

As palavras e frases mais importantes para fazer *backtracking* são as que mostram os valores da outra pessoa. Essas serão geralmente destacadas por tom de voz ou por um gesto. (Não suponha que você sabe o que essas palavras e frases-chave significam para a outra pessoa.)

O *backtracking* geralmente não é apropriado para discussões técnicas, baseadas em conteúdo. Esse tipo de discussão geralmente envolve vocabulário técnico e palavras específicas bem compreendidas por ambas as partes e não precisam de *backtracking*.

Teoria dos Jogos

A negociação é uma interação estruturada entre pessoas com regras que governam aquilo que é permitido. A negociação sem regras logo se transformaria em uma briga. Há também um resultado em uma negociação – algo a ser alcançado. Você pode pensar em uma negociação como tendo vencedores e perdedores – vencedores ganham aquilo que querem e perdedores não. Mas pode não ser tão simples. Por exemplo, você pode vencer uma negociação e obter o que deseja, mas perder a discussão ou apoio público porque não jogou conforme as regras. Nas eleições presidenciais norte-americanas entre Al Gore e George W. Bush, ambos queriam vencer as eleições, mas nenhum dos dois queria ser percebido como um perdedor litigioso ou um presidente sem mandato nem pôr em risco a constituição dos Estados Unidos na disputa acirrada.

De muitas formas, a negociação pode ser vista como um jogo. A teoria dos jogos da psicologia tem se desenvolvido para explorar a negociação, especialmente as regras das negociações políticas internacionais.

Os jogos podem ser coisa muito séria. Existem quatro principais tipos de jogos. Sempre que entrar em uma negociação – e isso ocorre toda vez que estiver lidando com outra pessoa para obter seu resultado – vale a pena manter essas distinções em mente.

- *Jogos sem fim* não têm regras para mudar suas regras. Os participantes não têm uma perspectiva externa do jogo e de suas ações. Quando enfrentarem uma situação na qual as regras existentes forem inadequadas, continuarão com as mesmas respostas. Isso é como aprendizagem de *loop* simples (ver Capítulo 3). Uma das regras de um jogo sem fim é que não é um jogo – é coisa séria. Outra regra é que você não pode mudar as regras. Jogos sem fim podem se tornar armadilhas duplas, onde não há escolhas, mas todas as escolhas levam a um resultado indesejável – e você *tem que* jogar.

Participantes desses jogos jogam *dentro* de limites bem-definidos.

⊃ *Metajogos* têm metaregras adequadas – ou seja, regras para mudar suas regras. Isso quer dizer que quando uma organização ou pessoa se depara com uma situação na qual as regras (e, portanto, as ações) forem inadequadas, poderá mudá-las ou formular novas regras. Isso permite evolução e resolução.

Metajogos implicam uma terceira posição percentual – uma posição externa a qualquer posição de conflito. Um árbitro ou mediador pode assumir essa posição.

Participantes de metajogos jogam *com* limites. Isso se assemelha à aprendizagem generativa (ver Capítulo 3).

⊃ *Jogos de soma zero* devem ter um vencedor e um perdedor. O vencedor vence às custas do perdedor. Portanto, os recursos são percebidos como escassos, quer sejam ou não. Exemplos de jogos de soma zero são o xadrez, eleições, pôquer e corridas de cavalos. Qualquer comunicação pode ser percebida como um jogo de soma zero. Em um jogo de soma zero você sempre procura ocultar sua estratégia. Seja o que for que prejudique o outro participante é bom para você. Jogos de soma zero tendem a acabar por se tornarem jogos de ganhar-perder, perder-ganhar ou perder-perder.

⊃ *Jogos de soma não-zero* não têm perdedor nem vencedor. Todos os participantes podem se dar bem ou mal. Esses jogos se baseiam em cooperação além de em competição. É possível ganhar sem derrotar outros. Exemplos de jogos de soma não-zero são ecologias, economias, mercados e sistemas de crenças. Jogos de soma não-zero podem acabar se tornando jogos ganhar-ganhar.

Ao jogar jogos de negociação, cuidado com regras que insistem em:

Que apenas certos participantes podem jogar.

Que tem que haver perdedores e vencedores.

Que o tempo está se esgotando.

Que as regras não podem ser mudadas.

Que poder posicional é mais importante do que o jogo.

Embora essas regras possam ser impostas externamente, geralmente advêm das crenças e atitudes dos participantes com relação à negociação. Significam que você está emaranhado em um jogo de soma zero ou em um jogo sem fim (ou ambos).

Você pode abordar qualquer jogo com quatro estratégias diferentes:

- *Perder-perder*

    Você supõe que jamais obterá o que quer e, portanto, sua estratégia é a de impedir que o outro participante consiga o que ele quer, também. A pressuposição por trás de perder-perder é a de que você está jogando um jogo de soma zero sem fim. Perder-perder é uma estratégia deprimente, e você logo se verá sem participantes que queiram jogar com você.

- *Perder-ganhar*

    Você supõe que tem que perder para que a outra pessoa ganhe. Esse jogo é às vezes jogado por vendedores que dão descontos e concessões a clientes (descontos) que na verdade não poderiam para fechar a venda. Em termos mais gerais, pode significar subvalorizar a si mesmo e valorizar a outra pessoa mais que do que a você. Na melhor das hipóteses, perder-ganhar é um jogo altruísta, mas não é muito satisfatório ou ecológico a longo prazo. No entanto, você jamais terá falta de participantes que queiram jogar com você. Perder-ganhar supõe um jogo de soma zero sem fim.

- *Ganhar-ganhar*

    Você supõe que ninguém precisa perder e que todos podem obter o que desejam. Poderá precisar reenquadrar ou ressignificar exatamente o que deseja ganhar, mas essa é uma estratégia positiva que funciona bem em vendas. Ganhar-ganhar implica um jogo de soma não-zero, que poderá ser um metajogo.

- *Ganhar-ganhar ou não tem negócio*

    Isso leva ganhar-ganhar ao extremo. Significa que se ambas as partes não puderem ganhar, então é melhor não ter negócio algum. Essa é uma boa abordagem de vendas, mas nem sempre será apropriada em toda negociação. Estabelece seu MAPAN como não ter negócio. Ganhar-ganhar ou não tem negócio implica estar jogando um jogo de soma não-zero que também poderá ser um metajogo.

Alinhamento de Posições Perceptuais

Ser capaz de ver um problema a partir de diferentes posições perceptuais é essencial em negociação. Quanto mais claras as posições, melhores serão as informações que delas obterá. O exercício a seguir é para assegurar que as posições estejam equilibradas e não tornem o problema pior.

⊃ *Identifique a situação-problema ou a negociação.*

Associe-se à sua memória da situação. Assuma a primeira posição – sua própria visão. Faça um inventário do estado presente em todos os sistemas representacionais:

O que você vê?

De onde está olhando?

O que ouve?

As vozes de quem você ouve e de onde vêm essas vozes?

Que sensações tem?

De que você está principalmente consciente?

⊃ *Alinhe a terceira posição.*

Imagine-se na terceira posição com relação à situação-problema. Olhe-se e às outras pessoas pelo lado de fora.

Quando adotar essa posição, certifique-se de que está eqüidistante de si mesmo e das outras pessoas para que tenha uma boa visão de todos. A terceira posição não "escolhe lados".

Nessa posição, certifique-se de que:

está observando no nível dos olhos;

ouve sua própria voz e a da outra pessoa vindo de onde você as vê;

sente sua voz vindo da área de sua garganta, não "incorpórea";

move quaisquer sentimentos que não sejam sentimentos com recursos de terceira posição para onde devem estar (provavelmente a primeira posição);

está totalmente equilibrado sobre seus pés.

Como isso muda sua experiência?

Lembre-se dessa terceira posição equilibrada e com recursos. Ancore-a para que possa voltar a ela com facilidade.

⊃ *Alinhe a primeira posição.*

Agora imagine-se em primeira posição na situação-problema.

Verifique todos os seus sistemas representacionais.

Veja através de seus próprios olhos.

Ouça através de seus próprios ouvidos.

Sinta sua própria voz vindo da área da garganta.

Mova quaisquer sentimentos que pertençam à segunda posição para o lugar correto.

O que muda quando faz isso?

➲ *Volte à terceira posição e observe quaisquer mudanças adicionais.*

➲ *Termine na primeira posição.*

➲ *Faça ponte ao futuro e generalize para outras situações problemáticas.*

Como uma primeira ou terceira posição desequilibradas terão contribuído para outras dificuldades?

O que estará diferente agora?

Certifique-se de que sempre que for rever uma situação da terceira posição você usará a âncora que estabeleceu para uma terceira posição equilibrada e com recursos.

Muitas pessoas notaram que antes de realizarem esse exercício, sua terceira posição não era tão útil quanto poderia. Normalmente, a outra pessoa apareceria maior, "mais sólida" e mais perto de seu ponto de observação. Da mesma forma, freqüentemente percebiam que não estavam equilibradas na terceira posição, mas inclinadas para o lado.

Integração de Partes

A resolução de conflitos envolve encontrar áreas de concordância por trás de desentendimento aberto. O mesmo princípio se aplica quer seja o conflito entre duas pessoas quer seja entre duas "partes" de você mesmo. Negociamos com outras pessoas para obtermos aquilo que queremos, mas também negociamos com nós mesmos. Experimentamos partes de nós mesmos como desejosas de coisas diferentes e freqüentemente incompatíveis. Pechinchamos e imploramos, tudo isso dentro do limite de nossas próprias mentes. "Devo comer aquele pedaço adicional de torta? E como fica meu objetivo de ser mais saudável e não comer torta? Deveria ir à academia, mas não estou com vontade. Prefiro ficar em casa e ver televisão, mas fui convidado para tomar um drinque e gostaria de ir... Quero comprar aquela calça da moda, mas aí não poderei comprar aquela camisa que também quero..." E assim vai.

Somos uma pessoa inteira, na verdade não temos partes, mas colocamos nossa energia em diferentes expressões de nós mesmos e em resultados diferentes, e quando essas expressões e resultados são incompatíveis, nos sentimos divididos em "partes". "Partes" é uma metáfora para como nos sentimos.

As partes podem se expressar ao mesmo tempo, caso em que somos simultaneamente incongruentes. Podemos ficar paralisados, com partes em guerra, nenhuma forte o suficiente para sobrepujar a outra. Às vezes, uma parte é triunfante, mas não nos sentimos à vontade – a parte derrotada perdeu a batalha, mas continua a guerra. Essa parte ainda é nossa e tem necessidades que devem ser respeitadas.

As partes podem se alternar – a primeira está em vantagem, depois a outra. Então seremos seqüencialmente incongruentes e poderemos agir de forma muito diferente de um dia para outro.

Partes se expressam no comportamento. Por exemplo, uma parte de nós pode querer trabalhar, enquanto outra deseja sentar-se com um drinque e relaxar. Você pode acabar trabalhando de forma distraída (simultaneamente incongruente) ou relaxar e sentir-se culpado e então trabalhar e sentir-se frustrado (seqüencialmente incongruente). A distração, a culpa e a frustração vêm da parte negligenciada engajando-se em um pouco de guerra de guerrilha. Com partes conflitantes em guerra, você não será feliz, não importa o que faça.

Outros exemplos comuns são quando uma parte quer agradar as pessoas, enquanto a outra se ressente das demandas que fazem.

A maneira de curar essa experiência subjetiva de sentir-se dividido é a mesma que você usaria para mediar entre pessoas ou grupos:

- Acompanhe cada parte. O que desejam?
- Honre a intenção positiva – cada uma está tentando obter algo importante.
- Segmente para cima até chegar a um nível no qual ambas concordem.
- Segmente de volta para baixo e resolva o problema com referência ao acordo compartilhado.

Use a ressignificação ou reenquadramento de negociação a seguir para explorar as exigências de duas ou mais partes conflitantes.

Negociação Interna: Lidando com Partes Conflitantes

- *Comece assumindo a terceira posição com relação à sua experiência. Torne-se um mediador habilidoso.*

Identifique as partes e dê um nome a cada uma. Separe-as espacialmente. Imagine uma à sua esquerda e outra à sua direita.

◯ *Desenvolva uma representação de cada parte visual, auditiva e cinestesicamente.*

Como seriam?

Como soariam?

Que palavras ou frases diriam?

Como se sentiriam ao toque, que tipos de sensação estão associados a cada uma? (Observe como se sente em relação a cada uma e se isso ameaça sua imparcialidade como mediador.)

◯ *Encontre a intenção positiva de cada parte segmentando para cima.*

Faça isso com uma parte de cada vez. Comece perguntando: "O que essa parte quer?"

Depois, pergunte: "Suponha que tivesse isso, o que isso lhe proporcionaria?"

Continue segmentando para cima até atingir um nível suficientemente elevado de intenção positiva.

Encontre a intenção positiva da outra parte da mesma forma.

Trate cada parte como trataria uma pessoa – com cortesia e respeito.

◯ *Avalie as duas intenções positivas.*

Onde se encontram? Em que as duas partes podem concordar? Ambas as partes são valiosas e ambas as partes são necessárias. Ambas merecem obter o que desejam.

Nenhuma das partes precisa abrir mão de coisa alguma para concordarem em um nível elevado de intenção positiva. *Cada uma das partes precisa da outra para obter o* que quer. O conflito entre as duas significa que *nenhuma delas* está conseguindo o que quer naquele momento.

◯ *Resolva a disputa integrando as partes ou negociando um acordo funcional.*

As partes podem precisar ficar "afastadas" nesse estágio. Caso positivo, organize o seu tempo, seu esforço e seus recursos para que ambas possam trabalhar em conjunto, obter o que querem e não frustrar uma à outra.

Você também poderá querer integrar as partes. Traga as partes juntas para dentro de você mesmo da forma que parece ser mais apropriada:

talvez como dois sons se fundindo em um

talvez como duas imagens se juntando

talvez como dois feixes de luz

Uma boa maneira de integrar é imaginar uma parte em sua mão direita e outra em sua mão esquerda e juntar as mãos como metáfora para integração.

⊃ *Permita algum tempo para integração.*

Que diferença isso fez? Como se sente?

⊃ *Faça ponte ao futuro.*

Como será diferente da próxima vez que surgir uma situação na qual havia conflito anteriormente?

Congruência e Incongruência

Às vezes, todas as nossas "partes" concordarão quanto a alguma coisa e teremos certeza do que fazer. Seremos congruentes. Em outras ocasiões, oscilaremos entre exigências conflitantes e não saberemos o que fazer. Então, seremos incongruentes.

O dicionário define congruência como "a qualidade ou estado de corresponder, concordar ou estar congruente". Em PNL, congruência é o estado no qual suas palavras, linguagem corporal e ações, todas se complementam, concordam e apontam na mesma direção.

Congruência é quando a imagem que você cria não tem cores conflitantes; todas as cores se complementam. É como uma orquestra tocando em harmonia, como uma boa refeição na qual a comida e a bebida combinam com a quantidade certa de tempero. Congruência não é quando tudo é igual – as cores são diferentes, mas se encaixam. As notas são diferentes, mas se fundem. Os pratos são diferentes, mas satisfazem.

Congruência é um estado poderoso – você se sente comprometido, pode dizer "sim" tanto física quanto mentalmente sem se refrear. Congruência produz uma sensação boa. Não é garantia de sucesso – você ainda pode estar errado se não tiver todas as informações – mas o ajudará a ir adiante para alcançar o resultado.

Incongruência significa não se sentir alinhado. Alguma coisa não se encaixa, você tem vontade de parar, não consegue se comprometer totalmente. Todos nós conhecemos esse estado, e todos temos um sinal de incongruência que nos avisa que não estamos prontos para nos comprometermos inteiramente

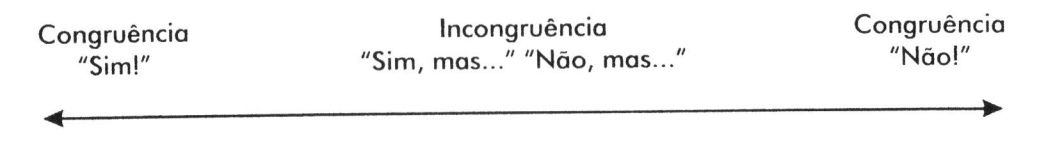

Congruência	Incongruência	Congruência
"Sim!"	"Sim, mas..." "Não, mas..."	"Não!"

◄───►

Incongruência é o "mas" em: "Sim, mas..."

Congruência e incongruência não são estados tão separados como duas extremidades opostas de um *continuum*. Raramente estamos completamente congruentes, mas quando estamos, é um estado poderoso e que nos dá boas chances de sucesso.

Incongruência não é ruim. É tão valiosa quanto a congruência. Diz a você que alguma coisa ainda não está certa. É muito útil saber quando você está incongruente. Mostra-lhe que ainda precisa fazer alguma coisa para poder se comprometer. Os recursos de que necessita podem estar em qualquer nível neurológico:

- ↪ Você pode estar precisando de mais informações. (Ambiente.)
- ↪ Você pode ter as informações, mas não saber como agir. (Comportamento.)
- ↪ Você pode saber o que fazer, mas duvida de sua habilidade. (Capacidade.)
- ↪ Você pode ter a habilidade, mas não acreditar no projeto ou pode não ser prioridade para você. (Crenças e valores.)
- ↪ Você pode acreditar nele, mas pode não se encaixar com o senso de quem você é. (Identidade.)

A incongruência pode manifestar-se externamente no duelo entre palavras e linguagem corporal (por exemplo, dizer "sim" em um tom de voz duvidoso). Também pode manifestar-se internamente entre sistemas representacionais (por exemplo: "Posso *ver* que é uma boa idéia, mas algo *me diz* que não vai funcionar...")

Se você estiver incongruente é melhor que saiba disso. Incongruência desapercebida fará com que você sabote sua própria chance de sucesso. Por exemplo, dormir demais e perder uma importante entrevista de emprego que você pensava que queria mas sabe que significaria deixar a segurança do emprego que tem agora.

Incongruência pode ser seqüencial ou simultânea. "Incongruência seqüencial" é quando você faz alguma coisa e se arrepende, diz que não a fará de novo e então repete a ação. É como se uma parte de você estivesse no comando em um momento, fizesse a ação e então outra parte assumisse o comando e se arrependesse. As diferentes partes têm valores diferentes. Por exemplo, você come uma enorme barra de chocolate e depois se sente mal e jura que jamais fará uma besteira dessas de novo... até a próxima vez. O exemplo extremo de incongruência seqüencial é disfunção de personalidade múltipla (DPM).

Lide com sua própria incongruência seqüencial negociando com as partes conflitantes de si mesmo como descrito na seção anterior.

Lide com a incongruência seqüencial de outra pessoa mostrando para ela (se for apropriado) e permitindo que responda. Você pode precisar verificar sua compreensão com a pessoa. Por exemplo: "Semana passada você disse que queria realizar esse projeto comigo e era de alta prioridade, mas toda vez que eu lhe perguntei essa semana, você disse que estava ocupado demais. Estou confuso. Parece que estou obtendo duas mensagens diferentes aqui. Você pode me ajudar a compreender isso? O que realmente quer de mim?"

"Incongruência simultânea" é quando você expressa duas idéias conflitantes ao mesmo tempo, dizendo, por exemplo: "Isso é muito bom" em um tom de voz duvidoso ou concordando ao mesmo tempo em que balança a cabeça sinalizando "não". Perceber uma incongruência simultânea causa muita confusão, especialmente em crianças, quando pode levá-las a um duplo vínculo – no qual as escolhas são incongruentes mas não lhes é permitido questionar as escolhas.

Lide com suas próprias incongruências simultâneas adotando uma metaposição. Por exemplo: "Ouvi você dizer que gostava de meu plano, mas ao mesmo tempo vi você balançar a cabeça. Estou confuso. O que realmente acha de meu plano? Ele precisa de mudanças?"

É fácil saber quando você está completamente congruente e quando está completamente incongruente. O exercício a seguir lhe dará um meio de saber seu grau de congruência quando não for tão óbvio assim.

Identificando seu Sinal de Congruência

○ Identifique um momento em que estava congruente, quando realmente queria um resultado e estava comprometido com ele. Isso não precisa ser um evento significativo, pode ser um pequeno exemplo da vida diária, por exemplo quando você queria assistir a um filme. Com freqüência, encontrará exemplos poderosos de congruência em sua infância, momentos em que realmente queria algo, mesmo que não o tenha obtido. Você alguma vez realmente quis um determinado presente de Natal?

- Ao sentir esse estado de congruência, faça um inventário interno. Anote suas imagens, os sons e sentimentos internos e suas submodalidades importantes. Dê atenção especial ao tom de qualquer voz interna e à localização e à pressão das sensações cinestésicas.

- Escolha mais dois exemplos de congruência de seu passado e repita o inventário. Essas experiências podem ser completamente diferentes. Tudo que têm em comum é que você se sentia congruente.

- Reveja seus inventários de todas as três experiências. O que eles têm em comum?

    A localização da sensação?

    O tom da voz interna?

    A qualidade da imagem?

- Quando souber qual a qualidade que essas três experiências têm em comum, tente reproduzir exatamente aquele sinal *sem acessar qualquer estado de congruência ou voltar para as recordações.* Tente fazer com que aconteça. Se puder, não será um sinal inconsciente e será inútil – pode ser forjado pela mente consciente. Você precisará escolher outro sinal de suas experiências congruentes. Quando tiver um sinal visual, auditivo ou cinestésico que não puder manufaturar conscientemente, *este será seu sinal de congruência.*

Sinal de Incongruência

Encontre seu sinal de incongruência da mesma forma. Escolha três ocasiões em que se sentiu incongruente quanto a um curso de ação. Qual o sinal confiavelmente presente que você não pode fabricar conscientemente? Esse é seu sinal de incongruência. Esse sinal é um amigo poderoso, lhe manterá fora de muitos problemas e pode lhe poupar muito dinheiro!

Ambos os sinais podem ser digitais ou analógicos. Podem ser sinais definitivos do tipo tudo ou nada (digitais) ou poderá ter um sinal que lhe dê graus de congruência, dependendo do quão forte for (analógico).

Plano de Ação

1. O significado que apreendemos de um evento depende de como nos relacionamos a ele. Consideramos muitas coisas pessoalmente que nada têm a ver conosco. Também nos aborrecemos quando objetos inanimados não cooperam e consideramos isso pessoalmente também. Amaldiçoamos o computador quando ele dá pau; um carro que não pega é enfurecedor. Quanto mais dependemos de nossa tecnologia e quanto mais amigável for ao usuário, mais irritante é quando não funciona direito. A tecnologia na verdade somente é realmente amigável ao usuário quando funciona. Quando não funciona torna-se "hostil ao usuário".

   Da próxima vez que um objeto inanimado não cooperar, *pare.*

   Respire fundo.

   Entenda que não está querendo agredi-lo.

   Não tem qualquer intenção, nem positiva nem negativa.

   Quais os passos você precisa dar para desenrolar a situação?

2. Nossa própria experiência é freqüentemente fragmentada, e as diferentes partes parecem querer coisas diferentes. Na verdade não temos partes, mas despejamos nossa própria energia em diferentes formas de perceber o mundo com resultados diferentes.

   Esse é um processo natural, e você pode usá-lo como recurso.

   Crie um "painel consultivo" interno para ajudá-lo em qualquer área da vida.

   Escolha um consultor para as seguintes áreas de sua vida:

   autodesenvolvimento

   saúde

   carreira ou trabalho profissional

   diversão e recreação

   vida espiritual

   dinheiro

   relacionamentos

   Você pode escolher quem quiser – uma pessoa de verdade, quer a conheça ou não, uma personagem mitológica, um livro, um autor ou uma personagem de um filme ou de um livro. Sempre que precisar de conselhos, volte-se para aquela "parte" e peça. Como responderiam?

   Você não precisa seguir o conselho, mas pode ser útil.

   Ao fazer isso você está criando símbolos poderosos nos quais coloca sua energia como recursos em vez de como frustrações. Quando experimentar um conflito entre fazer uma de duas coisas, pense em que área de sua vida elas estão e em vez de fazer com que essas duas partes briguem, substitua-as pelos dois consultores que representam essas partes de sua vida. Terão uma negociação muito mas civilizada.

3. "Partes" se expressam naquilo que você diz. Você pode fazer uma declaração e então outra parte de você a descartar em uma demonstração de incongruência seqüencial. A palavra "mas" é a principal maneira pela qual isso acontece. A palavra "mas" tem dois gumes. Ela imediatamente age contra aquilo que a precede e introduz conflito. Por exemplo, se você diz "tentarei fazer isso, *mas* será difícil", você terá tomado o poder da primeira parte da sentença. "Mas" é o sinal de que outra "parte" de você está ativa e em oposição ao que acabou de dizer.

    Elimine o "mas" de sua maneira de falar. Substitua "mas" por "e". Diga "Tentarei fazer isso *e* será difícil". "E" é mais neutro, mostra cooperação entre as duas metades da sentença em vez de conflito.

    Se for usar o "mas", mude a ordem das sentenças buscando uma forma mais positiva de se expressar. Comece pelo negativo e depois o descarte com o positivo: Será difícil, mas tentarei fazê-lo". Isso faz uma enorme diferença.

    Imagine pedir a duas pessoas que o ajudem. A primeira diz: "Será difícil, mas tentarei fazê-lo".

    A segunda diz: "Tentarei fazê-lo, *mas* será difícil".

    Quem você acha que será mais provável de ajudá-lo?

4. Use seu sinal de congruência. Comece com pequenas decisões e teste-o para ver o quão confiável é. Quanto mais usá-lo, mais fácil e confiável se tornará.

    Quando perceber que está incongruente, isso é uma informação muito valiosa. Se algo importante estiver em jogo, não vá adiante antes de ter resolvido a dificuldade.

5. Qual sua estratégia quando tem uma discussão?

    Você quer vencer o debate?

    Você quer provar que a outra pessoa está errada e fazer com que admita isso?

    Se uma dessas duas hipótese estiver correta, você está em um jogo de soma zero.

    Você quer compreender o argumento da outra pessoa?

    Você quer uma melhor compreensão da questão?

    Essas o levarão para um jogo de soma não-zero.

    Qual você prefere?

    Muitas discussões não são a respeito de pontos de vista opostos. Uma pessoa não discute com outra pessoa. Discute sobre sua compreensão e sua interpretação dos pontos de vista da outra pessoa.

Da próxima vez que estiver em uma discussão, pratique seu rastreamento inverso.. Quando reservar tempo para rastreamento inverso em uma discussão, você:

Apagará o estopim da emoção.

Fará com que a outra pessoa se sinta compreendida e, portanto, mais receptiva ao seu ponto de vista.

Esclareça os pontos de vista da outra pessoa para que possa compreender o que está dizendo e rebater se for necessário, em vez de discutir um mal-entendido.

6. Assista ao filme *Kramer* versus *Kramer* em vídeo. Em que tipo de jogo as personagens interpretadas por Dustin Hoffman e Meryl Streep estão engajados?

   O que diria para ajudá-las?

   Que táticas estão usando em sua negociação?

7. Quando estiver envolvido em desentendimentos, lembre-se desses princípios:

   Você tem o direito de ser quem você é e de sentir o que sente e de acreditar no que crê.

   Você tem direito a querer o que quer.

   Você não necessariamente tem o direito de obter o que quer.

   A maneira pela qual obtém o que quer é dar à outra pessoa o que ela quer, se possível. (E isso pode não ser exatamente o que ela está pedindo.)

Capítulo 15

Enquadramento

Não há nada que seja bom nem mau, mas o pensamento o faz assim.
William Shakespeare

Nada possui significado em si mesmo. Informações não existem por si mesmas, têm que ser compreendidas em contexto. Por exemplo, suponha que lhe dissesse que vi um homem cortar outro com uma faca. Deve chamar a polícia? Sim, se tivesse visto isso na rua. Não, se o tivesse visto em uma peça, em um filme ou em uma sala de cirurgia.

O significado que derivamos de qualquer experiência depende da moldura que aplicamos. Pense em molduras de quadros – elas cercam o quadro, destacando-o de seu entorno. Enquadramentos são como os recortes de cartolina que vemos em quermesses, onde você põe a cabeça em um buraco, e seu amigo do outro lado vê seu rosto emoldurado por um corpo de cartolina engraçado. Alguns enquadramentos são engraçados. Outros são sérios. A vida é uma quermesse onde nem sempre é óbvio que você está com a cabeça em uma moldura de papelão.

Estamos sempre estabelecendo enquadramentos.
É um passo essencial em direção à compreensão e ao significado.

O enquadramento que você estabelece governa as perguntas que faz sobre o que acontece, como você se sente a respeito, como reage e como lida com ele.

Perguntas são uma forma poderosa de estabelecer enquadramentos, porque incluem suposições sobre um evento. Por exemplo, parlamentares freqüentemente iniciam suas "perguntas" com a frase: "Não é verdade que..."

Pense no quão diferentemente essas duas perguntas enquadram o mesmo evento:

"Tendo em vista a raiva amplamente disseminada com relação a esta questão, como responde a seus críticos?"

"Muitas pessoas estão com raiva disso. Como pode ajudá-las?"

O enquadramento é amplamente utilizado em vendas. Por exemplo: "Você comprometeria sua segurança comprando um modelo mais barato?"

Enquadramentos estabelecem os pontos de referência através dos quais julgamos como tomar uma decisão. Por exemplo, suponha que você tenha R$ 2.000 em sua conta bancária. Você aceitaria uma chance de 50% de perder R$ 400 ou ganhar R$ 700?

Agora outra pergunta. Você preferiria manter o saldo de sua conta em R$ 2.000 ou aceitar uma chance de 50% de ter ou R$ 1.600 ou R$ 2.700?

Muitas pessoas responderão "não" à primeira pergunta, mas "sim" à segunda. No entanto, as conseqüências são idênticas. A diferença está no enquadramento. A primeira pergunta estabelece um enquadramento de ganhos e perdas absolutas, e isso tende a fazer com que as pessoas examinem o risco. A segunda pergunta coloca os ganhos e as perdas no contexto de suas finanças gerais.

Eis outros exemplos:

"A PNL existe desde os anos 70 – ela ainda é relevante?"

"Quem é o culpado por esse desastre?"

Enquadramentos podem ser estabelecidos com apenas uma palavra:

"Obviamente você vai para a América..."

"Infelizmente, você irá para a América..."

"Você tem um problema aqui..."

"Nós temos um problema aqui..."

Principais Enquadramentos da PNL

Há sete enquadramentos importantes usados em PNL.

O Enquadramento da Ecologia

O enquadramento ou perspectiva da ecologia examina o longo prazo. Avalia eventos em termos de um significado mais amplo – você olha para além dos limites que normalmente estabeleceria em tempo, espaço e pessoas. Você julga como uma experiência se encaixa no sistema maior de família, amigos e interesses profissionais. Pensa nas conseqüências mais amplas e em se estão de acordo com seus valores.

Uma das maneiras pelas quais você pode fazer isso é imaginar que está no futuro e então olhar para trás para a experiência. Isso lhe dá uma perspectiva inteiramente nova.

Você também pode adotar a segunda posição com outras pessoas significativas e avaliar como reagiriam. Perguntas de enquadramento ecológico são:

"Como será isso a longo prazo?"

"Quem mais é afetado?"

"O que pensariam?"

O oposto ao enquadramento ecológico é o enquadramento "eu": "Se for bom para mim agora, então está bom."

O Enquadramento do Resultado

Esse avalia eventos com base em se o trazem mais para perto de seus resultados. Para aplicar esse enquadramento ou perspectiva, julgue cada ação em termos de se o aproxima daquilo que você quer. (Aviso: Não use o enquadramento sem referência à ecologia! Se o fizer, sofrerá o efeito Rei Midas. O rei Midas queria que tudo que tocasse se transformasse em ouro. Ao esquecer da perspectiva da ecologia, esqueceu-se de que teria que tocar comida e pessoas.)

Você pode usar o enquadramento de resultados não só para ver como se comporta no dia-a-dia, mas também como meio de planejar o que faz. Não é apenas um enquadramento, é uma maneira deliberada de viver.

Aplique o enquadramento de resultados fazendo as seguintes perguntas:

"O que estou tentando realizar agora?"

"O que desejo?"

"O que isso me proporciona que seja valioso?"

O oposto do enquadramento de resultados é de "culpa": "O que está errado e quem é o culpado?"

O Enquadramento do Backtracking

O *backtracking* é a habilidade de reafirmar pontos-chave utilizando as palavras de outra pessoa, freqüentemente equiparando seu tom de voz e linguagem corporal também. É uma habilidade para estabelecer o acompanhamento de outra pessoa.

As pessoas escolhem uma palavra em vez de outra por um motivo. Escolhem as palavras que mais exatamente traduzem seus pensamentos. Uma palavra pode ter um significado ligeiramente diferente para ela do que tem para você, e isso pode se mostrar extremamente significativo.

É importante fazer o *backtracking* das palavras-chave que mostram os valores da outra pessoa. Tais palavras geralmente são destacadas por tom de voz ou por gestos enfáticos.

Perguntas de *backtracking* são simples:

"Posso me certificar de que compreendi...?"

"Posso resumir as coisas até agora...?"

"Então você está dizendo...?"

O oposto ao quadro do *backtracking* é o quadro da "paráfrase": "Eu defino o que você disse e o que quis dizer".

O Enquadramento do Contraste

Este avalia por diferenciação. Não qualquer diferenciação, mas "a diferença que faz a diferença". A PNL começou a partir de um quadro de contraste. Richard Bandler e John Grinder começaram modelando comunicadores excelentes, sabendo que estavam fazendo algo diferente, algo fora do comum. Essas diferenças se tornaram a base dos primeiros modelos explícitos da PNL. Poderiam ter abordado o problema de outra forma, examinando uma série de comunicadores excepcionais e descobrindo quais os padrões que tinham *em comum*.

Muitos padrões da PNL utilizam um quadro de contraste como forma de análise de contraste. Examinam uma situação sem recursos e a contrastam com uma situação similar que tinha recursos. As diferenças significativas podem ser usadas como recursos e trazidas para a situação sem recursos.

O enquadramento do contraste é fácil de usar, porque naturalmente notamos a diferença.

Perguntas para o enquadramento do contraste:

"Como isso é diferente?"
"O que é que faz com que isso se destaque?"
"Quais são as variações importantes entre essas coisas?"

O oposto ao enquadramento do contraste é o da "mesmice": "Na verdade, é tudo a mesma coisa, não importa".

O Enquadramento "Como Se"

Esse enquadramento avalia fingindo que algo é verdade para explorar possibilidades. Usa "façamos de conta" para explorar o que poderia ser, um tanto como planejamento através de cenários.

Ele tem muitas utilidades. É melhor usado para a solução criativa de problemas. Você finge que algo aconteceu para explorar possíveis conseqüências e antecipar informações importantes. Por exemplo, uma pessoa-chave pode faltar a uma reunião. Em vez de perder completamente aquilo com que ela poderia ter contribuído, você pode perguntar: "O que vocês acham que ela teria dito se estivesse aqui?" Para fazer isso, você convida à segunda posição com a pessoa ausente.

"Como se" pode ser usado para acessar sua intuição. Você pode não saber a resposta, mas às vezes seus palpites serão surpreendentemente precisos – *desde que você os enquadre como palpites*.

O "como se" é um pouco parecido com um jogo em realidade virtual. Você sabe que não é real, mas ainda assim pode aprender muito e testar seus reflexos enquanto joga.

Perguntas para o "como se":

"Como seria se...?"
"Você pode adivinhar o que aconteceria?"
"Podemos supor que...?"

O oposto do enquadramento "como se" é o do "indefeso": "Se não sei, então não há nada que possa fazer a respeito".

O Enquadramento Sistêmico

Esse enquadramento avalia através de relacionamento. Você não focaliza o evento único, mas como ele se relaciona a outros eventos. Um sistema é um grupo de elementos conectados e que influenciam uns aos outros com uma finalidade. Assim, quando você aplica esse enquadramento, está procurando conexões e relacionamentos. O pensamento sistêmico olha para como os fatores *se combinam* e afetam uns aos outros para explicar o que está acontecendo.

Sistemas são estáveis e resistem à mudança. Portanto, quando você aplica o enquadramento sistêmico, pergunta o que impede a mudança e se concentra em remover obstáculos em vez de agir diretamente para alcançar a mudança que você quer.

Perguntas para o enquadramento sistêmico:

"Como isso se encaixa com o que sei?"

"Como isso se conecta ao sistema maior?"

"Qual o relacionamento entre esses eventos?"

"O que impede a mudança?"

"Como o que estou fazendo mantém as coisas como são?"

O oposto do enquadramento sistêmico é o do "rol de lavanderia": "Faça uma lista de todos do fatores relevantes possíveis e então o entenderemos".

O Enquadramento da Negociação

Esse enquadramento avalia por acordo. Supõe que você está engajado em uma negociação e que todos prefeririam chegar a um acordo. Também supõe que isso é possível e que os recursos estão disponíveis. A maneira para obter o que você quer é segmentar para cima para encontrar áreas de concordância e atingir seu resultado, dando à outra pessoa aquilo que ela quer ao mesmo tempo.

A pergunta-chave é:

"Em que podemos concordar?"

O oposto ao enquadramento da negociação é o da "guerra": "Eu quero alguma coisa e vou conseguir mesmo que isso nos mate".

Os Cinco Enquadramentos Solucionadores de Problemas

A maneira pela qual você olha um problema, ou seja, o enquadramento que você atribui a ele, pode torná-lo mais fácil ou mais difícil de resolver. Eis os cinco principais enquadramentos solucionadores de problemas na PNL.

Resultados em vez de Culpa

Para fazer qualquer mudança você precisa saber:

- Onde está agora – seu estado presente ou atual.
- Onde quer estar – seu estado desejado.
- Os recursos de que necessita para ir de um para outro.
- Seu plano de ação para estreitar a lacuna entre o estado presente e o estado desejado.

Perguntas do enquadramento do resultado são:

"Onde estou agora?"

"O que quero?"

"Como posso sair de onde estou e chegar onde quero?"

O oposto é o enquadramento da culpa. Resultados olham para o futuro, a culpa, para o passado.

Perguntas do enquadramento da culpa:

"O que está errado?"

"Quem é o culpado?"

"Quem vai consertá-lo?"

"Como" em vez de "Por Quê"

Para compreender inteiramente um problema, você precisa ver como está sendo mantido no presente. Por que simplesmente não se dissolveu?

Perguntas "como" são geralmente mais úteis que perguntas "por quê" para a solução de problemas pois descobrem a *estrutura* do problema. Perguntas "por quê" podem obter apenas razões ou justificativas sem nada mudar. Tudo é explicável e justificável sob visão retroativa. Perguntas "por quê" são úteis para eliciar valores, não para soluções.

Perguntas para obtenção da estrutura do problema são:

"Como esse problema tem sido mantido?"

"Como a maneira pela qual a situação foi estabelecida tem contribuído para esse problema?"

"Como posso solucionar esse problema?"

Perguntas "por quê" seriam:

"Por que isso é um problema?"

"Por que não posso resolvê-lo?"

Possibilidades em vez de Necessidades

Estabeleça seu resultado com base naquilo que pode fazer em uma situação em vez de com base naquilo que não pode fazer ou tem que fazer.

Perguntas para descobrir possibilidades são:

"O que é possível?"

"O que teria que acontecer para que isso fosse possível?"

"Como poderei fazer com que isso seja possível?"

Perguntas de necessidade seriam:

"O que tenho que fazer?"

"O que não é possível, aqui?"

Feedback *em vez de Fracasso*

Suas ações diminuem a diferença entre seu estado presente e seu resultado. Você precisa monitorar continuamente onde tem que se certificar de estar nos trilhos para seu resultado. Isso oferece *feedback*. A qualidade de seu *feedback* depende:

- daquilo que você mede
- de como você mede
- do quão precisa e acuradamente você mede

Todos os resultados são úteis. *Feedback* que lhe avisa que está fora do rumo é tão útil para a navegação quanto o *feedback* que lhe avisa que está no caminho certo. Quando você está focalizado naquilo que deseja, todos os resultados são úteis para direcionar seu esforço – os assim-chamados "fracassos" são apenas resultados de curto prazo que você não desejava.

Perguntas sobre *feedback* são:

"Quais os meus resultados até aqui?"

"O que aprendi deles?"

"O que farei de forma diferente como resultado desse *feedback*?"

"Que *feedback* me dirá que tive sucesso?"

Perguntas sobre fracasso seriam:

"Por que fracassei?"

"O quão gravemente fracassei?"

Curiosidade em vez de Suposições

A curiosidade permite que você permaneça aberto à escolha e à possibilidade. Quanto mais você supõe a respeito de um problema de início, mais você limita a gama de opções.

Lembre-se do ditado sobre suposições:

Se você sempre fizer o que sempre fez, sempre obterá o que sempre obteve.

Perguntas para revelar suposições são:

"O que está supondo com relação ao problema?"

"O que está supondo com relação às pessoas envolvidas?"

"O que precisa ser verdade para que isso seja um problema?"

Quando você supõe, você não faz perguntas, porque você pensa que já sabe as respostas.

Comportamento, Valores e Intenção

Despreze o pecado, mas ame o pecador.
                              Santo Agostinho

A PNL pressupõe que todo comportamento tem um propósito. Estamos todos no processo de alcançarmos alguma coisa. Podemos não estar conscientes de exatamente o quê, mas nossas ações são propositadas. Isso permite que você separe o comportamento da intenção por trás dele.

Quando você vê algo de que não gosta, quer em você mesmo quer em outros, pense no que esse comportamento está tentando alcançar. Quando você faz isso, tem uma liberdade tremenda. Você não mais está amarrado àquele comportamento; pode olhar e notar que outro comportamento alcançaria a mesma intenção com menos conseqüências problemáticas.

As perguntas-chave para revelar a intenção de um comportamento são:

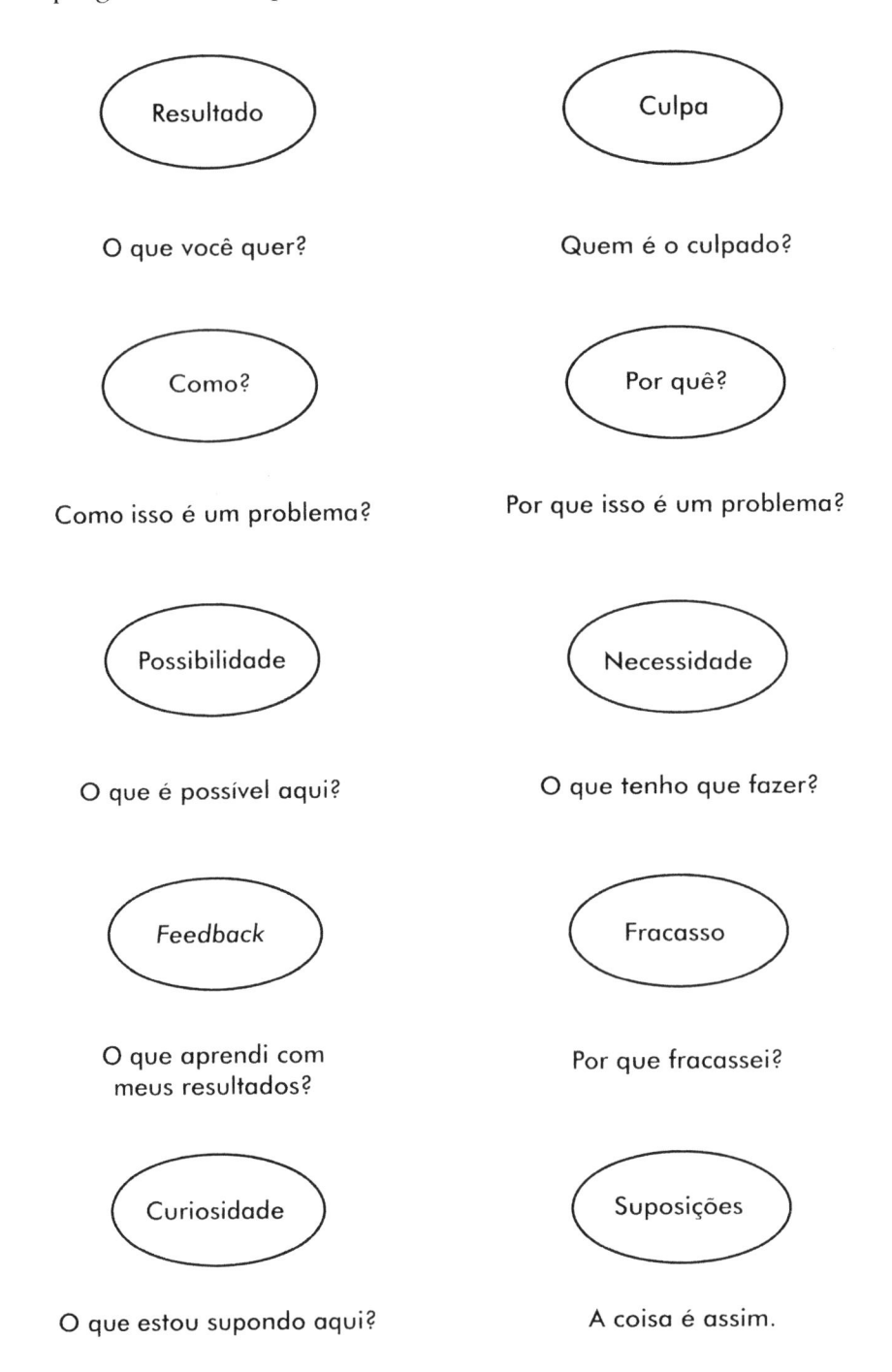

(Resultado)

O que você quer?

(Culpa)

Quem é o culpado?

(Como?)

Como isso é um problema?

(Por quê?)

Por que isso é um problema?

(Possibilidade)

O que é possível aqui?

(Necessidade)

O que tenho que fazer?

(Feedback)

O que aprendi com meus resultados?

(Fracasso)

Por que fracassei?

(Curiosidade)

O que estou supondo aqui?

(Suposições)

A coisa é assim.

Enquadramentos

"O que esse comportamento faz por você?"

"O que está tentando alcançar quando faz isso?"

Essas perguntas segmentam para cima, do comportamento para a intenção.

O comportamento tem uma intenção que é ligada a um valor – o que é importante. Estamos sempre tentando alcançar o que percebemos ser importante.

Você também pode atravessar diferentes níveis de intenção para o mesmo comportamento, repetindo a pergunta até que chegue a um valor essencial.

Por exemplo, uma pessoa deseja parar de fumar. Fumar é o comportamento.

"O que fumar faz por você?"

"Impede que eu tenha vontade de fumar." Intenção: Conforto.

"O que isso faz por você?"

"Faz-me sentir mais relaxado." Intenção: Relaxar.

"O que isso faz por você?"

"Sinto-me mais centrado e capaz de pensar com clareza." Intenção: Pensar com clareza.

"O que isso faz por você?"

"Faz com que me sinta mais criativo." Intenção: Ser criativo.

Assim, em última análise, fumar está ligado à criatividade. Qualquer resultado para parar de fumar deve levar isso em conta e encontrar um meio de manter e ou intensificar a criatividade sem cigarros. Fumar é apenas um dos meios para ser criativo (e na verdade não é lá um meio muito bom).

Quando você explora qualquer comportamento, verifica que há uma intenção positiva por trás dele.

Respeite a intenção positiva, não o comportamento.

Intenção

↑

O que isso faz por você?

↑

(Comportamento)

Ressignificação ou Reenquadramento

A experiência pura não tem qualquer significado. Apenas é. Atribuímos significado a ela de acordo com nossas crenças, valores, preocupações, gostos e desgostos.

O significado de uma experiência depende do contexto.

A ressignificação é mudar a maneira pela qual você percebe um evento e, assim, mudar o significado. Quando o significado muda, respostas e comportamento também mudarão.

A ressignificação com linguagem permite que você veja as palavras de uma forma diferente, e isso muda o significado. O reenquadramento ou ressignificação é a base para piadas, mitos, lendas, contos de fadas e a maioria das formas criativas de pensamento.

Existem dois tipos principais de ressignificação:

1. Ressignificação de contexto.
2. Ressignificação de conteúdo.

Ressignificação de Contexto

A ressignificação de contexto trabalha com base em generalizações comparativas. Quando você ouve uma queixa na forma de "Estou ... demais" ou "Aquela pessoa está ... demais", você pode usar a ressignificação de contexto. A pessoa está se queixando porque colocou aquele comportamento em um contexto no qual está em desvantagem. Deletou o contexto da sentença. Mude o contexto e irá alterar o significado.

Ressignifique o contexto perguntando: "Em que contexto esse comportamento teria valor?"

Coloque o comportamento naquele contexto e o que era uma desvantagem se torna um recurso.

Às vezes, isso é tão simples quanto renomeá-lo; por exemplo:

"Sou obsessivo demais com pequenos detalhes." "Você é um verdadeiro perfeccionista, não?"

"Sou teimoso demais." "Aposto que isso é útil quando precisa defender seu ponto de vista naquelas reuniões de negócios difíceis."

"Sou mandão demais." "Você deve ser bom em conduzir reuniões."

"Não sou suficientemente implacável." "Será um pai melhor por causa disso."

"Convicto", "teimoso" e "totalmente intransigente" poderiam todos ser usados para o mesmo comportamento, dependendo do contexto e de quem está julgando.

Ressignificação de Conteúdo

Isso é utilizado quando uma pessoa não gosta da maneira pela qual reage a um evento ou classe de eventos. Ela vê sua reação como um erro ou uma desvantagem.

Para ressignificar, pense:

"O que isso poderia significar?"

"O que gostaria que isso significasse?"

"Em que enquadramento isso poderia ser positivo ou ser um recurso?"

Então ressignifique com base em como responde a essas perguntas. Por exemplo:

"Me sinto mal quando ninguém me telefona." "Você realmente gosta de estar com as pessoas, e elas provavelmente gostam de estar com você" ou "Isso lhe dá uma boa oportunidade para fazer novos amigos."

"Aborreço-me quando as pessoas me ignoram." "Você tem auto-estima demais para agüentar esse tipo de tratamento passivamente."

O padrão de ressignificação de conteúdo pode ser usado para mudar sua percepção de qualquer coisa que possa ser julgada como negativa. Por exemplo:

"Seu namorado é grosso; não tem educação."
"Isso significa que ele poderia cuidar bem de mim se houvesse qualquer barulho."

"Tive que comprar um carro menor."
"Legal! Economizará uma fortuna em gasolina."

"Minha televisão quebrou ontem à noite."
"Aposto que isso lhe deu uma boa oportunidade para começar a ler alguns daqueles livros que sempre reclama não ter tempo para ler."

Ambos os tipos de ressignificação oferecem flexibilidade de pensamento que permite que você veja eventos sob um prisma diferente. Isso lhe dá grande liberdade, portanto certifique-se de que sua ressignificação seja respeitosa. Faça com que seja apropriada e assegure-se de ter rapport. Uma ressignificação não funcionará se a pessoa perceber que está apenas falando da boca para fora ou que não se importa de verdade com o que aconteceu. Se alguém lhe dissesse: "Acabam de retomar minha casa" e você respondesse "Deixe para lá, você poderá pesquisar os sem-teto em primeira mão", é pouco provável que abra a mente dessa pessoa e muito provável que tenha seu rosto reenquadrado pelo punho dela. ("Ei, mas pense nas oportunidades que isso lhe dará para pesquisar cirurgia plástica e praticar iôga para controlar a dor.")

A *ressignificação compulsiva e inadequada* é o "padrão Poliana" – evite-o.

A essência de uma boa ressignificação é que funcione para a pessoa. Você verá uma mudança fisiológica em direção a um estado com mais recursos à medida que ela avalia a experiência de uma nova maneira.

A pré-ressignificação é um padrão bastante útil para professores e treinadores. Você estabelece uma perspectiva para o dia ou para o curso e lida com possíveis objeções antecipadamente. Por exemplo, passando pelos quatro estágios de aprendizagem com um grupo (incompetência inconsciente, incompetência consciente, competência consciente e competência inconsciente, (*ver Capítulo 3*), você pode pré-ressignificar dificuldades e frustração como evidência de aprendizagem, porque essas são características das duas fases do meio e é ali que você está aprendendo mais.

Ressignificação inversa é o "padrão do pessimista". É tão fácil tomar um bom evento e atribuir um significado negro a ele quanto é tomar um mau evento e dar a ele um significado de mais recursos. Por exemplo:

"Tivemos férias maravilhosas esse ano."
"Suponho que isso deva tornar ainda mais difícil voltar ao trabalho e agüentar o tempo horrível, né?"

"Veja nosso lindo tapete novo!" "Ah, sim! Aposto que faz aparecer toda a sujeira, não?"

Os que fazem a ressignificação inversa geralmente não são muito populares. ("Mas quem quer popularidade? É provavelmente tudo superficial, mesmo. As pessoas só querem sua amizade quando querem alguma coisa.")

Ressignificação de Crenças

A ressignificação também pode ser usada para desafiar crenças limitadoras. Crenças limitadoras são geralmente equivalentes complexos com a forma: *Comportamento X significa Y*. A ressignificação desafia esses equivalentes complexos e causa-efeito, colocando-os em um enquadramento diferente e dando a eles um significado diferente.

Estrutura da Ressignificação

```
    Quadro 1                              Quadro 2

                    Ressignificação
   ( Isso não )    ─────────────────▶    ( Isso    )
   ( Crença 1)                           ( Crença 2)
                         mas
```

Por exemplo:

"Aprender ressignificação é difícil." (Quadro 1)

"Essa crença pode torná-lo difícil de qualquer jeito." (Quadro 2)

Eis algumas maneiras de gerar ressignificações para crenças. São freqüentemente chamadas de "padrões de prestidigitação lingüística ou verbal".

"Aprender ressignificação é difícil."

1. *Redefina as palavras.*

    "Você não precisa *aprender*, apenas se *familiarizar* com ela."

    "Aprender a ressignificar não é difícil, só exige um pouco mais de esforço."

2. *Mude o quadro de tempo. Avalie a afirmação em uma escala de tempo diferente, mais longa ou mais curta.*

    "Quanto mais rápido o fizer, mais fácil lhe parecerá."

3. *Explore as conseqüências do comportamento.*

    "A não ser que tente, jamais saberá o quão é difícil ou não."

4. *Mude o tamanho do segmento.*

    Segmente para cima: "A aprendizagem é difícil de modo geral?"

    Segmente para baixo: "O quão difícil é aprender um só padrão?"

5. *Encontre um exemplo contrário.*

    "Já houve uma época em que você achou fácil aprender padrões de linguagem?"

6. *Peça evidência.*

    "Como sabe disso?"

7. *Reavalie a declaração a partir de outro modelo de mundo.*

    "Muitos educadores acreditam que a aprendizagem é tão natural que não podemos não aprender uma coisa se formos expostos a ela bastante tempo."

8. *Ofereça uma metáfora ou uma analogia para dar recursos à pessoa.*

    "Isso me lembra de minha experiência de aprender a tocar violão..."

9. *Apele para a intenção positiva por trás da crença.*

    "Posso ver que você quer aprender isso completamente."

10. *Mude o contexto para que o relacionamento não se aplique da mesma forma.*

    "O quão difícil é para você aprender alguma coisa depende de quem lhe está ensinando."

Ressignificação em Seis Passos

A ressignificação em seis passos é um padrão que aborda qualquer comportamento que parece estar fora do controle consciente. Você quer parar ou mudar alguma coisa, mas não parece ser capaz de fazê-lo. Você também pode usar o padrão quando estiver impedido de fazer algo que deseja. Ambos são sinais de que o comportamento é sustentado em um nível inconsciente e não pode ser mudado apenas em um nível consciente, caso contrário você simplesmente faria o que deseja sem pensar a respeito. Quando você não pode mudar um comportamento em um nível consciente, isso é uma indicação de que há um ganho secundário – o comportamento está lhe proporcionando alguma coisa que é importante e da qual você não quer abrir mão. No entanto, a intenção positiva e o ganho secundário são inconscientes.

Hábitos indesejados, incongruência seqüencial, sintomas físicos, bloqueios psicológicos e ganho secundário podem ser ressignificados com o padrão de ressignificação em seis passos encontrando-se a intenção positiva. Você então encontra outra maneira de satisfazer a intenção que sinta ser mais congruente e mais ecológica e que esteja de acordo com o seu senso de si mesmo.

A ressignificação em seis passos leva à mudança de segunda ordem – passa para um nível lógico mais elevado e conecta o comportamento à intenção em vez de procurar mudar o comportamento no mesmo nível.

A beleza da ressignificação em seis passos é que ela pode ser realizada em um nível totalmente inconsciente – a mente consciente não precisa ter qualquer das respostas, mas o padrão ainda pode funcionar. A ressignificação em seis passos utiliza a metáfora das partes – há uma parte de você que está impedindo a mudança desejada. Essa parte precisa ser respeitada e ressignificada.

Você pode realizar esse padrão sozinho, mas é mais fácil quando alguém o ajuda.

Os Seis Passos

1. *Identifique o problema.*

   O problema – por exemplo, fumar, roer as unhas, ansiedade, dor e desconforto sem qualquer causa física aparente – será tipicamente na forma de: "Quero fazer isso, mas algo me impede..." ou " Não quero fazer isso, mas parece que o faço de qualquer jeito..."

2. *Estabeleça comunicação com a parte que é responsável pelo comportamento.*

   Entre em sua mente e peça àquela parte que se comunique com você usando um sinal do qual terá conhecimento consciente. Diga algo como: "A parte responsável por esse comportamento pode me dar um sinal agora?" Ouça, observe e sinta por um sinal. Pode ser visual, auditivo ou cinestésico. A resposta pode não ser aquilo que pensa que deveria ser. Quando obtiver um sinal, agradeça a parte e pergunte se esse pode ser um sinal para "sim". Você deveria obter o sinal novamente. Se não, continue a perguntar até que obtenha um sinal confiável que possa calibrar de forma consciente. Se não puder obter um sinal, continue assim mesmo – pressuponha um sinal, mas um que não seja sensível o suficiente para calibrar.

3. *Estabeleça a intenção positiva da parte e separe-a do comportamento indesejado.*

   Pergunte à parte se está disposta a revelar sua intenção positiva. Se obtiver um sinal "sim", deixe que essa intenção positiva se torne clara para você. Pode ser uma surpresa. O que a parte está tentando alcançar que tenha valor? Se obtiver uma intenção positiva negativa, por exemplo: "Não quero que sinta medo", segmente para cima até que seja expressa de forma positiva; por exemplo: "Quero que se sinta seguro". Separe a intenção positiva do comportamento. Você pode detestar o comportamento, mas a intenção vale a pena. Agradeça a parte por deixá-lo conhecer a sua intenção positiva.

   Se não obtiver um sinal e não tiver certeza de uma intenção positiva, presuma uma e passe para o passo seguinte. Tem que haver uma – sua mente inconsciente não é burra e aleatória, e nenhum comportamento pode existir sem um benefício positivo.

4. *Peça a sua parte criativa que gere novos meios de satisfazer a intenção positiva.*

   Todos temos uma parte criativa e cheia de recursos. Essa parte é principalmente inconsciente, porque é difícil ser criativo sob comando – isso é como tentar ser espontâneo por ordem.

Interiorize-se e peça à sua parte criativa que apresente pelo menos três escolhas que satisfaçam a intenção positiva de uma forma diferente. Peça para que sejam pelo menos tão boas quanto o comportamento original, se não melhores. (Caso contrário você se arrisca a saltar da frigideira para o fogo!)

Peça à parte criativa que lhe avise quando tiver feito isso e agradeça. A parte criativa pode não avisá-lo dessas escolhas de forma consciente, e você não precisa conhecê-las para que o processo funcione.

5. *Obtenha a concordância da parte original de que ela usará uma ou mais dessas escolhas em vez do comportamento original.*

   Essa é uma forma de fazer ponte ao futuro. Pergunte a ela diretamente se está disposta a usar as novas escolhas. Você deve obter um sinal de "sim" da parte original. Se não o fizer, poderá voltar ao passo quatro e gerar mais escolhas ou supor que a parte está disposta a aceitar as novas escolhas.

6. *Verifique a ecologia.*

   Se tiver consciência dessas novas escolhas, imagine realizando-as no futuro. Veja-se fazendo as novas escolhas como se estivesse vendo um filme. Parece correto?

   Quer saiba das escolhas ou não, pergunte-se: "Alguma outra parte de mim se opõe a essas novas escolhas? Seja sensível para quaisquer novos sinais que possam indicar que essas escolhas não sejam ecológicas. Se obtiver um sinal, volte ao passo quatro e peça à parte criativa, que ofereça algumas novas escolhas que satisfaçam a parte que se opõe e ainda assim respeitem a intenção positiva original. Verifique essas novas escolhas para ver se há objeções.

A ressignificação em seis passos lida com o ganho secundário, ela proporciona um relacionamento mais produtivo com seu inconsciente e é realizada em transe leve, à medida que você se interioriza e explora diferentes partes de sua personalidade.

Plano de Ação

1. Considere um importante relacionamento em sua vida no momento. Em qual enquadramento o está colocando?

   Como mudaria se você aplicasse qualquer desses enquadramentos:

   Enquadramento do resultado. (Pense no relacionamento em termos de como realiza seus resultados.)

Enquadramento da negociação. (Pense no relacionamento como sendo uma negociação na qual outra pessoa está tentando obter o que ela quer e você está tentando obter aquilo que você quer.)

Enquadramento do jogo. (Pense nele como um jogo. Quais são as regras? Que tipo de jogo é? Xadrez? Risco? Banco Imobiliário? Pôquer?)

2. Assista ao filme *Tin Cup* em vídeo, mesmo que o tenha visto antes. Qual quadro a personagem representada por Kevin Costner está aplicando a sua vida? Que quadro diferente a personagem desempenhada por Rene Russo aplica a sua vida e como isso a transforma? Com qual enquadramento ambos concordam no final?

3. Pense em uma ocasião no passado recente em que alguém lhe fez uma pergunta que não pode responder satisfatoriamente? Qual pré-enquadramento você poderia ter feito que significasse que a pessoa não lhe fizesse a pergunta?

Se você ensina e verifica que seus alunos lhe fazem perguntas que não consegue responder, aplique a mesma idéia – que pré-enquadramento você poderia estabelecer para que não façam essas perguntas?

4. Ouça um debate político na televisão. Independentemente de com quem você concorda, pense nisso como duas facções engajadas em um "Enquadramento da Guerra". Que quadros os oponentes estão tentando impor?

5. Pense em três coisas que você gostaria de parar de fazer.

Qual poderia ser a intenção positiva?

O que cada uma está tentando obter para você que seja de valor?

De que outra forma você poderia realizar essa intenção positiva?

Capítulo 16

Juntando a Coisa Toda

Agora as perguntas mais importantes de todas:

Como essas partes da PNL se conectam?

Como se unem em um todo coerente?

Como saber qual padrão usar, e quando?

A não ser que as partes se conectem umas às outras, o todo será menos que a soma das partes. Uma vez que as partes estejam conectadas e sejam relevantes, constituirão informações. Quando você começa a aplicar informações, você tem conhecimento. E quando puder fazer malabarismos com esse conhecimento e criar seu próprio conhecimento, então ele se tornará sabedoria.

PNL e Pensamento Sistêmico

O conhecimento tem que ser um sistema – o todo é maior do que as partes. Esta é uma das definições-chave de um sistema. Um sistema também possui propriedades emergentes, propriedades que aparecem quando as partes são conectadas, propriedades que você não pode prever a partir da soma das partes. É isso que distingue um sistema de um amontoado. Seu carro é um amontoado quando não funciona; é apenas uma coleção de partes. Todas as partes lá estão, mas porque não estão conectadas da maneira correta, *nada* funciona. É preciso apenas que uma parte não funcione para que o sistema inteiro não funcione.

Da mesma forma, no entanto, uma pequena mudança pode fazer o sistema funcionar novamente ou funcionar ainda melhor. Esse é o princípio da alavancagem. Significa obter o máximo de resultado em troca do menor esforço. Lembra-se do assim-chamado "efeito borboleta"? Padrões meteorológicos são um sistema de tal forma complexo que, pelo menos em teoria, uma borboleta que bate suas asas no Rio poderia causar uma corrente de ar que por sua vez reforçaria condições do tempo até se tornar uma tempestade na Inglaterra. Sistemas complexos não podem ser exatamente previstos, e você pode obter um resultado enorme com muito pouco esforço.

Pensamento sistêmico é a arte e a ciência de compreender como um sistema opera. Você pode aplicar o pensamento sistêmico a qualquer sistema, seja físico, social, vivo ou mecânico.

PNL é o estudo da estrutura da experiência subjetiva.

Portanto, PNL é a aplicação do pensamento sistêmico à experiência subjetiva.

Você é um sistema. Vive em um mundo de sistemas. Lembre-se, no entanto, de que um sistema é uma nominalização – um sistema é na verdade um processo. Você é um processo que o mantém vivo e pensante. Seja o que for que estiver fazendo e pensando, seja qual for seu estilo de vida, quaisquer que sejam os problemas que você pensa que tem, é preciso mantê-los no momento presente. Caso contrário, como poderiam persistir?

Mudar é descobrir como você está mantendo o problema no presente e então aplicar alavancagem. Uma vez que tenha compreendido a estrutura do problema, poderá descobrir o que impede a mudança e encontrar o ponto de alavancagem para realizar a mudança que você deseja. Se for uma mudança ecológica, levará a melhorias. Se não for ecológica, então você encontrará mais problemas.

Há dois tipos de mudança que você pode fazer.

Mudança de Primeira Ordem

Mudança de primeira ordem é quando você alcança um só resultado – uma resposta diferente em um determinado contexto. Por exemplo, uma pessoa sofre de medo de estar no palco, no entanto seu trabalho exige que faça apresentações com confiança e competência. Nessa situação, uma técnica como ancoragem funcionaria bem. Não haverá ramificações adicionais se o resultado for ecológico. A mudança de primeira ordem lida com um problema e nada mais.

Técnicas de PNL para mudança de primeira ordem:

ressignificação simples

ancoragem

gerador de novos comportamentos

mudança de história pessoal

dissociação visual/cinestésica (processo de cura de fobia)

ponte ao futuro.

A mudança de primeira ordem é o resultado de aprendizagem de *loop* simples (*ver Capítulo 3*). Funciona com problemas limitados e estruturados.

Um problema limitado tem um conjunto finito de soluções possíveis.

Um problema estruturado é colocado de forma não ambígua que torna o problema claro e aponta o caminho para uma solução.

No entanto, a mudança de primeira ordem é uma abstração ideal. Como seres humanos são sistemas complexos que vivem dentro de sistemas complexos, não existe mudança de primeira ordem pura. Há sempre efeitos colaterais. Esses podem ser profundos (como a borboleta batendo as asas) ou podem ser quase que imperceptíveis. Mudança de primeira ordem é quando os efeitos são imperceptíveis e podem ser desconsiderados com segurança, pelo menos no curto prazo. Você nunca poderá realmente saber, no entanto. Por exemplo, se uma pessoa tem medo de sair de casa, um processo de cura de fobia, embora seja um simples processo de mudança de primeira ordem por si só, pode levar a uma total reorganização da vida da pessoa. Uma vez livre para sair e conhecer pessoas, isso poderá levar a uma mudança profunda. Assim, uma mudança ser de primeira ordem depende até certo ponto de sua perspectiva de tempo.

A melhor definição de mudança de primeira ordem é quando a mudança não é necessariamente generativa, e os efeitos colaterais imediatos são mínimos e podem ser desconsiderados para todos os fins práticos.

Mudança de Segunda Ordem

Mudança de segunda ordem é quando há resultados múltiplos e considerações secundárias relativas à mudança. A mudança é para ser generativa, não apenas lidando com o problema específico como também desenvolvendo a capacidade de realizar outras mudanças. Mudança de segunda ordem não só elimina o problema, mas também tem outros efeitos que podem mudar o pensamento que deu margem ao problema. Por exemplo, uma mulher pode se envolver com uma série de parceiros não-confiáveis. Uma mudança de primeira ordem procuraria resolver cada relacionamento específico. Uma mudança de segunda ordem abordaria por que a mulher se sente atraída a esse tipo de parceiro e buscaria mudar o padrão. Claramente, a mudança de segunda ordem é mais pervasiva e mais generativa.

Mudança de segunda ordem se alia à aprendizagem de *loop* duplo *(ver Capítulo 3).*

Técnicas de PNL que podem levar à mudança de segunda ordem:

ressignificação em seis passos

intervenções sistêmicas nos níveis de linguagem, fisiologia e pensamento

alinhamento de posição perceptual

metáfora

estratégias

A mudança de segunda ordem é necessária para problemas não-estruturados e sem limites.

Um problema sem limites tem muitas soluções possíveis.

Um problema não-estruturado é um que é colocado de forma tal que não aponta para uma solução.

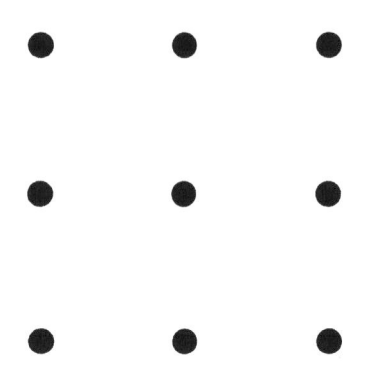

● ● ●

● ● ●

● ● ●

Uma das maneiras pelas quais podemos compreender a diferença entre mudança de primeira e de segunda ordens é através do quebra-cabeças acima. O desafio é ligar todos os nove pontos com quatro retas sem tirar a caneta do papel.

A resposta é sair da caixa como segue:

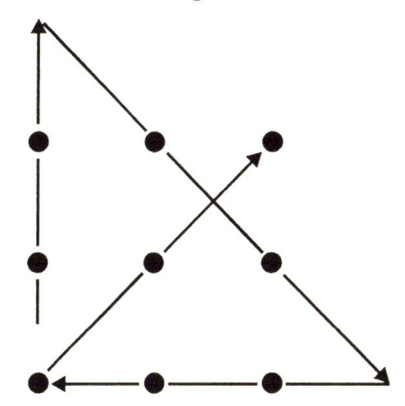

Isso é mudança de primeira ordem. A mudança de segunda ordem seria perguntar: Que outras soluções são possíveis? É possível ligar os pontos com menos de quatro linhas sem tirar a caneta do papel? (Sim.) Que suposições estou fazendo quanto ao quebra-cabeças que me impedem de chegar a uma solução? Que estratégia poderia criar que levaria a mais soluções para esse quebra-cabeças?

A Estrutura da PNL

estado presente ⟶ estado desejado

↑

recursos

Principais Elementos da PNL

Calibração:	Observar as evidências sensoriais específicas buscando estados emocionais tanto na fisiologia quanto na linguagem.
Congruência:	Focalizar recursos e ser capaz de trabalhar claramente em prol de um resultado desejado.
Consciente e inconsciente:	Descobrir recursos em níveis diferentes de você mesmo e de outros.
Análise por contraste:	Descobrir a diferença que faz a diferença.
Ecologia:	Olhar para o sistema maior e os tipos de limites que estabelecemos para definir o sistema com o qual estamos lidando.

Eliciação:	Suscitar aquilo que é importante através de rapport e habilidades de questionamento.
Flexibilidade:	Se aquilo que estiver fazendo não está funcionando, faça outra coisa.
Modelagem:	Eliciar a estrutura da experiência subjetiva.
Resultados:	Saber o que quer, eliciar o que os outros querem.
Acompanhamento e condução:	Conhecer o modelo de mundo da outra pessoa e ser capaz de acompanhá-la e conduzi-la e/ou a você mesmo em direção às mudanças desejadas.
Posições perceptuais:	Equilibrar as primeira, segunda e terceira posições – seu ponto de vista, o de outra pessoa e *o sistêmico*.
Pressuposições:	Os princípios operacionais, as "crenças" da PNL.
Rapport:	Estabelecer e manter rapport consigo mesmo e com outro(s).
Sistemas representacionais:	Pensar com os sentidos.
Acuidade sensorial:	Consigo mesmo e com outros.
Estado:	A capacidade de escolher seu estado emocional e eliciar estados em outros.

A PNL lida com os três elementos principais da comunicação:

1. Linguagem.
2. Fisiologia.
3. Pensamento.

Procure o ponto de alavancagem em cada um desses três elementos. Uma mudança bem-sucedida se mostrará em todos os três:

1. Os padrões de linguagem de uma pessoa serão diferentes.
2. Sua fisiologia será diferente.
3. Seu pensamento será diferente.

O padrão a seguir utiliza todos os três para encontrar o *ponto de alavancagem* que oferece a maior mudança com o menor esforço.

Padrão de Alavancagem: Linguagem, Fisiologia, Pensamento

Isto é melhor descrito trabalhando com outra pessoa. Não é fácil de fazer sozinho.

1. O cliente identifica um problema ou estado emperrado que reconhece ter ocorrido pelo menos três vezes.

2. O cliente descreve todos os três exemplos do estado. Você procura ouvir padrões de Metamodelo. Encontre os padrões mais significativos. Esses serão mostrados ou por repetição (o cliente repete o mesmo padrão várias vezes) ou por ênfase tonal (o cliente os enfatiza ao falar).

3. O cliente agora descreve o primeiro exemplo mais uma vez. Agora você desafia os padrões de Metamodelo. Peça ao cliente que refraseie. Então peça que descreva como suas submodalidades e representações mudam quando ele altera a sua linguagem. Ao descrever os sistemas representacionais e submodalidades mudados, sua fisiologia mudará para uma com mais recursos. Ancore essa nova fisiologia cinestesicamente com um toque no braço.

4. Quebre o estado.

5. O cliente descreve o segundo exemplo do problema. Enquanto ele faz isso, use a âncora para mudar a sua fisiologia. Então pergunte como as submodalidades da experiência mudaram como resultado da fisiologia alterada. Você também deve ouvir mudança nos padrões de linguagem de Metamodelo.

6. Quebre o estado.

7. O cliente descreve o terceiro exemplo do estado emperrado. (Se puder! Pode não estar mais emperrado.) Peça a ele que mude as submodalidades e os sistemas representacionais para os do estado com recursos que você eliciou nos passos três e quatro. Observe a mudança de linguagem e de fisiologia enquanto ele faz isso.

8. Agora, qual intervenção foi a mais poderosa na mudança de estado:

    Linguagem (desafiando padrões de Metamodelo)?

    Fisiologia (usando a âncora)?

    Pensamento (mudando os sistemas representacionais e as submodalidades)?

Você também pode fazer esse exercício com um estado que tenha recursos.

1. O cliente oferece cerca de três exemplos do estado com recursos. Calibre a fisiologia.

2. O cliente fala do primeiro exemplo do estado com recursos. Elicie as submodalidades e representações do estado através de *backtracking* – usando as palavras-chave usadas pelo cliente para descrever o estado,

juntamente com a tonalidade-chave. Explore as submodalidades e os sistemas representacionais que poderão ser mudados para intensificar o estado. O cliente faz as mudanças de submodalidade e então você ancora a fisiologia intensificada resultante.

3. Quebre o estado.

4. Use a âncora para eliciar o estado enquanto usa as mesmas palavras-chave para descrevê-lo da forma originalmente utilizada pelo cliente. Explore como poderia mudar sua fisiologia para intensificar o estado ainda mais.

Qual foi a forma mais poderosa de intensificar o estado?

Linguagem (*backtracking* das palavras e da tonalidade-chave)?

Fisiologia (usando a âncora)?

Pensamento (usando sistemas representacionais e submodalidades)?

Aplicando Padrões da PNL

Eis os passos pelos quais precisa passar para aplicar qualquer padrão da PNL. No entanto, você é mais flexível do que qualquer padrão, portanto essas são orientações, não diretrizes.

1. **Seu Estado**

    Olhe para si mesmo primeiramente e durante todo o processo.

    Você está em um bom estado para empreender a mudança?

    Você está congruente quanto ao trabalho que está realizando?

    Principais habilidades usadas:

    Verificação de congruência

    Âncoras de recursos

2. **Rapport**

    Estabeleça rapport.

    Principais habilidades utilizadas:

    segunda posição

    equiparação

3. **Colete Informações**

    Quanta informação você precisa para começar a trabalhar? Se estiver trabalhando com outra pessoa, como ela estrutura sua experiência?

Principais habilidades usadas:

o Metamodelo

calibração

backtracking

posições perceptuais

4. Resultado ou Objetivo

Qual é seu objetivo? Se você estiver trabalhando com um cliente, qual o objetivo dele? Elicie o objetivo do cliente com boas condições de formulação.

Principais habilidades utilizadas:

perguntas de resultados ou objetivos

o Metamodelo

5. Recursos

De que recursos você ou seu cliente necessita? Onde podem ser encontrados? Onde está o ponto de alavancagem?

Linguagem?

Fisiologia?

Representações?

Principais habilidades utilizadas:

calibração

linha de tempo

ancoragem

ressignificação

linguagem do Modelo Milton

posições perceptuais

6. Utilize Recursos

Use um padrão, uma técnica ou um formato para trazer os recursos para o estado presente.

Principais habilidades utilizadas:

Padrões e formatos da PNL apropriados
(ver lista no Apêndice 1).

7. Teste

Use as evidências que eliciou no seu resultado ou no do cliente. Houve mudança de:

Linguagem?

Fisiologia?

Representações?

Principais habilidades utilizadas:
   calibração

8. Faça Ponte ao Futuro

Como a mudança generalizará para o futuro? Como você e seu cliente saberão que a mudança ocorreu e quais os seus efeitos?

Principais habilidades utilizadas:
   ensaio mental associado e dissociado
   linguagem do Modelo Milton

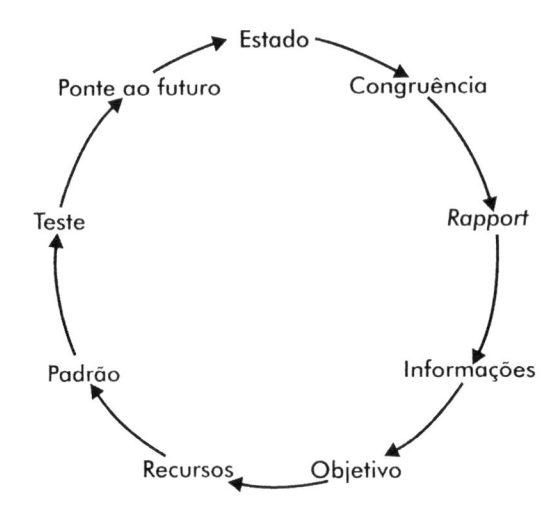

Recursos

Recursos são o que o moverá do estado presente para o estado desejado. Encontrar o recurso certo é a chave para qualquer intervenção de PNL bem-sucedida. Recursos podem ser externos ou internos e em diferentes níveis neurológicos.

Ambiente

Objetos podem ser necessários (ex.: computador, etc.).

Pessoas podem ser necessárias (amigos, familiares, *coach*, professores e mentores).

Modelos podem ser necessários (pessoas que você conhece, personagens de um filme, da TV e de livros).

Comportamento

Acesse uma experiência poderosa de referência.

Use associação e dissociação para pensar de forma diferente.

Use perguntas de Metamodelo para obter as informações de que necessita.

Capacidade

Mude o estado através de:

mudança de sua fisiologia

utilização de uma âncora

Use análise de contrastes – pense em uma situação semelhante na qual você não tem esse problema.

Quais as diferenças críticas?

Use a automodelagem – onde você tem recursos em outra parte de sua vida?

Use uma estratégia diferente ou projete uma estratégia eficaz.

Use a primeira, segunda e terceira posições.

Crenças e Valores

Use pressuposições da PNL.

Mude de posições perceptuais.

Use a ressignificação.

Identidade

Crie uma metáfora potencializadora.

Use o quadro "como se".

Além da identidade

Olhe para seus relacionamentos e crenças espirituais em busca de orientação e inspiração.

Guia de Padrões da PNL: O Que Usar Onde

A quantidade e a variedade de problemas que os seres humanos podem ter são infinitas. Seu problema pode ser que não está à vontade em seu estado presente. Você pode não ter estabelecido um objetivo, mas quer mudar para algo diferente. (Você tem um problema remedial.) Por outro lado, você pode ter estabelecido um objetivo para se mover de onde está, mesmo que esteja à vontade. (Você tem um problema generativo.) Em ambos os casos, há uma lacuna entre onde você está (estado presente) e onde deseja estar (estado desejado). Essa lacuna é o problema. Mesmo assim, isso não seria um problema se você soubesse como chegar ao estado desejado. Seria apenas uma questão de tempo.

> **Um problema é quando o estado presente é diferente do estado desejado e você duvida de seus recursos para se mover de um para outro.**
>
> *A PNL soluciona problemas oferecendo mais escolhas e mais recursos no estado presente.*

A PNL não garante que você jamais terá problemas novamente, mas oferece mais escolhas e recursos. Também pode ampliar seu modelo de mundo para que seja capaz de realizar mais.

Nenhum problema existe isoladamente. Problemas necessitam de pessoas que os tenham. Uma banheira de água muito quente não é um problema a não ser que você esteja dentro dela e queira sair! Portanto, duas pessoas diferentes podem estar na mesma situação mas reagir a ela de formas diferentes. Precisam de uma abordagem diferente para solucionar o problema. O problema é uma combinação singular de suas circunstâncias específicas no momento, a maneira pela qual pensam e agem e seu modelo de mundo. Problemas não são distribuídos como camisetas baratas – de tamanho único.

Esses senões à parte, é útil fazer algumas generalizações sobre a gama de possíveis problemas e quais padrões e intervenções de PNL são mais prováveis de funcionar com quais problemas.

Problemas podem ser divididos em uma série de categorias sobrepostas:

Estáveis e instáveis

Um problema estável permanece o mesmo. Quase não muda com o tempo. Por exemplo, uma fobia ou uma obsessão.

Um problema instável muda ao longo do tempo e parece ter facetas diferentes. Por exemplo, dificuldades de aprendizagem.

Gerais ou específicos ao contexto

Um problema geral afeta áreas mais amplas da vida de uma pessoa; por exemplo, dores de cabeça crônicas ou falta de confiança. Esses são também conhecidos como "problemas complexos", e é necessária uma mudança de segunda ordem para solucioná-los.

Um problema específico ao contexto afeta apenas um contexto específico, por exemplo medo de voar. Esses tipos de problema são também conhecidos como "problemas simples". Podem precisar apenas de mudança de primeira ordem para fazer uma diferença.

Emocionais e cognitivos

Um problema emocional é exatamente isso – um no qual há muita emoção envolvida; por exemplo, mudanças de humor, ataques de pânico ou depressão.

Um problema cognitivo tem pouca emoção envolvida, se é que tem alguma, embora a pessoa possa ter sentimentos *fortes a respeito* dele. Exemplos seriam problemas de memória ou confusão quanto a papéis e limites.

De tarefas e de relacionamento

Problemas de tarefas dizem respeito a metas e tarefas e ocorrem principalmente no contexto profissional. Por exemplo, escrever um relatório ou a gestão de projetos.

Problemas de relacionamento são exatamente isso – problemas relativos a outras pessoas (o que também pode tornar certas tarefas mais difíceis).

Aplicando os Padrões

O quão bem-sucedido você será na solução de problemas depende de sua congruência. Em um amplo estudo de hipnoterapia, verificou-se que o fator com maior influência no sucesso do tratamento foi o quão congruente era o terapeuta. Em outras palavras, quanto mais você acredita no que faz, melhores serão os resultados que obterá. A incongruência parece ser percebida em um nível inconsciente pelo seu cliente. Se estiver trabalhando em você mesmo, não terá qualquer chance de mudança a não ser que seja congruente. Desde o início de qualquer intervenção de PNL, você precisa gerenciar seu próprio estado e estabelecer e manter rapport.

Use apenas aqueles padrões com os quais seja congruente ao usá-los.

A lista de padrões da PNL a seguir constitui um guia geral de quais padrões podem ser adequados a que tipos de problema. É claro que esses não são os únicos tipos de problema com os quais os padrões podem lidar.

Às vezes, um problema pode estar "aninhado" em outro, e você pode, por exemplo, começar com uma ressignificação em seis passos e depois ter que lidar com uma questão de crença antes de concluir a ressignificação em seis passos. Então poderá ter que estabelecer ponte ao futuro e realizar um gerador de novos comportamentos.

Sua flexibilidade é a qualidade mais importante e, quando em dúvida, a resposta residirá sempre na pessoa à sua frente e não em qualquer generalização.

Todos os padrões da PNL podem ser realizados em transe.

Tipo de Problema	Intervenção de PNL Adequada	Página
Clareza quanto a valores	Pressuposições da PNL	5
Relacionamentos difíceis	Desenvolvimento de segunda posição	42
	Alinhamento de posições perceptuais	246
	Metaespelho	40
	Equiparação	48
	Contrastando TOTS	138
Falta de direcionamento	Resultados ou objetivos	15
Reuniões improdutivas	Exercício de reuniões	43
	Habilidades de negociação	242
	Habilidades de questionamento	160
Motivação	Trabalho de mudança de submodalidades	116
	Objetivos bem formulados	15
	Alinhamento de níveis neurológicos	36
	Estratégia de motivação	149
Falta de habilidades sociais	Rapport	46
	Desequiparação	48
Medos	Trabalho de estratégia	139
	Dissociação V/C	120
	Trabalho de mudança de submodalidades	116
	Ancoragem de recursos	92
Fobias	Processo de cura de fobia	123
Trauma	Processo de cura de fobia	123
Tomada de decisões	Trabalho de estratégia	139
Criatividade e solução de problemas cognitivos	Estratégia Disney	144
	Uso de pressuposições	183
Comparações limitadoras	Ressignificação de contexto	270
	Metamodelo – comparações	167
Planejamento de vida	Objetivos ou resultados de longo prazo	14
	HUGGs	19
	Alinhamento de níveis neurológicos	36
Crenças limitadoras	Processo PCM	21
	Afirmações	24
Hábitos ou compulsões, auto-sabotagem	Ressignificação em seis passos	274
	Sinal de congruência	254
	Integração de partes	248
	Operadores modais do Metamodelo	172
Medo de palco, falta de confiança	Alinhamento de níveis neurológicos	36
	Associação e dissociação	86
	Ponte ao futuro	76
	Mudança de estados	102
	Ancoragem de recursos	92
Reações indesejadas a eventos	Ressignificação de conteúdo	271
	Transe diário	200

Tipo de Problema	Intervenção de PNL Adequada	Página
Hábitos indesejáveis	Swish	118
	Ressignificação em seis passos	234
	Gerador de novos comportamentos	146
Sensação vaga, dificuldade em determinar o problema específico	Metáfora	218
	Mudança de estados	102
Falta de assertividade	Desenvolvimento de primeira posição	40
	Centrar-se	68
Decisão limitadora passada	Trabalho de linha de tempo	128
	Processo de cura de fobia	123
	Mudança de história pessoal	98
Gestão do tempo	Através da linha de tempo	125
Forte estado negativo	Quebra de estado	91
	Interrupção de padrão	91
	Encadeamento de âncoras	97
Estado sem recursos habitual, depressão	Ancoragem de recursos	92
	Encadeamento de âncoras	99
	Empilhamento de âncoras	96
	Colapso de âncoras	97
	Análise de contraste de submodalidades	116
	Perguntas	159
	Mudança de estados	102
Situação emperrada	Padrão de alavancagem	284
	Integração de movimentos oculares	72
	Encadeamento de âncoras	96
	Desafios do Metamodelo	189
	Metáfora isométrica	220
	Colapso de âncoras	97
Fracasso percebido, não alcançar resultados	Exercício de TOTS	138
Dificuldade de relaxar	Inventário	300
	Transe	197
Objetivos ou demandas conflitantes	Integração de partes	248
Dificuldade de visualização	Construção de imagens mentais	62
Dificuldade de ouvir sons internamente, com apreciação musical	Ouvindo sons mentais	64
Dificuldades com sensações cinestésicas	Sensações cinestésicas	66
Não obtenção de resultados, falta de completamento	Ponte ao futuro	76
	Ensaio mental	78
Aprendizagem a partir da experiência	Aprendizagem a partir da experiência	121
	Mudança de história pessoal	98

Tipo de Problema	Intervenção de PNL Adequada	Página
Problema recorrente com causa no passado	Mudança de história pessoal	98
Não-envolvimento	Associação	86
Excesso de envolvimento	Dissociação	86
Repetidos mal-entendidos	O filtro da experiência	233
	Backtracking	243
Contusões ou dores crônicas	Transe	197
Negociação e mediação	Habilidades de negociação	242
Incongruência	Alinhamento de níveis neurológicos	36
	Integração de partes	248
	Verificação de congruência	251
Falta de habilidades ao telefone	Equiparação de voz	49

Problemas Generativos – Tornando as Coisas Ainda Melhores

Tipo de Problema	Intervenção de PNL Adequada	Página
Desfrutando da experiência	Na linha de tempo	125
	Associação	86
	Intensificação de submodalidades críticas	130
	Empilhamento de âncoras	96
	Ancoragem de recursos	92
	Mudança de estados	102
	Transe	197
Ser mais criativo	Transe	197
Relaxamento	Transe	197
Redação criativa	Habilidades de redação	226

Vivendo as Pressuposições da PNL

A PNL não diz respeito somente a padrões. Diz respeito também a atitude e agir com base naquilo em que acredita. Crenças e pressuposições nada significam se não as usar para orientar sua vida. Você não conhecerá seu valor a não ser que aja como se fossem verdadeiras.

Eis algumas maneiras para agir como se as pressuposições fossem verdadeiras em sua vida, além de algumas ações que são o oposto das pressuposições.

1. As pessoas respondem a suas experiências, não à realidade em si.

Ação: Respeitar os valores e as crenças dos outros. Permitir que tenham suas próprias opiniões ao mesmo tempo certificando-se de que cuida se si mesmo.

Oposto: Acreditar que você conhece a verdade enquanto os outros estão errados. Insistir em que vejam as coisas da sua maneira. *(Especialmente quando sua maneira é a da PNL!)*

2. Ter uma escolha é melhor do que não ter escolha.

   Ação: Sempre agir para aumentar sua própria escolha e para dar mais escolha a outros.

   Oposto: Tentar tirar as escolhas das pessoas quando elas não ameaçam você nem a ninguém.

3. As pessoas fazem a melhor escolha que podem no momento.

   Ação: Respeitar as suas ações e as de outros como sendo as melhores possíveis no momento. Se conscientizar de que se você tivesse a educação, as experiências e os pensamentos do outro e fosse colocado na mesma situação, agiria da mesma forma que ele. Compreender que não é melhor do que ele.

   Oposto: Pensar que é melhor do que os outros, condenar as escolhas dos outros de uma posição superior com visão retroativa perfeita.

4. As pessoas funcionam perfeitamente.

   Ação: Ver cada uma de suas ações como sendo o melhor que pode fazer, ao mesmo tempo lutar para aprender mais.

   Oposto: Tratar a si mesmo e a outros como se estivessem "quebrados" e errados precisando de conserto. (E você é a pessoa mais indicada para fazê-lo!)

5. Toda ação tem um propósito.

   Ação: Ser claro quanto aos seus próprios objetivos e usar o modelo de objetivo bem formulado para eliciar os objetivos de outras pessoas.

   Oposto: Vagar aleatoriamente como se suas ações não tivessem qualquer finalidade. Não se dar o trabalho de descobrir o que as outras pessoas desejam.

6. Todo comportamento tem uma intenção positiva.

   Ação: Reconhecer a intenção positiva em seus próprios erros. Reconhecer a intenção positiva por trás das ações das outras pessoas ao mesmo tempo se protegendo das conseqüências.

   Oposto: Pensar que você ou outra pessoa sejam completamente maus, condenando algumas ações como sendo sem qualquer mérito para quem quer que seja, não importa como as encare.

7. A mente inconsciente equilibra a consciente. Não é maliciosa.

   Ação: Ver sua própria falta de saúde como maneira de o corpo curar a si mesmo.

Oposto: Acreditar que as pessoas são inteiramente podres e que existe uma versão psicológica de "pecado original".

8. O significado da comunicação é a resposta que você obtém.

    Ação: Assumir a responsabilidade por ser um bom comunicador para explicar o que está querendo dizer. Prestar atenção no *feedback* da outra pessoa. Reconhecer as intenções dos outros ao mesmo tempo em que presta atenção no efeito que tem sobre eles, como eles o percebem. Não há falha de comunicação, apenas respostas.

    Oposto: Pensar que quando você comunica e a outra pessoa não compreende é automaticamente culpa dela e que ela é burra. Julgar outros pelo que você pensa deles e julgar a si mesmo pelas suas próprias intenções.

9. Nós já possuímos todos os recursos de que necessitamos ou então podemos criá-los.

    Ação: Dar a outros o espaço e a ajuda para encontrar suas próprias soluções. Saber que não é indefeso, sem esperança ou desmerecedor.

    Oposto: Acreditar que é completamente dependente de outros para motivação, conhecimento e aprovação. Tratar a educação como transferência de conhecimento dos que a têm para os que não a têm.

10. Mente e corpo formam um só sistema. São expressões diferentes de uma só pessoa.

    Ação: Cuidar de nossos pensamentos além de nossos corpos, reconhecendo e evitando pensamentos tóxicos e estados tóxicos além de ambientes tóxicos. Sermos flexíveis na escolha dos meios para tratarmos nossa própria falta de saúde.

    Oposto: Usar soluções químicas para todos os problemas físicos e mentais ou tentar curar doenças físicas através de meios puramente mentais.

11. Processamos todas as informações através de nossas mentes.

    Ação: Considerar os limites de nosso mundo como limites de nossos sentidos. Lutar constantemente para aguçar e estender seu alcance.

    Oposto: "Se não pode ver alguma coisa, ela não está lá".

12. A modelagem de desempenho bem-sucedido leva à excelência.

    Ação: Buscar constantemente a excelência para que a possa modelar. Observar seus próprios momentos de excelência e modelá-los para que possa ter mais deles. Aprender com todos que encontrar.

Oposto: Considerar "talento inato" como explicação de desempenho excelente. Não dar chance às pessoas para que se desenvolvam se você pensa que elas não têm esse "talento" misterioso. Ressentir-se em vez de se fascinar se alguém faz algo melhor do que você.

13. Se quiser compreender, aja!

    Ação: Testar constantemente seus limites e crenças.

    Oposto: Alegar muitas crenças e ideais que parecem impressionantes, mas jamais colocá-los em prática.

A Regra 80:20

Oitenta por cento de seus resultados vêm de 20% de seu esforço e a PNL não é exceção, mas quais 20%? Para ser mais produtivo:

- Focalize o resultado, não o esforço.
- Procure padrões em seus resultados excelentes. Como os produziu?
- Seja seletivo em seus esforços, não exaustivo.
- Concentre-se em produtividade excepcional. Não busque esforço médio.
- Faça *networking* – isso multiplica seus resultados sem esforço adicional.
- Busque ser excelente em poucas coisas em vez de competente em muitas.
- Identifique suas capacidades essenciais e as desenvolva.
- Delegue o mais que puder. (Por que fazer as coisas nas quais não é bom?)
- Faça apenas as coisas que faz melhor e de que mais gosta.
- Objetive um número limitado de oportunidades bem-escolhidas em vez de perseguir todas as oportunidades disponíveis.
- Tenha uma ampla gama de projetos em qualquer dado momento, mas não concentre esforços neles a não ser que mostrem resultados.
- Aproveite ao máximo os momentos de sorte – você provavelmente os criou.
- Desengaje-se de momentos de má sorte – você provavelmente os criou.

Como Tirar o Máximo da PNL

- *Focalize aquilo que você deseja.*

  Estabelecer objetivos ou resultados é o primeiro passo para alcançá-los. Todos os seus resultados começaram como um pensamento.

- *Mantenha-se curioso quanto à sua experiência.*

  Quando você faz alguma coisa que realmente funciona bem, parabenize-se e depois pergunte a si mesmo: "Como fui capaz de fazer isso?" Com os métodos de modelagem da PNL você será capaz de compreender seus momentos de excelência e torná-los a norma em vez de a exceção. No mesmo espírito, se você fizer algo que acha burrice, em vez de se criticar, apenas pergunte-se: "Como será que fui capaz de fazer isso?" Você compreenderá a si mesmo melhor e aprenderá com o erro para que não o repita.

- *Adote perspectivas diferentes.*

  Seu ponto de vista é apenas um entre muitos.

- *Use a PNL.*

  A aprendizagem advém do fazer.

- *Respeite seu ritmo.*

  Não exija demais cedo demais. Conheça-se melhor e aprecie-se por quem você é além de por quem deseja ser.

- *Separe tempo para si mesmo.*

  Engaje-se em algum tipo de meditação ou de relaxamento que lhe agrade.

- *Observe as mudanças que faz e como sua vida muda para melhor.*

  Dê crédito a si mesmo pelas mudanças que faz. Às vezes é fácil pensar que nada está acontecendo, mas quando você expande o horizonte de tempo, você pode ver as mudanças muito mais facilmente. A vida é uma série de pequenas decisões (e ocasionalmente uma grande). Preste atenção nas pequenas – cada uma é importante. Lembre-se dos pontos nos trilhos de trem. Eles precisam mudar apenas alguns graus, e os trilhos divergem cada vez mais. Faça as pequenas mudanças e atenha-se a elas.

- *Tome consciência de suas âncoras.*

  Neutralize as negativas e estabeleça âncoras positivas. Torne-se uma âncora positiva para outros.

- *Saiba que tem escolha emocional.*

  Você tem muitas oportunidades para mudar seu estado emocional – mas somente se você quiser.

➲ *Desenvolva um bom relacionamento com seu inconsciente.*
Confie em sua intuição e ouça-a. Saiba quando está incongruente e quando está congruente.

A vida é uma série de pequenas decisões que levam a grandes mudanças.

➲ *Desenvolva sua imaginação e criatividade.*
Escreva uma história ou pinte um quadro, mesmo que jamais a publique ou o mostre para alguém.

➲ *Preste atenção em seu corpo.*
Esteja consciente dele e aja com base no que ele lhe diz.

➲ *Jogue com suas fraquezas.*
Descubra o que você não faz bem e desafie-se.

➲ *Desenvolva sua acuidade sensorial.*
Há tantas coisas no mundo que você poderia estar aproveitando. Olhe, ouça e sinta. Você gostará muito mais do que faz e aumentará a flexibilidade de seu pensamento.

➲ *Pense em treinamento adicional.*
Não precisa ser treinamento de PNL. Há muitas maneiras interessantes que você mesmo pode desenvolver.

Plano de Ação

1. Anote suas respostas às seguintes perguntas:

    O que aprendi com a PNL que é novo para mim?

    O que aprendi que tenha reforçado o que já sabia?

    O que está faltando? Sobre o que gostaria de ter lido mais?

    Seu *feedback* será muito bem-vindo.
    Mande um e-mail para lambent@bigfoot.com (se quiser).

2. Fique alguns minutos quieto, talvez como parte de seu relaxamento diário.

    Pergunte-se: "Quem sou eu?"

    Passe pelos níveis neurológicos:

    Até que ponto você é definido por seu ambiente?

    Por seu comportamento?

    Por suas capacidades?

    Por suas crenças e valores?

    Por sua identidade?

    Por sua conexão além de sua identidade?

3. Quantas coisas de que realmente gosta você faz com freqüência? Você as está aproveitando ao máximo? Faça uma lista sob alguns cabeçalhos gerais, por exemplo:

    relacionamentos (amigos e pessoas que ama)

    família, pais e filhos

    recreação (esportes, passatempos, entretenimento)

    música, artes, TV, cinema, teatro

    sucessos nos negócios e solução de problemas

    relaxamento

    comida, comer em casa, comer fora e cozinhar

    dar e receber presentes

    roupas

    atividade religiosa e espiritual

    Sob cada título, relacione duas atividades de que gosta. Seja razoavelmente específico, porque os prazeres são muito específicos. A felicidade não é algum estado nebuloso que você pode alcançar diretamente, e sim resultado de incontáveis prazeres e de tempo bem gasto. Por exemplo, sob "roupas", você poderia relacionar comprar um terno novo, vestir um agasalho para sair no frio ou desfrutar da sensação de um par de sapatos confortável.

Se isso for difícil, você pode estar pensando em segmentos grandes demais. Atividades prazerosas não têm que ser momentâneas ou arrebatadoras para se qualificarem como tal. Pense pequeno. Pense na primeira xícara de café do dia ou naquele momento lânguido antes de adormecer. Os dias estão repletos de pequenos momentos de prazer que não são reconhecidos. Você tem que estar lá, associado ao momento, para aproveitá-los.

Atribua um número a cada atividade:

1. Se você não a praticou no último mês.
2. Se a praticou algumas vezes no último mês.
3. Se você a praticou várias vezes no último mês.

Isso lhe dá um máximo possível de 60.

O quão perto está do máximo? O que pode fazer para aumentar sua pontuação no mês que vem?

Agora multiplique a pontuação de cada item por dois se for moderadamente agradável e por três se for muito agradável. Então, terá um total possível de 180.

O que você pode fazer para obter uma pontuação mais alta no próximo mês? Lembre-se de estar plenamente presente (e alegre) nessas experiências.

4. Você já pensou em como tomamos a maioria das decisões com base em experiência de segunda mão? Acreditamos e decidimos com base naquilo que outras pessoas dizem, no que lemos na Internet, nos jornais ou no que vemos na televisão. Podemos ter bons motivos para confiar nessas fontes, ou então simplesmente confiamos nelas de qualquer maneira. O que fizeram para merecer sua confiança? Quanto você realmente sabe de primeira mão, com base em seus sentidos?

Da próxima vez que tiver uma decisão a tomar, pegue duas folhas de papel. Em uma, anote toda sua experiência pessoal sobre a questão. Na outra, anote tudo que leu ou que lhe disseram a respeito.

Então jogue fora a segunda folha de papel.

Volte para a primeira.

Qual é sua decisão baseada em sua experiência?

Quando toma uma decisão é verdadeiramente sua?

Apêndice 1

Padrões da PNL

Os Padrões da PNL afetam linguagem, fisiologia e pensamento, embora alguns padrões lidem claramente com um elemento mais do que outros. Segue uma lista dos padrões da PNL de acordo com qual dos três elementos abordam primariamente.

Linguagem

backtracking
Metamodelo
Modelo Milton
metáfora
predicados
ressignificação simples

Pensamento

associação/dissociação

segmentação

níveis neurológicos

integração de partes

ressignificação em seis passos

estratégias

submodalidades

linha de tempo

TOTS

transe e estados alterados

Fisiologia

pistas de acesso

âncoras

empilhamento

encadeamento

colapso

calibração

inventário

estados

caminhar pela linha de tempo

Os Principais Formatos e Técnicas da PNL

alinhamento de níveis neurológicos

encadeamento de âncoras

colapso de âncoras

verificação de congruência

ressignificação de conteúdo

ressignificação de contexto

estratégia Disney

integrador de movimentos oculares

ponte ao futuro

metáforas isométricas

padrão de alavancagem

exercício de reuniões

metaespelho

gerador de novos comportamentos

integração de partes

alinhamento de posição perceptual

padrão de cura de fobia (dissociação VC)

renovação do passado (mudança de história pessoal)

ressignificação em seis passos

empilhamento de âncoras

mudança de estratégia

análise de submodalidades por contraste

swish

linha de tempo

exercício TOTS

transe

A PNL é antes de tudo um meio para o autodesenvolvimento. Todas as habilidades aplicam-se a você mesmo além de aos outros. Habilidades da PNL para autodesenvolvimento:

A capacidade de escolher seu estado emocional.

A habilidade de mudar o pensamento, de segmentar para cima, para baixo ou para o lado.

A capacidade de associar e dissociar de acordo com as circunstâncias.

A capacidade de mudar de posição perceptual dependendo do contexto.

Respeitar, embora não necessariamente concordar com, todos os pontos de vista do mundo.

Utilização das pressuposições de PNL para orientar suas ações.

Adotar orientação para resultados.

Aplicar acuidade sensorial a si mesmo e a outros.

Metamodelar seu próprio diálogo interno.

Acompanhar seu próprio ritmo.

Aguçar seu pensamento mudando a estrutura de submodalidades.

Escolher suas crenças.

Enriquecer seu pensamento com a utilização de todos os sistemas representacionais.

Apêndice 2

As Principais Influências no Desenvolvimento da PNL

A PNL não apareceu inteiramente formada a partir do nada. Tem uma história intelectual e uma base filosófica. Os desenvolvedores da PNL reuniram muitos fios diferentes para tecer a tapeçaria da PNL.

William James e o Pragmatismo

William James foi um filósofo e fisiologista norte-americano mais bem conhecido por ter desenvolvido a teoria do pragmaticismo. Foi um dos primeiros psicólogos a falar de nossa experiência *subjetiva* do tempo em oposição àquilo que o tempo é suposto ser em si, e seu trabalho é provavelmente o antecessor mais próximo de como a PNL lida com linhas de tempo. Na época em que James escrevia, a maioria dos estudos psicológicos era voltada para a observação externa dos fenômenos mentais, como dados científicos que podiam ser medidos. James examinou a experiência pelo lado interno, não como dados objetivos que poderiam ser medidos por um observador, e sim como era estar dentro de uma experiência. Foi um dos pioneiros pela validade da experiência subjetiva.

Referência

William James, *Principles of Psychology*, 1890.

Construtivismo

Construtivismo é o argumento intelectual e filosófico de que não somos receptores passivos de um mundo já existente, somos co-criadores dele. O que experimentamos, experimentamos através de nossos sentidos. Portanto, só podemos ter consciência daquilo que nos é mostrado por nossos sentidos – uma versão necessariamente limitada daquilo que poderíamos ser. Vemos, ouvimos e sentimos apenas aquilo que nossos sentidos permitem. Além disso, nossa cultura, nossos valores, nossas expectativas, preocupações e sociedade também filtram o que e como experimentamos. Portanto, cada um de nós cria um mapa diferente da realidade, e ele se torna nossa realidade. Construtivismo não é a mesma coisa que solipsismo, que nega a realidade de tudo que não a sua própria existência. Construtivismo não nega que existe uma "realidade lá fora", apenas que não podemos conhecê-la plenamente e que somos ativos na criação daquilo que a realidade é para nós. Somos responsáveis por *como* percebemos e como agimos com base nessa percepção.

Referência

Paul Watzlawick (org.), *The Invented Reality*, W. W. Norton, 1984.

Alfred Korzybski e a Semântica Geral

Korzybski fundou a disciplina que denominou Semântica Geral para encontrar um meio de falar do processo de um mundo em constante mutação sem congelá-lo em uma estrutura fixa através da linguagem que usamos. Foi a primeira pessoa a usar o termo "Neurolingüística", em 1933. Ele também cunhou a frase "O mapa não é o território", em outras palavras, o mapa (linguagem) não é a coisa mapeada (experiência). Palavras não são os objetos que representam. Palavras apenas indicam a estrutura da experiência. Palavras são muito mais limitadas do que a experiência em si e confundir as duas coisas pode levar à dor e à frustração. Korzybski fez uma série de distinções em linguagem e escreveu proficuamente sobre a distinção mapa/território – como criamos mapas da realidade com nossa linguagem e depois consideramos o mapa como sendo a própria realidade. Um mapa jamais pode ser verdadeiro, apenas mais ou menos útil, O trabalho de Korzybski é um dos fundamentos do modelo de linguagem da PNL.

O espírito de sua obra foi continuado por George Lakoff e Mark Johnson, que desenvolveram a idéia de que toda linguagem fala em metáforas. Jamais poderemos dizer exatamente como as coisas são, apenas como parecem ser. As metáforas que usamos, mesmo nas sentenças mais simples, canalizam nosso pensamento. (Esta última sentença usou a metáfora "canal" para descrever o que acontece com nosso pensamento. Não há canais verdadeiros em nosso pensamento.) Considerar as metáforas da linguagem literalmente abre algumas novas e fascinantes maneiras de pensar sobre como pensamos e compreendemos o mundo e, portanto, aquilo que somos capazes de fazer. A PNL freqüentemente considera a linguagem literalmente como pista para o processo de pensamento por trás dela.

Referências

Alfred Korzybski, *Science and Sanity*, Institute of General Semantics, 1994, publicado pela primeira vez em 1933.

George Lakoff e Mark Johnson, *Metaphors We Live By*, University of Chicago Press, 1980.

Carl Rogers e a "Terapia Centrada na Pessoa"

Carl Rogers foi o originador e mais famoso proponente da "terapia centrada na pessoa". Ele refletia a linguagem de seus clientes de volta para eles e, ao fazê-lo, permitia que explorassem suas crenças e pressuposições sem julgamento e chegassem a uma compreensão e a uma solução do problema. O ouvir sem julgar e a reflexão são centrais à abordagem da PNL à terapia. Grinder e Bandler estudaram fitas de vídeo de Carl Rogers com clientes.

Referência

Carl Rogers, *Freedom to Learn*, Merrill, 1983.

Eric Berne e a Análise Transacional (AT)

Eric Berne publicou *Games People Play* em 1964. O livro lançou a poderosa idéia de que pessoas têm diferentes "partes" em sua personalidade que pensam e reagem de formas diferentes. Denominou as três principais o "adulto", a "criança" e o "pai". A metáfora de partes da personalidade foi adotada e muito usada em PNL, embora não na forma utilizada por Berne. Partes são uma metáfora – ninguém é verdadeiramente fragmentado em partes, mas a idéia pode ser útil para lidar com problemas e decisões difíceis porque as pessoas freqüentemente se sentem "divididas" por desejos e emoções conflitantes. Grinder e Bandler estudaram fitas de vídeos de Eric Berne realizando psicoterapia.

Referências

Eric Berne, *Transactional Analysis in Psychotherapy*, Souvenir Press, 1961.

Eric Berne, *Games People Play*, Penguin, 1964.

Karl Pribram, George Miller e Eugene Gallanter – O Modelo TOTS

Karl Pribram, George Miller e Eugene Gallanter propuseram o modelo TOTS em seu livro *Plans and Structure of Behaviour*, publicado em 1960. Esse modelo explicava como respondemos e agimos para alcançar nossas metas utilizando os princípios de *feedback* e *"feedforward"*. Ele substituiu o modelo de ação simples de estímulo-resposta. No modelo TOTS, agimos para reduzir a *diferença* entre um estado presente e um estado desejado. Continuamos a agir até que essa diferença desapareça. Esse modelo é ainda usado em PNL, pois é um modelo cibernético – os resultados de uma ação são realimentados ao sistema e usados como base para a próxima ação. George Miller também introduziu a idéia de que somente podemos lidar com "sete mais ou menos dois" pedaços de experiência de cada vez. Aquilo em que prestamos atenção e como ordenamos nossa experiência influenciam o quanto podemos saber e lembrar.

Referências

Karl Pribram, George Miller e Eugene Gallanter, *Plans and the Structure of Behaviour*, Prentice-Hall, 1960.

George Miller, "The Magic Number Seven, Plus or Minus Two", *Journal of the American Psychological Society*, 1956.

As quatro pessoas que tiveram maior influência no desenvolvimento da PNL foram Gregory Bateson, Friedrich (Fritz) Perls, Milton Erickson e Virginia Satir.

Gregory Bateson (1910-1980)

Gregory Bateson foi um antropólogo inglês, mas seu trabalho abordou muitos campos – etnologia, psiquiatria, psicologia e cibernética. Durante as décadas de 20 e 30, estudou por algum tempo os povos de Bali e da Nova Guiné. Casou-se com Margaret Mead, a antropóloga cultural e mudou-se para os Estados Unidos em 1949. Lá, passou algum tempo como etnólogo na Veterans Administration (órgão responsável pelos veteranos de guerra dos EUA) em Palo Alto, Califórnia, trabalhando com Jay Haley e John Weakland os quais posteriormente, em conjunto com Paul Watzlawick, foram pioneiros das idéias que evoluíram para a disciplina de terapia breve.

Bateson foi membro fundador das pioneiras *Macy Conferences* sobre a teoria dos sistemas nos anos 50, trabalhando com Warren McCulloch. Fez importantes contribuições para a psiquiatria, para a cibernética e para a teoria dos sistemas. Seus trabalhos sobre a sabedoria das perspectivas múltiplas, epistemologia cibernética e antropologia formam a base intelectual da PNL e, embora Richard Bandler e John Grinder jamais tivessem modelado Bateson formalmente, tiveram muitas conversas com ele quando eram vizinhos em Santa Cruz no início dos anos 70. A maneira de pensar de Bateson e as distinções que fazia tiveram uma influência profunda sobre a abordagem de John e Richard à modelagem de habilidades de comunicação.

Referência

Gregory Bateson, *Steps to an Ecology of Mind*, Ballantine Books, 1972.

Fritz Perls (1893-1970)

Fritz Perls foi originalmente treinado em psicanálise, mas rompeu com essa tradição nos anos 40 e começou a formular suas próprias idéias que mais tarde se tornaram conhecidas como a terapia Gestalt. Estabeleceu-se na Califórnia no início dos anos 60. Sua idéia básica era a de que a psicpterapia não deveria objetivar apenas ajudar as pessoas a se ajustarem a viver em sociedade, mas que deveria ser um veículo para o crescimento pessoal e uma forma de integrar mente e emoções. Perls acreditava que as pessoas deveriam confiar em seus próprios instintos e desfrutar de sua experiência. Foi um dos primeiros terapeutas a utilizar a idéia de sistemas representacionais em terapia – visual, auditivo e cinestésico. Também usou o modelo de partes da personalidade. Acreditava que uma das metas da terapia é fazer com que essas partes convivam em harmonia.

Referência

Fritz Perls, *Gestalt Therapy Verbatim*, Real People Press, 1969.

Virginia Satir (1916-1988)

Virginia Satir começou a atuar como terapeuta em Chicago, trabalhando com alcoólatras e pessoas sem-teto. Em 1951 foi uma das primeiras terapeutas a trabalhar com famílias inteiras na mesma sessão. Mudou-se para a Califórnia no início dos anos 60 e ajudou a estabelecer o Mental Research Institute em Palo Alto, juntamente com Don Jackson e Jules Riskin. Foi apresentada a John e Richard em 1972 e começou a colaborar bastante com eles.

Virginia Satir enfatizava a interdependência entre as pessoas e o equilíbrio entre o desenvolvimento pessoal e respeito pelas necessidades dos outros. Seu trabalho se concentrava em aumentar a auto-estima e a compreensão do ponto de vista das outras pessoas. Virginia também usava o modelo de partes e desenvolveu um modelo de quatro tipos de personalidade – a "acusadora", a "apaziguadora", a "distraidora" e a "computadora". Usava perguntas de PNL, embora não da forma sistemática desenvolvida por John e Richard. Também usava o modelo de sistemas representacionais da PNL e trabalhava para fazer com que seus clientes experimentassem soluções para seus problemas em todos os sentidos.

Referência

Virginia Satir, Richard Bandler e John Grinder, *Changing with Families*, Science and Behaviour Books, 1976.

Milton Erickson (1901-1980)

Milton Erickson foi quem provavelmente exerceu a maior influência sobre o desenvolvimento da PNL. Originalmente estudou medicina e psicologia, apesar de ter ficado criticamente enfermo com pólio aos 18 anos de idade. Mais tarde, a doença o confinaria a uma cadeira de rodas. Desenvolveu carreira como psiquiatra e começou a explorar o papel terapêutico da hipnose, apesar da considerável hostilidade da classe psiquiátrica. Praticou como hipnoterapeuta durante os últimos dez anos de sua vida em Phoenix, Arizona, para onde terapeutas e psicólogos vinham de todo o mundo para visitá-lo.

Gregory Bateson sugeriu que Milton seria um bom modelo de terapia para John e Richard estudarem, e eles passaram algum tempo em sua casa em Phoenix, observando e ouvindo seu trabalho. Modelaram parte de suas consideráveis habilidades com linguagem para induzir transe em seus dois livros, *Patterns of Hypnotic Techniques of Milton H. Erickson, MD, Vols. I e II.*

Erickson tinha o maior respeito pela singularidade de cada pessoa e uma curiosidade ilimitada sobre como eram capazes de fazer o que faziam. Desaprovava as teorias psicológicas generalizadas e não usava qualquer abordagem sistemática. Em vez disso, permitia que o cliente ditasse a forma da terapia. Seu estilo permissivo de hipnoterapia e sua linguagem aberta e ambígua permitiam aos clientes interpretarem o que ele dizia da forma que fazia mais sentido para eles. Esse estilo de hipnoterapia hoje tem o seu nome – hipnoterapia ericksoniana – e seus padrões de linguagem são ensinados em PNL como o Modelo Milton.

Referências

Richard Bandler e John Grinder, *The Structure of Magic 1*, Science and Behaviour Books, 1975.

John Grinder e Richard Bandler, *The Structure of Magic 2*, Science and Behaviour Books, 1976.

Richard Bandler e John Grinder, *Trance-Formations, Neuro-Linguistic Programming and the Structure of Hypnosis*, Real People Press, 1981.

Richard Bandler e John Grinder, *The Patterns of Hypnotic Techniques of Milton H. Erickson, MD, Vol. I*, Meta Publications, 1975.

John Grinder, Richard Bandler e Judith DeLozier, *The Patterns of Hypnotic Techniques of Milton H. Erickson, MD, Vol. II*, Meta Publications, 1977.

Bibliografia

Eis uma Bibliografia seletiva dos livros de PNL mais úteis.

Gerais e Introdutórios

BANDLER, Richard. *Using Your Brain for a Change.* Real People Press, 1985.

BANDLER, Richard e GRINDER, John. *Frogs into Princes.* Real People Press, 1979.

O'CONNOR, Joseph. *Extraordinary Solutions to Everiday Problems.* Thorsons, 1999.

O'CONNOR, Joseph e SEYMOUR, John. *Introducing NLP.* Thorsons, 1990. Revisado em 1994.

Negócios

CHARVET, Shelle Rose. *Words that Change Minds.* Kendall/Hunt, 1995.

KNIGHT, Sue. *NLP at Work.* Nicholas Brealy, 1995.

LABORDE, Genie. *Influencing with Integrity.* Syntony Publishing Co., 1984.

McDERMOTT, Ian e O'CONNOR, Joseph. *Practical NLP for Managers.* Gower, 1996.

O'CONNOR, Joseph. *Leading with NLP.* Thorsons, 1998.

Educação

DILTS, Robert e EPSTEIN, Todd. *Dynamic Learning*. Meta Publications, 1995.

O'CONNOR, Joseph. *Not Pulling Strings*. Lambent Books, 1987.

Treinamento

O'CONNOR, Joseph e SEYMOUR, John. *Training with NLP*. Thorsons, 1991.

OVERDURF, John e SILVERTHON, Julie. *Training Trances*. Metamorphous Press, 1994.

Saúde

DILTS, Robert, HALLBOM, Tim e SMITH, Suzi. *Beliefs: Pathways to health and Well Being*. Metamorphous Press, 1990.

O'CONNOR, Joseph e McDERMOTT, Ian. *NLP and Health*. Thorsons, 1996.

Esporte

O'CONNOR, Joseph. *NLP and Sports: Winning the Mind Game*. Thorsons, 2000.

Vendas

ASPROMONTE, Don e AUSTIN, Diane. *Green Light Selling*. Cahill Mountain Press, 1990.

DROSDEK, Steve, YEAGER, Joseph e SOMMER, Linda. *What They Don't Teach You in Sales 101*. McGraw-Hill, 1991.

O'CONNOR, Joseph e PRIOR, Robin. *Successful Selling with NLP*. Thorsons, 1995.

Terapia

ANDREAS, Connirae e ANDREAS, Tamara. *Core Transformation*. Real People Press, 1994.

ANDREAS, Steve e Connirae. *Change Your Mind and Keep the Change*. Real People Press, 1987.

ANDREAS, Steve e Connirae. *Heart of the Mind*. Real People Press, 1990.

BANDLER, Richard e GRINDER, John. *The Structure of Magic 1*. Science and Behavior Books, 1975.

BANDLER, Richard e GRINDER, John. *The Structure of Magic 2*. Science and Behavior Books, 1976.

GRINDER, John e BANDLER, Richard. *Trance-Formation, Neuro-Linguistic Programming and the Structure of Hypnosis.* Real People Press, 1981.

GRINDER, John e BANDLER, Richard. *The Patterns of Hypnotic Techniques of Milton H. Erickson, MD, Volume 1.* Meta Publications, 1975.

GRINDER, John, BANDLER, Richard e DeLOZIER, Judith. *The Patterns of Hypnotic Techniques of Milton H. Erickson, MD, Volume 2.* Meta Publications, 1977.

HELLER, Steven e STEELE, Terry. *Monsters and Magical Sticks.* Falcon Press, 1987.

Leitura Adicional

Os livros a seguir não são especificamente sobre PNL, mas são úteis para ampliar sua apreciação sobre PNL.

BATESON, Gregory. *Steps to an Ecology of Mind.* Ballantine, 1972.

BATESON, Gregory. *Mind and Nature.* Bantam, 1972.

CARSE, James. *Finit and Infinit Games.* Penguin, 1986.

CSIKSZENTMIHALYI, Mihaly. *The Evolving Self.* HarperCollins, 1993.

CHOPRA, Deepak. *Quantum Healing.* Bantam, 1990.

De BECKER, Gavin. *The Gift of Fear.* Bloomsbury, 1997.

GILOVICH, Thomas. *How We Know What Isn't So.* Macmillan, 1991.

GLADWELL, Malcolm. *The Tipping Point.* Little, Brown and Company, 2001.

HATFIELD, Elaine e CACIOPPO, Jonh. *Emotional Contagion.* Cambridge University Press, 1994.

KAUFFMAN, Stuart. *At Home in the Universe.* Penguin, 1995.

KELLY, Kevin. *Out of Control.* Fourth Estate, 1994.

The Sayings of Lao Tse, Trans. Lionel Giles Murray, Jonh Murray, 1959.

PINKER, Steven. *How the Mind Works.* Penguin, 1997.

PRIBRAN, Karl, MILLER, George e GALLANTER, Eugene. *Plans and the Structure of Behavior.* Prentice-Hall, 1960.

ROSSY, Ernest. *The Psychobiology of Mind Body Healing.* W. W. Norton, 1986.

SENGE, Peter. *The Fifth Discipline.* Doubleday, 1990.

SENGE, Peter *et al. A Quinta Disciplina – Caderno de Campo.* Qualitymark Editora, 1997.

STONE, Douglas, PATTON, Bruce e HEEN, Sheila. *Difficult Conversations.* Viking, 1999.

WALDROP, Michael. *Complexity*. Simon & Shuster, 1993.

WATZLAWICK, Paul. *Ultra-Solutions*. W. W. Norton, 1988.

WILBER, Ken. *A Brief History of Everything*. Shambhala Publications, 1996.

WOLINSKY, Stephen. *Trances People Live*. The Bramble Company, 1991.

Glossário

Acompanhar o ritmo (*Pacing*)	Obter e manter rapport com outra pessoa ao longo de um período de tempo, encontrando-a em seu modelo da realidade. Acompanhar a si próprio é dar atenção à sua própria experiência sem imediatamente tentar mudá-la.
Acuidade sensorial	O processo de aprender a fazer distinções mais finas e mais úteis das informações sensoriais que obtemos do mundo. Um dos pilares da PNL.
Além de identidade	O nível de experiência no qual você é mais Você e mais conectado aos outros. Um dos níveis neurológicos. Freqüentemente chamado de nível espiritual.
Ambiente	O onde, o quando e as pessoas com quem estamos. Um dos níveis neurológicos.
Ambigüidade de pontuação	A ambigüidade causada pela fusão de duas sentenças separadas em uma só sempre pode tentar fazer sentido delas. Por exemplo: esta última sentença.
Ambigüidade fonológica	Duas palavras que soam iguais mas cuja diferença é clara.
Ambigüidade sintática	Uma sentença ambígua com um verbo no gerúndio que pode ser um adjetivo ou um verbo.

Análise contrastante	Comparar dois ou mais elementos e procurar as diferenças críticas entre eles para compreendê-los melhor.
Âncora	Qualquer estímulo que evoque uma resposta. Âncoras mudam nosso estado. Podem ocorrer naturalmente ou ser estabelecidas de forma intencional.
Ancoragem	O processo de associar uma coisa a outra.
Através do tempo	Ter uma linha de tempo na qual você está dissociado de sua linha de tempo e, portanto, tem consciência do passar do tempo.
Auditivo	Relativo ao sentido da audição.
Automodelagem	Modelar seus próprios estados de excelência como recursos.
Backtracking	Revisar ou resumir, usando as palavras-chave, os gestos e a tonalidade de voz de outra pessoa.
Busca ou pesquisa transderivacional	Fazer sentido de palavras com referência à sua própria experiência.
Calibração	Reconhecer com precisão o estado de outra pessoa através da leitura de sinais não-verbais.
Capacidade	Uma estratégia bem-sucedida para realizar uma tarefa. Uma habilidade ou um hábito. Também uma maneira habitual de pensar. Um dos níveis neurológicos.
Cinestésico	O sentido do tato. Sensações tácteis e sensações internas como sensações e emoções lembradas e o senso de equilíbrio.
Citações	Alguém me disse que isso significa "Padrão lingüístico através do qual você expressa a sua mensagem como se viesse de outrem".
Comando embutido	Um comando que está embutido em uma sentença mais longa. É demarcado por tom de voz ou gestos.
Como se	Usar a imaginação para explorar as conseqüências de pensamentos ou ações "como

	se" tivessem ocorrido quando na realidade não aconteceram. Uma forma de planejamento por seqüência imaginária de acontecimentos futuros..
Comportamento	Qualquer atividade, inclusive pensar. Comportamento é um dos níveis neurológicos.
Condições de boa formação	Um conjunto de condições para expressar e pensar a respeito de um objetivo ou resultado e que o torna tanto alcançável quanto verificável.
Congruência	Alinhamento de crenças, valores, habilidades e ação de tal maneira que você "faz o que está dizendo". Estar em rapport consigo mesmo.
Consciente	Qualquer coisa na consciência do momento presente.
Contexto	O cenário específico, como tempo, local e pessoas presentes, que dá significado a um evento. Certas ações são possíveis (por exemplo, no palco), ações estas que não são permitidas em outros contextos (por exemplo, numa via pública).
Crenças	As generalizações que fazemos sobre outros, sobre o mundo e sobre nós mesmos que se tornam nossos princípios operacionais. Agimos como se fossem verdadeiras e são verdadeiras para nós.
Deleção ou Omissão	Omissão de uma parte de uma experiência.
Descrição tripla	Ver um evento a partir das primeira, segunda e terceira posições.
Desequiparação	Adoção de padrões de comportamento diferentes dos de outra pessoa com a finalidade de interromper sua comunicação com você (em uma reunião ou conversa), ou a maneira dela se relacionar com ela mesma.
Diálogo interno	Falar consigo mesmo.
Digital (adjetivo)	Capaz de estados distintos, mas não é uma escala contínua. Por exemplo, um interrup-

	tor de luz, que pode estar ligado ou desligado, mas não um pouco ligado ou um pouco desligado.
Distorção	Mudar a experiência, tornando-a diferente de alguma forma.
Downtime	Estar em um transe leve com sua atenção focalizada para dentro em seu próprio estado.
Ecologia	Uma preocupação e exploração das conseqüências gerais de seus pensamentos e ações na teia geral de relacionamentos na qual você se define como parte. Ecologia interna é como os diferentes pensamentos e sentimentos de uma pessoa se encaixam para torná-la congruente ou incongruente.
Eliciação	Provocação ou evocação de uma forma de comportamento, de um estado ou de uma estratégia.
Encadeamento	Seqüenciar uma série de estados.
Enquadramento	Uma maneira de ver alguma coisa; um ponto de vista específico. Por exemplo, o enquadramento da negociação vê comportamento como se fosse uma forma de negociação.
Equiparação	Adoção de partes do comportamento, das habilidades, crença ou valores de outra pessoa com a finalidade de aumentar o rapport.
Equiparação cruzada	Equiparação da linguagem corporal de uma pessoa com um movimento de tipo diferente. Por exemplo, mover sua mão no ritmo de sua fala.
Equivalente ou equivalência complexa	Duas afirmações consideradas como significando a mesma coisa, uma forma de comportamento e uma capacidade. Por exemplo, pensar que alguém não está prestando atenção se não estiver olhando para você.
Espelhamento	Equiparação exata de partes do comportamento de outra pessoa.

Espiritual	Ver "além de identidade".
Estado	A soma de nossos pensamentos, sentimentos, emoções e energia física e mental.
Estado associado	Estar dentro de uma experiência, vendo através de seus próprios olhos, estando plenamente em seus sentidos.
Estado-base	O estado mental normal e habitual.
Estado dissociado	Estar distanciado de uma experiência, vendo, ouvindo ou sentindo como se estivesse do lado de fora. De alguma forma sentir-se "fora" ou "desligado".
Estado emocional	*Ver* "Estado".
Estratégia	Uma seqüência de pensamentos possível de ser repetida que leva a ações que consistentemente produzem um resultado específico.
Estrutura profunda	Em gramática transformacional, essa é a forma lingüística completa da afirmação da qual a estrutura superficial (o que foi efetivamente dito) é derivada. De modo geral, é a estrutura mais geral que dá margem a uma forma visível específica.
Estrutura superficial	A forma visível derivada da estrutura profunda através de omissão, distorção e generalização. Em lingüística transformacional, as palavras que são efetivamente ditas.
Feedback	Os resultados de suas ações que retornam para influenciar seus próximos passos. Um dos pilares da PNL.
Flexibilidade	Ter muitas escolhas de pensamento e comportamento para alcançar um resultado. Um dos pilares da PNL.
Generalização	O processo através do qual uma experiência específica vem a representar toda uma classe ou todo um grupo de experiências.
Gustativo	Diz respeito ao sentido do gosto.

HUGGS	*Huge, unbelievably good goals* (Metas enormes inacreditavelmente boas). Objetivos gerais de longo prazo fortemente ligados a valores.
Identidade	Sua auto-imagem ou autoconceito. Quem você se considera ser. Um dos níveis neurológicos.
Incongruência	O estado de não estar em rapport consigo mesmo, tendo um conflito interno que se expressa em seu comportamento. Pode ser seqüencial – por exemplo, uma ação seguida de outra que a contradiz – ou simultânea – por exemplo, concordância em palavras, mas com tom de voz duvidoso.
Inconsciente	Tudo que não está em sua consciência no momento presente.
Intenção positiva	O propósito positivo subjacente a qualquer ação ou crença.
Interrupção de padrão	Mudar o estado de uma pessoa um tanto abruptamente, freqüentemente através de sua desequiparação.
Inventário	A consciência de suas experiências visuais, auditivas, cinestésicas, olfativas e gustativas em um dado momento.
Liderar ou conduzir	Mudar aquilo que você faz com rapport suficiente para que outra pessoa siga.
Linguagem corporal	A maneira pela qual nos comunicamos através de nosso corpo, sem sons ou palavras. Por exemplo, através de nossa postura, nossos gestos, expressões faciais, aparência e pistas de acesso.
Linha de tempo	A linha que conecta seu passado a seu futuro. O "lugar" onde armazenamos imagens, sons, e sensações de nosso passado e nosso futuro.
Mapa da realidade	A representação do mundo singular de cada pessoa construída a partir de suas percepções e experiências individuais. Não é apenas um conceito, mas toda uma maneira de viver, respirar e agir.

Mediação	A habilidade de resolver uma disputa entre partes e pessoas.
Meta	A palavra vem do grego, significando "acima" ou "além".
Meta-estado	Estado sobre estados. Por exemplo, ter raiva de estar cansado.
Metáfora	Comunicação indireta através de uma história ou figura de linguagem implicando uma comparação. Em PNL, metáfora abrange símiles, histórias, parábolas e alegorias. Implica, de forma aberta ou oculta, que uma coisa é como outra.
Metamodelo	Um conjunto de padrões de linguagem e de perguntas que ligam a linguagem à experiência.
Metaposição	Uma posição externa a uma situação que permite que você a veja de forma mais objetiva. Também usada para a posição de observador em exercícios de PNL.
Modelagem	O processo de discernir a seqüência de idéias e de comportamentos que permite a alguém realizar uma tarefa. A base da PNL.
Modelo	Uma descrição prática de como algo funciona. Uma descrição deletada, distorcida e generalizada que é suficientemente simples, mas não demasiadamente simples, para ser útil.
Modelo Milton	O inverso do Metamodelo; utiliza padrões de linguagem habilidosamente vaga para acompanhar a experiência de outra pessoa. Uma série de padrões de linguagem modeladas por Grinder e Bandler a partir de Milton Erickson.
Mudança de primeira ordem	Uma mudança que não tem ramificações futuras.
Mudança de segunda ordem	Mudança que tenha extensas ramificações para áreas outras que não aquela onde a mudança ocorreu.

Negociação	O processo de tentar obter seu resultado lidando com outra parte que pode desejar um resultado diferente.
Níveis neurológicos	Diferentes níveis de experiência: ambiente, comportamento, capacidade, crença, identidade e além de identidade.
"No tempo"	Ter uma linha de tempo com o "agora" passando pelo seu corpo. Quando você está "no tempo", não percebe sua passagem, mas é "levado junto".
Nomes não-especificados	Substantivos que não declaram claramente a quem ou a que se referem, por exemplo, "eles".
Nominalização	Termo lingüístico para o processo de transformar um verbo em um substantivo abstrato e a palavra para o substantivo assim formado. Por exemplo: "relacionar" passa a ser "um relacionamento" – um processo se tornou uma coisa.
Olfativo	Diz respeito ao sentido do olfato.
Operador modal de necessidade	Palavras que implicam regras quanto ao que é necessário. Por exemplo, "deveria", "deve", "ter que" e "não deveria".
Operador modal de possibilidade	Palavras que implicam regras quanto ao que é possível. Por exemplo, "posso", "não posso", "possível", "impossível".
Padrão Poliana	Ressignificação compulsiva e inadequada, ou ressignificação sem respeitar contexto.
Pilares de PNL	Você, pressuposições, resultado, rapport, flexibilidade e *feedback* (acuidade sensorial).
Pistas de acesso	As maneiras pelas quais ajustamos nossos corpos através de nossa respiração, postura, gestos e movimentos oculares para pensarmos de determinadas maneiras.
Pistas de acesso oculares	Movimentos dos olhos em certas direções que indicam pensamento visual, auditivo ou cinestésico.

Ponte ao futuro	Ensaiar mentalmente um resultado. Uma simulação mental de eventos futuros esperados.
Posição perceptual	O ponto de vista que adotamos. Há uma primeira posição (nossa própria), uma segunda posição (a de outra pessoa) ou uma terceira posição (o relacionamento entre as duas).
Postulado conversacional	Uma forma de linguagem hipnótica, uma pergunta que pode ser interpretada como um comando, por exemplo: "Você levou o lixo para fora?"
Predicados	Palavras sensorialmente baseadas que indicam o uso de um sistema representacional.
Pressuposições	Idéias ou crenças que são pressupostas, ou seja, consideradas como dadas e sobre as quais se age. Um dos pilares da PNL.
Primeira posição	Perceber o mundo apenas a partir de seu próprio ponto de vista. Estar em contato com sua própria realidade interior. Uma de três diferentes posições perceptuais, as demais sendo a segunda e a terceira posições.
Processo PCM	Verificação de um resultado em busca de Possibilidade, Capacidade e Merecimento.
Programação Neurolingüística	O estudo da excelência e o estudo da estrutura da experiência subjetiva.
Quebrar estado	Usar qualquer movimento ou distração para mudar um estado emocional.
Rapport	Um relacionamento de confiança e responsividade com você mesmo ou com outros. Um dos pilares da PNL.
Recursos	Qualquer coisa que possa ajudá-lo a alcançar um resultado. Por exemplo, fisiologia, estados, pensamentos, crenças, estratégias, experiências, pessoas, eventos, bens, lugares e histórias.
Ressignificação ou reenquadramento	Compreender uma experiência de forma diferente, dando a ela um significado diferente.

Ressignificação de conteúdo	Atribuir outro significado a uma afirmação ou ação perguntando: "O que mais isso poderia significar?"
Ressignificação de contexto	Dar outro significado a uma declaração ou ação, mudando o contexto. Perguntando: "Em que contexto isso faria sentido?"
Resultado ou objetivo	Uma meta desejada, específica e sensorialmente baseada. Você sabe o que verá, ouvirá e sentirá quando o tiver. Um dos pilares da PNL.
Segmentação (*Chunking*)	Mudar sua percepção, geralmente subindo ou descendo um nível. O Metamodelo segmenta para baixo a partir da linguagem, solicitando instâncias específicas. O Modelo Milton segmenta para cima a partir da linguagem, incluindo uma série de instâncias específicas possíveis em uma estrutura de frase geral. A metáfora segmenta para o lado para um significado diferente no mesmo nível.
Segunda posição	Há dois tipos de segunda posição: a segunda posição emocional objetiva – sentir as emoções de outra pessoa; e a segunda posição cognitiva que busca compreender o pensamento de outra pessoa.
Sinestesia	Uma ligação automática de um sentido para outro. Por exemplo, quando o som da voz de uma pessoa faz com que você se sinta bem.
Sistema condutor ou orientador	O sistema representacional que você usa para acessar informações armazenadas. Por exemplo, para algumas pessoas, uma imagem mental de um período de férias trará de volta a experiência inteira.
Sistema representacional	Os diferentes canais através dos quais nós representamos informações internamente, usando nossos sentidos: visual (visão); auditivo (audição); cinestésico (sensação corporal); olfativo (olfato); e gustativo (gosto).

Sistema representacional preferido ou preferencial	O sistema representacional que um indivíduo tipicamente usa para pensar de forma consciente e organizar sua experiência. Mostrar-se-á especialmente quando a pessoa estiver sob estresse.
Sistema vestibular	O senso de equilíbrio.
Submodalidades	As distinções finas que fazemos em cada sistema representacional, as qualidades de nossas representações internas e os menores blocos de construção de nossos pensamentos.
Terceira posição	Adotar o ponto de vista de um observador distanciado, a visão sistêmica.
Transe	Um estado alterado, resultando em um foco de atenção temporariamente fixo, estreitado e interno.
Universais ou quantificadores universais	Palavras como "todos", "tudo" e "nunca" que não admitem exceção.
Uptime	Em um estado com sua atenção focalizada para fora.
Valores	Coisas que são importantes para você, por exemplo, saúde.
Verbos não-especificados	Verbos que não são claros ou que têm o advérbio deletado, por exemplo "pensar" ou "fazer".

CONHEÇA OS OUTROS LIVROS DO AUTOR

www.qualitymark.com.br

QUALITYMARK EDITORA

Entre em sintonia com o Mundo

Qualitymark Editora Ltda.

Rua José Augusto Rodrigues, 64 – sl. 101
Polo Cine e Vídeo – Jacarepaguá
22275-047 – Rio de Janeiro – RJ
Tels.: (21) 3597-9055 / 3597-9056
Vendas: (21) 3296-7649

E-mail: quality@qualitymark.com.br
www.qualitymark.com.br

Dados Técnicos

•	Formato:	17,5x24,5cm
•	Mancha:	13,5x21,5cm
•	Fontes Títulos:	Bedrock
•	Fontes Textos:	ZapfCalligr / Futura Md BT
•	Corpo:	11,3
•	Entrelinha:	13,6
•	Total de páginas:	344
•	1ª Edição:	2003
•	17ª Reimpressão:	2019